Nicolas Barreau
Das Lächeln der Frauen

PIPER

Zu diesem Buch

Es gibt keine Zufälle! Davon ist Aurélie, die nach dem Tod ihres Vaters dessen Restaurant übernommen hat, überzeugt. An jenem verhängnisvollen Freitag im November, als Aurélie so unglücklich ist wie nie zuvor, fällt ihr in einer Buchhandlung ein Roman mit dem Titel »Das Lächeln der Frauen« ins Auge. Verwundert stößt sie beim Blättern auf einen Satz, der nicht nur ihr eigenes Restaurant beschreibt, sondern auch eine Frau, in der sie sich selbst erkennt. Nach der Lektüre der ganzen Geschichte will Aurélie unbedingt den Autor dieses Romans kennenlernen, der ihr, davon ist sie überzeugt, das Leben gerettet hat, ohne dies auch nur zu ahnen. Doch ihr Wunsch erweist sich als schwieriges, ja fast unmögliches Unterfangen. Alle Versuche, mit dem scheuen Autor über seinen französischen Verlag in Kontakt zu treten, werden von dem bärbeißigen Lektor André abgeblockt, der ihre enthusiastischen Briefe nur widerwillig weiterleitet. Doch Aurélie gibt nicht auf, und eines Tages flattert tatsächlich eine Nachricht von dem zurückhaltenden Schriftsteller in ihren Briefkasten ...

Nicolas Barreau, geboren 1980 in Paris, hat Romanistik und Geschichte an der Sorbonne studiert und schreibt an seiner Dissertation. Er arbeitet in einer Buchhandlung an der Rive Gauche in Paris, ist jedoch alles andere als ein weltfremder Bücherwurm. Schon mit seinen Erfolgen »Die Frau meines Lebens« und »Du findest mich am Ende der Welt« hat er sich in die Herzen seiner Leserinnen geschrieben, ehe er mit »Das Lächeln der Frauen« hymnische Besprechungen und begeisterte Leserstimmen erntete.

Nicolas Barreau

DAS LÄCHELN DER FRAUEN

Roman

Aus dem Französischen von
Sophie Scherrer

Piper München Zürich

Mehr über unsere Autoren und Bücher:
www.piper.de

Von Nicolas Barreau liegen bei Piper vor:
Die Frau meines Lebens
Du findest mich am Ende der Welt
Das Lächeln der Frauen

Ungekürzte Taschenbuchausgabe
Piper Verlag GmbH, München
April 2012
8. Auflage Mai 2012
© 2010 Nicolas Barreau
© der deutschsprachigen Ausgabe: 2010 Thiele Verlag
in der Thiele & Brandstätter Verlag GmbH, München / Wien
Umschlag: semper smile, München, nach einem Entwurf
von Christina Krutz Design, Riedstadt
Umschlagmotiv: Ayal Ardon / Trevillion (Frau),
Christopher Steer / iStockphoto (Eiffelturm)
Satz: Christine Paxmann • text • konzept • grafik, München
Papier: Munken Print von Arctic Paper Munkedals AB, Schweden
Druck und Bindung: CPI – Clausen & Bosse, Leck
Printed in Germany   ISBN 978-3-492-27285-8

Das Glück ist ein roter Mantel
mit zerrissenem Futter.

JULIAN BARNES

1

Letztes Jahr im November hat ein Buch mein Leben gerettet. Ich weiß, das klingt jetzt sehr unwahrscheinlich. Manche mögen es gar für überspannt halten, wenn ich so etwas sage, oder melodramatisch. Und doch war es genau so.

Dabei hatte nicht einmal jemand auf mein Herz gezielt und die Kugel wäre wundersamerweise in den Seiten einer dicken, in Leder gebundenen Ausgabe von Baudelaires Gedichten steckengeblieben, wie man es manchmal in Filmen sehen kann. So ein aufregendes Leben führe ich nicht.

Nein, mein dummes Herz war bereits vorher verwundet worden. An einem Tag, der wie jeder andere zu sein schien.

Ich erinnere mich noch genau. Die letzten Gäste im Restaurant – eine Gruppe von ziemlich lauten Amerikanern, ein diskretes japanisches Paar und ein paar diskutierwütige Franzosen – waren wie immer lange sitzengeblieben, und die Amerikaner hatten sich nach dem *Gâteau au chocolat* mit vielen »Aaahs« und »Ooohs« die Lippen geleckt.

Suzette hatte, nachdem der Nachtisch serviert war, wie immer gefragt, ob ich sie wirklich noch brauche, und war dann glücklich davongeeilt. Und Jacquie war wie immer schlecht gelaunt gewesen. Dieses Mal hatte er sich über die Eßgewohnheiten der Touristen ereifert und die Augen verdreht, während er die leergefegten Teller scheppernd in die Spülmaschine warf.

»*Ah, les Américains!* Verstehen *nichts* von französischer Cuisine, *rien du tout!* Essen immer die Dekoration mit – warum muß ich für Barbaren kochen, ich hätte gute Lust, alles hinzuschmeißen, es macht mir schlechte Laune!«

Er hatte sich die Schürze losgebunden und mir beim Hinausgehen sein *bonne nuit* entgegengebrummt, bevor er sich auf sein altes Fahrrad schwang und in der kalten Nacht verschwand. Jacquie ist ein großartiger Koch und ich mag ihn sehr, auch wenn er seine Griesgrämigkeit vor sich herträgt wie einen Topf Bouillabaisse. Er war schon Koch im *Temps des Cerises*, als das kleine Restaurant mit den rot-weiß gewürfelten Tischdecken, das etwas abseits vom belebten Boulevard Saint-Germain in der Rue Princesse liegt, noch meinem Vater gehörte. Mein Vater liebte das Chanson von der »Zeit der Kirschen«, die so schön ist und so schnell vorbei, dieses zugleich lebensbejahende und etwas wehmütige Lied über Liebende, die sich finden und wieder verlieren. Und obwohl sich die französische Linke dieses alte Lied später zur inoffiziellen Hymne erkoren hat, als ein Bild für Aufbruch und Fortschritt, glaube ich, daß der wahre Grund, weshalb Papa sein Restaurant so nannte, weniger dem Gedenken an die Pariser Kommune geschuldet war, sondern ganz persönlichen Erinnerungen.

Dies ist der Ort, an dem ich aufgewachsen bin, und wenn ich nach der Schule mit meinen Heften in der Küche saß, umgeben vom Geklapper der Töpfe und Pfannen und von tausend verheißungsvollen Gerüchen, konnte ich sicher sein, daß Jacquie immer eine kleine Leckerei für mich hatte.

Jacquie, der eigentlich Jacques Auguste Berton heißt, kommt aus der Normandie, wo man bis zum Horizont sehen kann, wo die Luft nach Salz schmeckt und das endlose Meer, über dem Wind und Wolken ihr rastloses Spiel treiben, dem Auge nicht den Blick verstellt. Mehr als einmal am Tag versichert er mir, daß er es liebt, weit zu gucken, *weit!* Manchmal wird ihm Paris zu eng und zu laut, und dann sehnt er sich an die Küste zurück.

»Wer einmal den Geruch der Côte Fleurie in der Nase hat, wie kann der sich in den Pariser Abgasen wohlfühlen, sag mir das!?«

Er wedelt mit dem Fleischmesser und schaut mich vorwurfsvoll mit seinen großen braunen Augen an, bevor er sich mit einer ungeduldigen Bewegung die dunklen Haare aus der Stirn wischt, die mehr und mehr – ich sehe es mit einer gewissen Rührung – von silbrigen Fäden durchzogen sind.

Es ist doch erst ein paar Jahre her, daß dieser stämmige Mann mit den großen Händen einem vierzehnjährigen Mädchen mit langen dunkelblonden Zöpfen gezeigt hat, wie man die vollkommene *Crème brûlée* zubereitet. Es war das erste Gericht, mit dem ich meine Freundinnen beeindruckte.

Jacquie ist natürlich nicht *irgendein* Koch. Als junger Mann hat er in der berühmten *Ferme Saint-Siméon* gearbeitet, in Honfleur, der kleinen Stadt am Atlantik mit diesem ganz besonderen Licht – Fluchtpunkt der Maler und Künstler. »Das hatte schon etwas mehr Stil, meine liebe Aurélie.«

Doch so viel Jacquie auch schimpft – ich lächle still, weil ich weiß, daß er mich nie im Stich lassen würde. Und so war es auch in jenem letzten November, in dem der Himmel über Paris weiß wie Milch war und die Menschen mit dicken Wollschals durch die Straßen hasteten. Ein November, der so viel kälter war als alle anderen, die ich in Paris erlebt hatte. Oder kam mir das nur so vor?

Wenige Wochen zuvor war mein Vater gestorben. Einfach so, ohne Vorwarnung, hatte sein Herz eines Tages beschlossen, nicht mehr zu schlagen. Jacquie fand ihn, als er nachmittags das Restaurant aufschloß.

Papa lag friedlich auf dem Fußboden – umgeben von frischen Gemüsen, Lammkeulen, Jakobsmuscheln und Kräutern, die er morgens auf dem Markt gekauft hatte.

Er hinterließ mir sein Restaurant, das Rezept für sein berühmtes *Menu d'amour* mit dem er angeblich vor vielen Jahren die Liebe meiner Mutter gewonnen hatte (sie starb, als ich noch sehr klein war, deswegen werde ich nie wissen, ob er nicht doch geschwindelt hat), und einige kluge Sätze über das Leben. Er war achtundsechzig Jahre alt, und ich fand das viel zu früh. Aber Menschen, die man liebt, sterben immer zu früh, nicht wahr, egal, wie alt sie werden.

»Die Jahre bedeuten nichts. Nur was in ihnen geschieht«, hatte mein Vater einmal gesagt, als er Rosen auf das Grab meiner Mutter legte.

Und als ich im Herbst etwas verzagt, aber doch entschlossen in seine Fußstapfen trat, traf mich die Erkenntnis, daß ich nun ziemlich allein auf der Welt war, mit voller Wucht.

Gott sei Dank hatte ich Claude. Er arbeitete als Bühnenbildner am Theater, und der riesige Schreibtisch, der in seiner kleinen Atelierwohnung im Bastilleviertel unter dem Fenster stand, quoll stets über von Zeichnungen und kleinen Modellen aus Karton. Wenn er einen größeren Auftrag hatte, tauchte er manchmal für ein paar Tage ab. »Ich bin nächste Woche nicht vorhanden«, sagte er dann, und ich mußte mich erst daran gewöhnen, daß er tatsächlich weder ans Telefon ging noch die Tür öffnete, obwohl ich Sturm klingelte. Kurze Zeit später war er wieder da, als wäre nichts gewesen. Er schien am Himmel auf wie ein Regenbogen, nicht zu fassen und wunderschön, küßte mich übermütig auf den Mund, nannte mich »meine Kleine«, und die Sonne spielte in seinen goldblonden Locken Versteck.

Dann nahm er mich an der Hand, zog mich mit sich fort und präsentierte mir mit flackerndem Blick seine Entwürfe.

Sagen durfte man nichts.

Als ich Claude erst einige Monate kannte, hatte ich einmal den Fehler begangen, meine Meinung unbefangen zu äußern, und mit schiefgelegtem Kopf laut überlegt, was man noch verbessern könnte. Claude hatte mich fassungslos angestarrt, seine wasserblauen Augen schienen fast überzulaufen, und mit einer einzigen heftigen Handbewegung hatte er seinen Schreibtisch leergefegt. Farben, Stifte, Blätter, Gläser, Pinsel und kleine Kartonstücke wirbelten durch die Luft wie Konfetti, und das filigrane, in sorgsamer Arbeit gefertigte Bühnenmodell für Shakespeares *Sommernachtstraum* zerbrach in tausend Stücke.

Seither hielt ich mich mit kritischen Bemerkungen zurück.

Claude war sehr impulsiv, sehr wechselhaft in seinen Stimmungen, sehr zärtlich und sehr besonders. Alles an ihm war »sehr«, ein wohltemperiertes Mittelmaß schien es nicht zu geben.

Wir waren damals ungefähr zwei Jahre zusammen, und es wäre mir nie in den Sinn gekommen, die Beziehung zu diesem komplizierten und höchst eigenwilligen Menschen infrage zu stellen. Wenn man genau hinsieht, hat doch jeder von uns seine Kompliziertheiten, seine Empfindlichkeiten und Spleens. Es gibt Dinge, die wir tun, oder Dinge, die wir niemals tun würden, oder nur unter ganz bestimmten Umständen. Dinge, über die andere lachen, den Kopf schütteln, sich wundern.

Merkwürdige Dinge, die nur zu uns gehören.

Ich zum Beispiel sammle Gedanken. In meinem Schlafzimmer gibt es eine Wand mit bunten Zetteln voller Gedanken, die ich festgehalten habe, damit sie mir in ihrer Flüchtigkeit nicht verlorengehen. Gedanken über belauschte Gespräche im Café, über Rituale und warum sie so wichtig sind, Gedanken über Küsse im Park bei Nacht, über das Herz und über Hotelzimmer, über Hände, Gartenbänke, Photos, über Geheimnisse und wann man sie preisgibt, über das Licht in den Bäumen, und über die Zeit, wenn sie stillsteht.

Meine kleinen Notizen haften an der hellen Tapete wie tropische Schmetterlinge, eingefangene Momente, die keinem Zweck dienen außer dem, in meiner Nähe zu bleiben, und wenn ich die Balkontür öffne und ein leichter Luftzug durch das Zimmer streicht, zittern sie ein wenig, so als wollten sie davonfliegen.

»Was ist *das*?!« Claude hatte ungläubig die Augenbrauen hochgezogen, als er meine Schmetterlingssammlung zum erstenmal sah. Er war vor der Wand stehengeblieben und hatte interessiert einige Notizen gelesen. »Willst du ein Buch schreiben?«

Ich wurde rot und schüttelte den Kopf.

»Um Gottes willen, nein! Ich mache das …«, ich mußte selbst einen Moment überlegen, fand aber keine wirklich überzeugende Erklärung, »weißt du, ich mache das einfach so. Kein Grund. So wie andere Leute Photos machen.«

»Kann es sein, daß du ein kleines bißchen versponnen bist, *ma petite*?« hatte Claude gefragt, und dann hatte er die Hand unter meinen Rock geschoben. »Aber das macht nichts, gar nichts, ich bin ja auch ein bißchen verrückt …«, er strich mit den Lippen über meinen Hals und mir wurde ganz heiß, »… nach dir.«

Wenige Minuten später lagen wir auf dem Bett, meine Haare gerieten in ein wundervolles Durcheinander, die Sonne schien durch die halb zugezogenen Gardinen und malte kleine zitternde Kreise auf den Holzfußboden, und anschließend hätte ich einen weiteren Zettel an die Wand heften können *Über die Liebe am Nachmittag*. Ich tat es nicht.

Claude hatte Hunger, und ich machte Omelettes für uns, und er sagte, ein Mädchen, das solche Omelettes machen könne, dürfe sich jeden Spleen erlauben. Also hier noch etwas:

Immer wenn ich unglücklich oder unruhig bin, gehe ich los und kaufe Blumen. Natürlich mag ich Blumen auch, wenn ich glücklich bin, aber an diesen Tagen, wenn alles schiefläuft, sind Blumen für mich wie der Beginn einer neuen Ordnung, etwas, das immer vollkommen ist, egal, was passiert.

Ich stelle ein paar blaue Glockenblumen in die Vase, und es geht mir besser. Ich pflanze Blumen auf meinem alten Steinbalkon, der zum Hof hinausgeht, und habe sofort das befriedigende Gefühl, etwas ganz Sinnvolles zu tun. Ich verliere mich darin, die Pflanzen aus dem Zeitungspapier zu wickeln, sie behutsam aus den Plastikbehältern zu lösen und in die Töpfe zu setzen. Wenn ich mit den Fingern in die feuchte Erde greife und darin herumwühle, wird alles ganz einfach, und ich setze meinem Kummer wahre Kaskaden aus Rosen, Hortensien und Glyzinien entgegen.

Ich mag keine Veränderungen in meinem Leben. Ich nehme immer dieselben Wege, wenn ich zur Arbeit gehe, ich habe eine ganz bestimmte Bank in den Tuilerien, die ich heimlich als *meine* Bank betrachte.

Und ich würde mich niemals im Dunkeln auf einer Treppe umdrehen, weil ich das unbestimmte Gefühl hätte, daß hinter mir etwas lauert, das nach mir greift, wenn ich nur zurückschaue.

Das mit der Treppe habe ich übrigens niemandem erzählt, nicht einmal Claude. Ich glaube, er hat mir damals auch nicht alles erzählt.

Tagsüber gingen wir beide unserer Wege. Was Claude abends machte, wenn ich im Restaurant arbeitete, wußte ich nicht immer so genau. Vielleicht wollte ich es auch nicht wissen. Aber nachts, wenn die Einsamkeit sich über Paris senkte, wenn die letzten Bars schlossen und ein paar Nachtschwärmer fröstelnd auf die Straße traten, lag ich in seinen Armen und fühlte mich sicher.

Als ich an jenem Abend die Lichter im Restaurant löschte und mich mit einer Schachtel voller Himbeer-Macarons auf den Weg nach Hause machte, ahnte ich noch nicht, daß meine Wohnung genauso leer sein würde wie mein Restaurant. Es war, wie gesagt, ein Tag wie jeder andere.

Nur daß Claude sich mit drei Sätzen aus meinem Leben verabschiedet hatte.

Als ich am nächsten Morgen aufwachte, wußte ich, daß etwas nicht in Ordnung war. Leider gehöre ich nicht zu den Menschen, die mit einem Schlag hellwach sind, und

so war es zunächst auch mehr ein merkwürdiges unbe-
stimmtes Unwohlsein als dieser eine konkrete Gedanke, der sich allmählich in mein Bewußtsein schob. Ich
lag in den weichen, nach Lavendel duftenden Kissen,
von draußen drangen gedämpft die Geräusche des Ho-
fes hinein. Ein weinendes Kind, die beschwichtigende
Stimme einer Mutter, schwere Schritte, die sich langsam
entfernten, das Hoftor, das quietschend ins Schloß fiel.
Ich blinzelte und drehte mich zur Seite. Halb im Schlaf
noch streckte ich meine Hand aus und tastete nach etwas, das nicht mehr da war.

»Claude?« murmelte ich.

Und dann war der Gedanke angekommen. Claude
hatte mich verlassen!

Was gestern nacht noch seltsam unwirklich erschienen war und nach mehreren Gläsern Rotwein so unwirklich wurde, daß ich es auch hätte geträumt haben
können, wurde mit Anbruch dieses grauen November-
morgens unwiderruflich. Reglos lag ich da und lauschte,
aber die Wohnung blieb still. Aus der Küche kam kein
Geräusch. Keiner, der mit den großen dunkelblauen Tassen herumklapperte und leise fluchte, weil die Milch
übergekocht war. Kein Duft nach Kaffee, der die Mü-
digkeit vertrieb. Kein leises Surren eines elektrischen
Rasierers. Kein Wort.

Ich wandte den Kopf und sah zur Balkontür hinüber,
die leichten, weißen Vorhänge waren nicht zugezogen
und ein kalter Morgen drückte sich gegen die Scheiben.
Ich zog die Decke fester um mich und dachte daran, wie

ich gestern mit meinen Macarons nichtsahnend in die leere, dunkle Wohnung getreten war.

Nur das Licht in der Küche brannte, und ich hatte einen Moment verständnislos auf das einsame Stilleben gestarrt, das sich im Schein der schwarzmetallenen Hängelampe meinem Blick darbot.

Ein handgeschriebener Brief, der offen auf dem alten Küchentisch lag, darauf das Glas Aprikosenmarmelade, mit der Claude sich am Morgen sein Croissant bestrichen hatte. Eine Schale mit Obst. Eine Kerze, zur Hälfe abgebrannt. Zwei Stoffservietten, die nachlässig zusammengerollt waren und in silbernen Serviettenringen steckten.

Claude schrieb mir nie, nicht einmal einen Zettel. Er hatte eine manische Beziehung zu seinem Mobiltelefon, und wenn sich seine Pläne änderten, rief er mich an oder hinterließ eine Nachricht auf meiner Mailbox.

»Claude?« rief ich und hoffte noch irgendwie auf eine Antwort, aber da griff schon die kalte Hand der Angst nach mir. Ich ließ die Arme sinken, die Macarons rutschten aus der Schachtel und fielen in Zeitlupe auf den Boden. Mir wurde ein bißchen schwindlig. Ich setzte mich auf einen der vier Holzstühle und zog das Blatt unglaublich vorsichtig zu mir heran, als ob das etwas hätte ändern können.

Wieder und wieder hatte ich die wenigen Worte gelesen, die Claude in seiner großen, steilen Schrift zu Papier gebracht hatte, und am Ende meinte ich seine rauhe Stimme zu hören, ganz nah an meinem Ohr, wie ein Flüstern in der Nacht:

Aurélie,

ich habe die Frau meines Lebens kennengelernt. Es tut mir
leid, daß es gerade jetzt passiert ist, aber irgendwann wäre es
sowieso geschehen.

Paß gut auf Dich auf,
Claude

Erst war ich reglos sitzengeblieben. Nur mein Herz
klopfte wie verrückt. So also fühlte es sich an, wenn
einem der Boden unter den Füßen weggezogen wurde.
Am Vormittag hatte Claude sich noch mit einem Kuß
im Flur von mir verabschiedet, der mir besonders zärtlich schien. Ich wußte nicht, daß es ein Kuß war, der
mich verriet. Eine Lüge! Wie erbärmlich, sich auf diese
Weise davonzustehlen!

In einer Aufwallung von ohnmächtiger Wut zerknüllte ich das Papier und warf es in eine Ecke. Sekunden
später hockte ich laut aufschluchzend davor und strich
den Bogen wieder glatt. Ich trank ein Glas Rotwein und
dann noch eines. Ich zog mein Telefon aus der Tasche
und rief Claude immer wieder an. Ich hinterließ verzweifelte Bitten und wilde Beschimpfungen. Ich ging in
der Wohnung auf und ab, nahm wieder einen Schluck,
um mir Mut zu machen, und schrie in den Hörer, er
solle mich auf der Stelle zurückrufen. Ich glaube, ich
habe es ungefähr fünfundzwanzigmal probiert, bevor ich
mit der dumpfen Klarsichtigkeit, die der Alkohol einem
bisweilen beschert, zu der Erkenntnis kam, daß meine
Versuche vergeblich bleiben würden. Claude war bereits

Lichtjahre entfernt, und meine Worte konnten ihn nicht mehr erreichen.

Mein Kopf schmerzte. Ich stand auf und tappte in meinem kurzen Nachthemd – eigentlich war es das viel zu große blau-weiß gestreifte Oberteil von Claudes Pyjama, das ich mir in der Nacht noch irgendwie übergezogen hatte – durch die Wohnung wie eine Somnambule.

Die Tür zum Badezimmer stand auf. Ich ließ meinen Blick schweifen, um mich zu vergewissern. Der Rasierapparat war verschwunden, ebenso wie die Zahnbürste und das *Aramis*-Parfum.

Im Wohnzimmer fehlte die weinrote Kaschmirdecke, die ich Claude zum Geburtstag geschenkt hatte, und über dem Stuhl hing nicht wie sonst achtlos hingeworfen sein dunkler Pullover. Der Regenmantel an der Garderobe links neben der Eingangstür war fort. Ich riß den Kleiderschrank auf, der im Flur stand. Ein paar leere Kleiderbügel schlugen mit leisem Klirren gegeneinander. Ich holte tief Luft. Alles ausgeräumt. Selbst an die Socken in der untersten Schublade hatte Claude gedacht. Er mußte seinen Abgang sehr sorgfältig geplant haben, und ich fragte mich, wie es sein konnte, daß ich nichts gemerkt hatte, nichts. Davon, daß er vorhatte zu gehen. Davon, daß er sich verliebt hatte. Davon, daß er bereits eine andere Frau küßte, während er mich küßte.

In dem hohen goldgerahmten Spiegel, der im Flur über der Kommode hing, spiegelte sich mein blasses verweintes Gesicht wie ein bleicher Mond, der von zitternden, dunkelblonden Wellen umgeben war. Meine langen, in der Mitte gescheitelten Haare waren zerzaust wie nach einer wilden Liebesnacht, nur daß es keine heftigen Umarmungen und geflüsterten Schwüre gegeben hatte. »Du hast Haare wie eine Märchenprinzessin«, hatte Claude gesagt. »Du bist meine Titania.«

Ich lachte bitter auf, trat ganz nah an den Spiegel heran und musterte mich mit dem unerbittlichen Blick der Verzweifelten. In meiner Verfassung und mit den tiefen Schatten unter meinen Augen erinnerte ich eher an die Irre von Chaillot, fand ich. Rechts über mir steckte im Rahmen des Spiegels das Photo von Claude und mir, das ich so sehr mochte. Es war an einem lauen Sommerabend entstanden, als wir über den Pont des Arts schlenderten. Ein beleibter Afrikaner, der auf der Brücke seine Taschen zum Verkauf ausgebreitet hatte, hatte es von uns gemacht. Ich erinnere mich noch, daß er unglaublich große Hände hatte – zwischen seinen Fingern wirkte meine kleine Kamera wie ein Puppenspielzeug – und daß es eine Weile dauerte, bis er endlich auf den Auslöser drückte.

Wir lachen beide auf diesem Photo, unsere Köpfe eng aneinandergeschmiegt, vor einem tiefblauen Himmel, der die Silhouette von Paris zärtlich einhüllt.

Lügen Photos oder sagen sie die Wahrheit? Im Schmerz wird man philosophisch.

Ich nahm das Bild herunter, legte es auf das dunkle Holz und stützte mich mit beiden Händen auf die Kommode. »*Que ça dure!*« hatte der schwarze Mann aus

Afrika uns mit tiefer Stimme und rollendem »r« lachend nachgerufen. »*Que ça dure!*« Möge es so bleiben!

Ich merkte, wie sich meine Augen erneut mit Tränen füllten. Sie liefen mir die Wangen hinunter und platschten wie dicke Regentropfen auf Claude und mich und unser Lächeln und diesen ganzen Paris-für-Verliebte-Quatsch, bis alles zur Unkenntlichkeit verschwamm.

Ich zog die Schublade auf und stopfte das Photo zwischen die Schals und Handschuhe. »So«, sagte ich. Und dann noch einmal: »So.«

Dann drückte ich die Schublade zu und dachte darüber nach, wie einfach es doch war, aus dem Leben eines anderen zu verschwinden. Für Claude hatten ein paar Stunden gereicht. Und wie es aussah, war das gestreifte Hemd eines Herrenpyjamas, das wohl eher absichtslos unter meinem Kopfkissen vergessen worden war, das einzige, was mir von ihm blieb.

Glück und Unglück liegen oft sehr nahe beieinander. Anders formuliert könnte man auch sagen, daß das Glück bisweilen seltsame Umwege nimmt.

Hätte Claude mich damals nicht verlassen, hätte ich mich an diesem trüben kalten Novembermontag wahrscheinlich mit Bernadette getroffen. Ich wäre nicht als einsamster Mensch von der Welt durch Paris geirrt, ich wäre bei Anbruch der Dämmerung nicht lange Zeit auf dem Pont Louis-Philippe stehengeblieben und hätte von Selbstmitleid überwältigt ins Wasser gestarrt, ich wäre nicht vor diesem besorgten jungen Polizisten in die kleine Buchhandlung auf der Île Saint-Louis geflüchtet, und ich hätte niemals dieses Buch gefunden, das mein Leben in ein so wunderbares Abenteuer verwandeln sollte. Aber der Reihe nach.

Es war zumindest sehr rücksichtsvoll von Claude, mich an einem Sonntag zu verlassen. Montags bleibt das *Temps des Cerises* nämlich immer geschlossen. Das ist mein freier Tag, und an diesem Tag mache ich stets irgend etwas Schönes. Ich gehe in eine Ausstellung. Ich verbringe Stunden im *Bon Marché*, meinem Lieblingskaufhaus. Oder ich sehe Bernadette.

Bernadette ist meine beste Freundin. Wir haben uns vor acht Jahren auf einer Zugfahrt kennengelernt, als ihre kleine Tochter Marie stolpernd auf mich zulief und schwungvoll einen Becher Kakao über meinem crème-farbenen Strickkleid entleerte. Die Flecken sind nie ganz herausgegangen, aber am Ende dieser sehr kurzweiligen Zugfahrt von Avignon nach Paris und nach dem gemeinsamen und nicht sehr erfolgreichen Versuch, das Kleid in einer schwankenden Zugtoilette mit Wasser und Papiertaschentüchern zu reinigen, waren wir fast schon Freundinnen.

Bernadette ist alles, was ich nicht bin. Sie ist schwer zu beeindrucken, unerschütterlich in ihrer guten Laune, sehr patent. Mit bemerkenswerter Gelassenheit nimmt sie die Dinge, die da kommen, und versucht das beste daraus zu machen. Sie ist diejenige, die das, was ich manchmal für fürchterlich verworren halte, mit ein paar Sätzen zurechtrückt und ganz einfach macht.

»Du liebe Güte, Aurélie«, sagt sie dann und schaut mich belustigt aus ihren dunkelblauen Augen an. »Was du dir immer für *Gedanken* machst! Das ist doch alles ganz *einfach* …«

Bernadette wohnt auf der Île Saint-Louis und ist Lehrerin an der *École Primaire*, aber sie könnte ohne weiteres auch Beraterin für kompliziert denkende Menschen sein.

Wenn ich in ihr klares, schönes Gesicht schaue, denke ich oft, daß sie eine der wenigen Frauen ist, denen es wirklich gut steht, die Haare in einem schlichten Chignon zu tragen. Und wenn sie ihre blonden, schulterlangen Haare offen trägt, sehen ihr die Männer hinterher.

Sie hat ein lautes, ansteckendes Lachen. Und sie sagt immer, was sie denkt.

Das war auch der Grund, weshalb ich sie an diesem Montagmorgen nicht treffen wollte. Bernadette konnte Claude von Anfang an nicht leiden.

»Das ist ein Freak«, hatte sie gesagt, nachdem ich ihr Claude bei einem Glas Wein vorgestellt hatte. »Ich kenne solche Typen. Egozentrisch und guckt einem nicht richtig in die Augen.«

»Also *mir* guckt er in die Augen«, erwiderte ich und lachte.

»Mit so einem wirst du nicht glücklich«, beharrte sie.

Ich fand das damals ein bißchen vorschnell, aber als ich jetzt das Kaffeepulver in meine Glaskanne löffelte und das kochende Wasser darübergoß, mußte ich mir eingestehen, daß Bernadette recht gehabt hatte.

Ich schickte ihr eine SMS und sagte unser gemeinsames Mittagessen mit kryptischen Worten ab. Dann trank ich meinen Kaffee, zog Mantel, Schal und Handschuhe an und trat hinaus in den kalten Pariser Morgen.

Manchmal geht man los, um irgendwo anzukommen. Und manchmal geht man einfach nur los, um zu gehen und zu gehen und immer weiter zu gehen, bis die Nebel sich lichten, die Verzweiflung sich legt oder man einen Gedanken zu Ende gedacht hat.

Ich hatte kein Ziel an diesem Morgen, mein Kopf war seltsam leer und mein Herz so schwer, daß ich sein Gewicht spürte und unwillkürlich meine Hand gegen den rauhen Mantel drückte. Es waren noch nicht viele Leute unterwegs, und die Absätze meiner Stiefel klackten verloren auf dem alten Pflaster, als ich auf den steinernen Torbogen zuging, der die Rue de L'Ancienne Comédie mit dem Boulevard Saint-Germain verbindet. Ich war so froh, als ich vor vier Jahren meine Wohnung in dieser Straße gefunden hatte. Ich mag dieses kleine, lebendige Viertel, das sich jenseits des großen Boulevards mit seinen verwinkelten Straßen und Gassen, Gemüse-, Austern- und Blumenständen, Cafés und Geschäften bis zum Seineufer erstreckt. Ich wohne im dritten Stock, in einem alten Haus mit ausgetretenen Steintreppen und ohne Aufzug, und wenn ich aus dem Fenster schaue, kann ich hinübersehen zu dem berühmten *Procope*, jenem Restaurant, das schon seit Jahrhunderten dort steht und das erste Kaffeehaus von Paris gewesen sein soll. Dort hatten sich Literaten und Philosophen getroffen. Voltaire, Rousseau, Balzac, Hugo und Anatole France. Große Namen, deren spirituelle Gesellschaft die meisten Gäste, die dort unter riesigen Kronleuchtern auf roten Lederbänken sitzen und essen, mit einem angenehmen Schauer erfüllen.

»Hast du ein Glück«, hatte Bernadette gesagt, als ich ihr mein neues Zuhause zeigte und wir zur Feier des Tages abends im *Procope* einen wirklich köstlichen *Coq au vin* aßen. »Wenn man bedenkt, wer hier alles schon gesessen hat – und du wohnst nur ein paar Schritte entfernt … toll!«

Sie schaute sich begeistert um, während ich ein Stück weingetränktes Huhn auf meine Gabel aufspießte, es versonnen anstarrte und einen Moment überlegte, ob ich vielleicht ein Kulturbanause war.

Ehrlicherweise muß ich gestehen, daß mich der Gedanke, daß man im *Procope* damals die erste Eiscrème von Paris essen konnte, weitaus mehr entzückte als bärtige Männer, die ihre klugen Gedanken zu Papier brachten, aber das hätte meine Freundin vielleicht nicht verstanden.

Bernadettes Wohnung ist voller Bücher. Sie stehen in meterhohen Regalen, die sich über Türrahmen hinwegziehen, sie liegen auf Eßtischen, Schreibtischen, Couchtischen und Nachttischen, und selbst im Bad habe ich zu meinem Erstaunen auf einem kleinen Tischchen neben der Toilette ein paar Bücher gefunden.

»Ein Leben ohne Bücher könnte ich mir überhaupt nicht vorstellen«, hat Bernadette einmal gesagt, und ich habe ein wenig beschämt genickt.

Im Prinzip lese ich auch. Aber meistens kommt etwas dazwischen. Und wenn ich die Wahl habe, mache ich am Ende doch lieber einen langen Spaziergang oder ich backe eine Aprikosentarte, und der wunderbare Duft aus diesem Gemisch aus Mehl, Butter, Vanille, Eiern, Früchten und Sahne, der dann durch die Wohnung zieht, ist es, der meine Phantasie beflügelt und mich zum Träumen bringt.

Wahrscheinlich liegt es an diesem mit einem Kochlöffel und zwei Rosen verzierten Metallschild, das heute noch in der Küche des *Temps des Cerises* hängt.

Als ich in der Grundschule lesen lernte und sich Buchstabe für Buchstabe zu einem großen, sinngebenden Ganzen zusammenfügte, stand ich in meiner dunkelblauen Schuluniform davor und entzifferte die Worte, die darauf standen:

»Strenggenommen hat nur eine Sorte Bücher das Glück unserer Erde vermehrt: die Kochbücher.«

Der Spruch war von einem Joseph Conrad, und ich weiß noch, daß ich lange Zeit ganz selbstverständlich angenommen hatte, daß dieser Mann ein berühmter deutscher Koch sein müsse. Um so erstaunter war ich, als ich später durch einen Zufall auf seinen Roman *Herz der Finsternis* stieß, den ich mir aus alter Verbundenheit sogar kaufte, aber dann doch nicht las.

Jedenfalls klang der Titel so düster wie meine Stimmung an diesem Tag. Vielleicht wäre jetzt der passende Zeitpunkt gewesen, dieses Buch hervorzuholen, überlegte ich voller Bitterkeit. Aber ich lese keine Bücher, wenn ich unglücklich bin; ich pflanze Blumen.

Das dachte ich zumindest in diesem Moment, nicht wissend, daß ich in derselben Nacht noch mit begehrlicher Hast die Seiten eines Romans umblättern würde, der sich mir sozusagen in den Weg geworfen hatte. Zufall? Bis heute glaube ich nicht daran, daß es ein Zufall war.

Ich grüßte Philippe, einen der Kellner aus dem *Procope*, der mir freundlich durch die Scheibe zuwinkte, ging achtlos vorbei an den funkelnden Auslagen des kleinen Schmuckladens *Harem* und bog auf den Boulevard Saint-Germain ein. Es hatte angefangen zu regnen, die Autos fuhren wasserspritzend an mir vorbei, und ich zog den Schal enger um mich, während ich unbeirrt den Boulevard entlangmarschierte.

Warum müssen schreckliche oder deprimierende Dinge immer im November passieren? Der November war für mich die denkbar schlechteste Zeit, um unglücklich zu sein. Die Auswahl der Blumen, die man pflanzen konnte, hielt sich in Grenzen.

Ich stieß mit meinem Fuß gegen eine leere Coladose, die scheppernd über den Bürgersteig rollte und schließlich im Rinnstein liegenblieb.

Un caillou bien rond qui coule, l'instant d'après il est coulé … Es war wie in diesem unglaublich traurigen Lied von Anne Sylvestre, *La Chanson de Toute Seule*, das mit den Kieselsteinen, die erst rollen und einen Augenblick später in der Seine untergehen. Alle hatten mich verlassen. Papa war tot, Claude war verschwunden, und ich war allein wie nie zuvor in meinem Leben. Da klingelte mein Mobiltelefon.

»Hallo?« sagte ich und verschluckte mich fast. Ich spürte, wie mir das Adrenalin durch den Körper schoß bei dem Gedanken, es könnte Claude sein.

»Was ist los, mein Schatz?« Bernadette kam wie immer direkt zur Sache.

Ein Taxifahrer bremste mit quietschenden Rädern neben mir und hupte wie ein Besinnungsloser, weil ein Fahrradfahrer die Vorfahrt nicht beachtet hatte. Es klang apokalyptisch.

»Meine Güte, was ist *das*?« rief Bernadette in den Hörer, bevor ich etwas sagen konnte. »Alles in Ordnung? Wo bist du?«

»Irgendwo auf dem Boulevard Saint-Germain«, erwiderte ich kläglich und stellte mich für einen Moment unter die Markise eines Geschäfts, das bunte Schirme mit Entenköpfen als Knauf in der Auslage hatte. Der Regen tropfte aus meinen nassen Haaren, und ich ertrank in einer riesigen Woge aus Selbstmitleid.

»Irgendwo auf dem Boulevard Saint-Germain? Was um Himmels willen machst du irgendwo auf dem Boulevard Saint-Germain? Du hast mir doch geschrieben, dir wäre etwas dazwischengekommen!«

»Claude ist weg«, sagte ich und schniefte in mein Telefon.

»Wie meinst du das – weg?« Bernadettes Stimme wurde wie immer, wenn es um Claude ging, sofort eine Spur unduldsamer. »Ist der Idiot wieder mal abgetaucht und meldet sich nicht?«

Dummerweise hatte ich Bernadette von Claudes Hang zum Eskapismus erzählt, und sie hatte das gar nicht witzig gefunden.

»Für immer weg«, sagte ich aufschluchzend. »Er hat mich verlassen. Ich bin so unglücklich.«

»Ach, du meine Güte«, sagte Bernadette und ihre Stimme war wie eine Umarmung. »Ach, du meine Güte! Meine arme, arme Aurélie. Was ist passiert?«

»Er ... hat ... eine ... andere ...«, schluchzte ich weiter. »Gestern, als ich nach Hause kam, waren alle seine Sachen weg, und da lag ein Zettel ... ein Zettel ...«

»Er hat es dir nicht einmal *persönlich* gesagt? So ein Arschloch!« Bernadette fiel mir ins Wort und sog erbost die Luft ein. »Ich habe dir immer gesagt, daß Claude ein Arschloch ist. Immer und immer! Ein Zettel! Das ist wirklich das letzte ... nein, das ist das allerletzte!«

»Bitte, Bernadette ...«

»Was? Verteidigst du diesen Idioten auch noch?«

Ich schüttelte stumm den Kopf.

»Jetzt hör mal, mein Liebchen«, sagte Bernadette, und ich kniff die Augen zusammen. Wenn Bernadette ihre Sätze mit »Jetzt hör mal« einleitete, war das meistens der Auftakt zu grundsätzlichen Meinungsbekundungen, die oft stimmten, die man aber nicht immer ertragen konnte. »Vergiß diesen Blödmann, so schnell es geht! Natürlich ist es jetzt schlimm ...«

»Sehr schlimm«, schluchzte ich.

»Also gut, *sehr* schlimm. Aber dieser Mann war wirklich unsäglich, und im tiefsten Inneren weißt du das auch. Jetzt versuche dich zu beruhigen. Alles wird gut, und ich verspreche dir in die Hand, daß du bald schon einen ganz netten Mann kennenlernen wirst, einen *wirklich* netten Mann, der so eine wunderbare Frau wie dich zu schätzen weiß.«

»Ach, Bernadette«, seufzte ich. Bernadette hatte gut reden. Sie war mit einem wirklich netten Mann verheiratet, der mit unglaublicher Langmut ihren Wahrheitsfanatismus ertrug.

»Hör mal«, sagte sie jetzt wieder. »Du nimmst dir sofort ein Taxi und fährst nach Hause, und wenn ich hier alles klar habe, komme ich zu dir. Alles halb so wild, ich bitte dich! Kein Grund für ein Drama.«

Ich schluckte. Natürlich war das nett von Bernadette, daß sie zu mir kommen und mich trösten wollte. Doch ich hatte das ungute Gefühl, daß ihr Verständnis von Trost ein anderes war als meines. Ich wußte nicht, ob ich Lust darauf hatte, mir den ganzen Abend über erklären zu lassen, wieso Claude der beknackteste Typ aller Zeiten war. Immerhin war ich bis gestern noch mit ihm zusammen gewesen, und ein bißchen mehr Mitgefühl hätte ich auch ganz schön gefunden.

Und dann schoß die gute Bernadette über das Ziel hinaus.

»Ich sag dir mal was, Aurélie«, sagte sie in ihrer Lehrerinnenstimme, die keinen Widerspruch duldete. »Ich bin froh, ja, ich bin sogar sehr froh, daß Claude dich verlassen hat. Ein echter Glücksfall, wenn du mich fragst! Du hättest den Absprung nämlich nicht geschafft. Ich weiß, du hörst das jetzt nicht gern, aber ich sag's trotzdem: Daß dieser Blödmann endlich aus deinem Leben verschwunden ist, ist für mich ein Grund zum Feiern.«

»Wie schön für dich«, entgegnete ich schärfer, als ich es eigentlich wollte, und ich spürte, wie die unterschwellige Erkenntnis, daß meine Freundin nicht ganz unrecht hatte, mich mit einemmal unglaublich wütend machte.

»Weißt du was, Bernadette? Feiere du doch schon mal ein bißchen vor, und falls du es in deiner großen Euphorie überhaupt ertragen kannst, dann laß mich einfach noch ein paar Tage traurig sein, ja? Laß mich einfach nur in Ruhe!«

Ich legte auf, holte tief Luft und schaltete mein Handy dann ganz aus.

Na, toll, jetzt hatte ich auch noch Krach mit Bernadette. Vor der Markise strömte der Regen auf das Pflaster, und ich drückte mich fröstelnd in eine Ecke und überlegte, ob es eigentlich nicht besser wäre, nach Hause zu fahren. Doch die Vorstellung, in eine leere Wohnung zurückzukehren, machte mir angst. Ich hatte ja nicht einmal eine kleine Katze, die mich erwartete und sich schnurrend an mich schmiegte, wenn ich meine Finger durch ihr Fell gleiten ließ. »Schau mal, Claude, sind die nicht bezaubernd?« hatte ich gerufen, als Madame Clément, die Nachbarin, uns damals die Tigerkatzenbabys zeigte, die mit kleinen tapsigen Bewegungen in ihrem Körbchen übereinanderstolperten.

Aber Claude hatte eine Katzenhaarallergie und mochte auch sonst keine Tiere.

»Ich mag keine Tiere. Nur Fische«, hatte er gesagt, als wir uns erst ein paar Wochen kannten. Und eigentlich hätte ich es da schon wissen müssen. Die Chance mit einem Menschen glücklich zu werden, der nur Fische mochte, war für mich, Aurélie Bredin, ziemlich gering.

Entschlossen stieß ich die Tür zu dem kleinen Schirmgeschäft auf und kaufte einen himmelblauen Regenschirm mit weißen Punkten und einem Entenkopfgriff, der die Farbe eines Karamelbonbons hatte.

Es wurde der längste Spaziergang meines Lebens. Nach einer Weile verschwanden die Modegeschäfte und Restaurants, die rechts und links des Boulevards lagen, und wurden zu Möbelgeschäften und Fachgeschäften für Badezimmereinrichtungen, und dann hörten auch diese auf, und ich zog meine einsame Bahn durch den Regen, vorbei an den steinernen Fassaden der großen sandfarbenen Häuser, die dem Auge wenig Ablenkung boten und meinen ungeordneten Gedanken und Gefühlen mit stoischer Ruhe begegneten.

Am Ende des Boulevards, der auf den Quai d'Orsay stößt, bog ich rechts ab und überquerte die Seine Richtung Place de la Concorde. Wie ein dunkler Zeigefinger ragte der Obelisk in der Mitte des Platzes auf, und es kam mir so vor, als hätte er in seiner ganzen ägyptischen Erhabenheit nichts zu tun mit den vielen kleinen Blechautos, die ihn hektisch umkreisten.

Wenn man unglücklich ist, sieht man entweder gar nichts mehr und die Welt versinkt in Bedeutungslosigkeit, oder man sieht die Dinge überdeutlich und *alles* bekommt mit einemmal eine Bedeutung. Sogar ganz banale Dinge, wie eine Ampel, die von Rot auf Grün springt, können darüber entscheiden, ob man nach rechts oder nach links geht.

Und so spazierte ich wenige Minuten später durch die Tuilerien, eine kleine traurige Gestalt unter einem getupften Regenschirm, der sich langsam und mit leichten Auf- und Abwärtsbewegungen durch den leergefegten Park bewegte, diesen Richtung Louvre verließ, bei Einbruch der Dämmerung am rechten Ufer der Seine entlangschwebte, vorbei an der Île de la Cité, vorbei an Notre-Dame, vorbei an den Lichtern der Stadt, die allmählich aufleuchteten, bis er schließlich auf dem kleinen Pont Louis-Philippe, der zur Île Saint-Louis hinüberführt, anhielt.

Die tiefblaue Farbe des Himmels legte sich über Paris wie ein Stück Samt. Es war kurz vor sechs, der Regen hörte allmählich auf, und ich lehnte mich ein wenig erschöpft über die Steinbrüstung der alten Brücke und starrte nachdenklich in die Seine. Die Laternen spiegelten sich zitternd und glitzernd auf dem dunklen Wasser – zauberhaft und zerbrechlich wie alles Schöne.

Nach acht Stunden, Tausenden von Schritten und noch mal tausend Gedanken war ich an diesem stillen Ort angekommen. So viel Zeit hatte es gebraucht, um zu begreifen, daß die abgrundtiefe Traurigkeit, die sich wie Blei auf mein Herz gelegt hatte, nicht allein dem Umstand geschuldet war, daß Claude mich verlassen hatte. Ich war zweiunddreißig Jahre alt, und es war nicht das erste Mal, daß eine Liebe zerbrach. Ich war gegangen, ich war verlassen worden, ich hatte weitaus nettere Männer gekannt als Claude, den Freak.

Ich glaube, es war dieses Gefühl, daß sich alles auflöste, veränderte, daß Menschen, die meine Hand gehalten hatten, plötzlich für immer verschwanden, daß mir die Bodenhaftung verlorenging und zwischen diesem riesigen Universum und mir nichts mehr war als ein himmelblauer Regenschirm mit kleinen weißen Punkten.

Das machte es nicht gerade besser. Ich stand allein auf einer Brücke, ein paar Autos fuhren an mir vorbei, die Haare wehten mir ins Gesicht, und ich umklammerte den Schirm mit dem Entenknauf, als könnte dieser auch noch davonfliegen.

»Hilfe!« flüsterte ich leise und taumelte ein wenig gegen die Steinmauer.

»Mademoiselle? Oh, *mon Dieu*, Mademoiselle, nicht! Warten Sie, *arrêtez*!« Ich hörte eilige Schritte hinter mir und erschrak.

Der Schirm glitt mir aus der Hand, machte eine halbe Umdrehung, prallte von der Brüstung ab und fiel dann in einem kleinen wirbelnden Tanz nach unten, bevor er mit einem kaum hörbaren Platschen bäuchlings auf dem Wasser landete.

Ich drehte mich verwirrt um und sah in die dunklen Augen eines jungen Polizisten, der mich mit besorgtem Blick musterte. »Alles in Ordnung?« fragte er aufgeregt. Offenbar hielt er mich für eine Selbstmörderin.

Ich nickte. »Ja, natürlich. Alles bestens.« Ich rang mir ein kleines Lächeln ab. Er zog die Augenbrauen hoch, als glaube er mir kein Wort.

»Ich glaube Ihnen kein Wort, Mademoiselle«, sagte er. »Ich habe Sie schon eine ganze Weile beobachtet, und so, wie Sie da standen, sieht keine Frau aus, bei der alles bestens ist.«

Ich schwieg betroffen und sah für einen Moment dem weißgetupften Regenschirm hinterher, der gemächlich auf der Seine davonschaukelte. Der Polizist folgte meinem Blick.

»Es ist immer dasselbe«, meinte er dann. »Ich kenne das schon mit diesen Brücken. Erst neulich haben wir noch weiter unten ein Mädchen rausgefischt aus dem eiskalten Wasser. Gerade noch rechtzeitig. Wenn jemand sich lange auf einer Brücke rumtreibt, kann man sicher sein, daß er entweder heftig verliebt ist oder kurz davor, ins Wasser zu springen.«

Er schüttelte den Kopf. »Ich hab nie kapiert, warum Verliebte und Selbstmörder immer diese Affinität zu den Brücken haben.«

Er beendete seinen Exkurs und schaute mich mißtrauisch an.

»Sie sehen ziemlich durcheinander aus, Mademoiselle. Sie wollten doch wohl keine Dummheiten machen, was? So eine schöne Frau wie Sie. Auf der Brücke.«

»Aber nein!« versicherte ich. » Außerdem stehen auch ganz normale Menschen manchmal länger auf Brücken, einfach weil es schön ist, über den Fluß zu schauen.«

»Sie haben aber ganz traurige Augen.« Er ließ nicht locker. »Und es sah eben ganz so aus, als wollten Sie sich fallen lassen.«

»So ein Unsinn!« entgegnete ich. »Mir war nur ein bißchen schwindlig«, beeilte ich mich hinzuzufügen und legte unwillkürlich die Hand auf meinen Bauch.

»*Oh, pardon! Excusez-moi, Mademoiselle … Madame!*« In einer verlegenen Geste breitete er seine Hände aus. »Ich konnte ja nicht ahnen … *vous êtes … enceinte?* Da sollten Sie aber etwas besser auf sich achtgeben, wenn ich das mal so sagen darf. Darf ich Sie nach Hause begleiten?«

Ich schüttelte den Kopf und hätte fast gelacht. Nein, schwanger war ich nun wirklich nicht.

Er legte den Kopf schief und lächelte galant. »Sind Sie sicher, Madame? Der Schutz der französischen Polizei steht Ihnen zu. Nicht, daß Sie mir noch umkippen.« Er blickte fürsorglich auf meinen flachen Bauch. »Wann ist es denn soweit?«

»Hören Sie, Monsieur«, entgegnete ich mit fester Stimme. »Ich bin nicht schwanger und werde es mit ziemlicher Sicherheit in näherer Zukunft auch nicht sein. Mir war einfach ein wenig schwindlig, das ist alles.«

Und das war auch kein Wunder, fand ich, immerhin hatte ich außer einem Kaffee den ganzen Tag nichts zu mir genommen.

»Oh! Madame … ich meine *Mademoiselle!*« Sichtlich verlegen trat er einen Schritt zurück. »Entschuldigen Sie vielmals, ich wollte nicht indiskret sein.«

»Ist schon gut«, seufzte ich und wartete darauf, daß er ging.

Doch der Mann in der dunkelblauen Uniform blieb stehen. Er war der Prototyp eines Pariser Polizisten, wie ich sie auf der Île de la Cité, wo der Sitz der Polizeipräfektur ist, oft schon gesehen hatte: groß, schlank, gutaussehend, immer zu einem kleinen Flirt bereit. Dieser hier hatte es sich offenbar zur Aufgabe gemacht, mein persönlicher Schutzengel zu sein.

»Also dann …« Ich lehnte mich mit dem Rücken gegen die Brüstung und versuchte ihn mit einem Lächeln zu verabschieden. Ein älterer Mann im Regenmantel ging vorbei und warf uns einen interessierten Blick zu.

Der Polizist legte zwei Finger an seine Kappe. »Tja, wenn ich nichts mehr für Sie tun kann …«

»Nein, wirklich nicht.«

»Dann passen Sie gut auf sich auf.«

»Mach ich.« Ich preßte die Lippen aufeinander und nickte ein paarmal mit dem Kopf. Das war der zweite Mann in vierundzwanzig Stunden, der mir sagte, ich solle gut auf mich aufpassen. Ich hob kurz die Hand, drehte mich dann wieder um und stützte mich mit den Ellbogen auf die Brüstung. Aufmerksam studierte ich die Kathedrale von Notre-Dame, die sich wie ein mittelalterliches Raumschiff aus der Dunkelheit am Ende der Île de la Cité erhob.

Hinter mir ertönte ein Räuspern, und ich spannte den Rücken an, bevor ich mich langsam wieder zur Straße drehte.

»Ja?« sagte ich.

»Was ist es denn nun?« fragte er und grinste wie George Clooney in der Nespresso-Werbung. »Mademoiselle oder Madame?«

Oh. Mein. Gott. Ich wollte in Ruhe unglücklich sein, und ein Polizist flirtete mit mir.

»Mademoiselle, was sonst«, gab ich zurück und beschloß, die Flucht zu ergreifen. Die Glocken von Notre-Dame tönten zu mir herüber, und ich ging schnellen Schrittes die Brücke entlang und betrat die Île Saint-Louis.

Manche sagen, dieses kleine Inselchen in der Seine, das direkt hinter der viel größeren Île de la Cité liegt und das man nur über Brücken erreichen kann, sei das Herz von Paris. Aber dieses alte Herz schlägt sehr, sehr langsam. Ich kam selten hierher und war jedesmal aufs neue verwundert über die Ruhe, die in diesem Viertel herrschte.

Als ich in die Rue Saint-Louis einbog, die Hauptstraße, an der sich kleine Geschäfte und Restaurants friedlich aneinanderreihen, sah ich aus den Augenwinkeln, daß eine große schlanke Gestalt in Uniform mir in gebührendem Abstand folgte. Der Schutzengel ließ nicht locker. Was dachte sich dieser Mann eigentlich? Daß ich es an der nächsten Brücke versuchen würde?

Ich beschleunigte meine Schritte und rannte schon fast, und dann riß ich die Tür zu dem nächsten Geschäft auf, in dem noch Licht brannte. Es war eine kleine Buchhandlung, und als ich sie stolpernd betrat, wäre mir nie in den Sinn gekommen, daß dieser Schritt mein Leben für immer verändern würde.

Im ersten Moment dachte ich, die Buchhandlung wäre menschenleer. In Wirklichkeit war sie nur so vollgestopft mit Büchern, Regalen und Tischchen, daß ich den Patron, der am Ende des Raumes mit gebeugtem Kopf hinter einem altmodischen Kassentisch stand, auf dem sich wiederum Bücher in waghalsigen Formationen stapelten, nicht sah. Er war in einen Bildband vertieft und blätterte mit großer Vorsicht die Seiten um. Es sah so friedlich aus, wie er da stand, mit seinem gewellten silbergrauen Haar und der halbmondförmigen Lesebrille, daß ich es nicht wagte, ihn zu stören. Ich blieb stehen in diesem Kokon aus Wärme und gelblichem Licht, und mein Herz begann ruhiger zu schlagen. Vorsichtig riskierte ich einen Blick nach draußen. Vor dem Schaufenster, auf dem in verblaßten Goldbuchstaben der Schriftzug *Librairie Capricorne Pascal Fermier* geschrieben war, sah ich meinen Schutzengel stehen und angelegentlich die Auslagen betrachten.

Unwillkürlich seufzte ich, und der alte Buchhändler blickte von seinem Buch auf und sah mich überrascht an, bevor er seine Lesebrille nach oben schob.

»Ah ... *bonsoir, Mademoiselle* – ich habe Sie gar nicht kommen hören«, sagte er freundlich, und sein gütiges Gesicht mit den klugen Augen und dem feinen Lächeln erinnerte mich an ein Photo von Marc Chagall in seinem Atelier. Nur daß dieser Mann hier keinen Pinsel in seiner Hand hielt.

»*Bonsoir, Monsieur*«, antwortete ich einigermaßen verlegen. »Verzeihen Sie, ich wollte Sie nicht erschrecken.«

»Aber nein«, erwiderte er und hob die Hände. »Ich hatte nur gedacht, ich hätte eben abgeschlossen.« Er sah zur Tür, in dessen Schloß ein Bund mit mehreren Schlüsseln steckte, und schüttelte den Kopf. »Ich werde allmählich vergeßlich.«

»Dann haben Sie eigentlich schon geschlossen?« fragte ich, trat einen Schritt vor und hoffte, daß der lästige Schutzengel vor dem Schaufenster endlich weiterflog.

»Schauen Sie sich in Ruhe um, Mademoiselle. Soviel Zeit muß sein.« Er lächelte. »Suchen Sie etwas Bestimmtes?«

Ich suche einen Menschen, der mich wirklich liebt, antwortete ich stumm. Ich bin auf der Flucht vor einem Polizisten, der denkt, daß ich von einer Brücke springen will, und tue so, als wollte ich ein Buch kaufen. Ich bin zweiunddreißig Jahre alt und habe meinen Regenschirm verloren. Ich wünsche mir, daß endlich mal was Schönes passiert.

Mein Magen knurrte vernehmlich. »Nein … nein, nichts Bestimmtes«, sagte ich rasch. »Irgend etwas … Nettes.« Ich wurde rot. Nun hielt er mich wahrscheinlich für eine Ignorantin, deren Ausdrucksfähigkeit sich in dem nichtssagenden Wort »nett« erschöpfte. Ich hoffte, daß meine Worte wenigstens meinen knurrenden Magen übertönt hatten.

»Möchten Sie einen Keks?« fragte Monsieur Chagall.

Er hielt mir eine Silberschale mit Buttergebäck unter die Nase, und nach einem kurzen Moment des Zögerns griff ich dankbar zu. Das süße Gebäck hatte etwas Tröstliches und beruhigte meinen Magen sofort.

»Wissen Sie, ich bin heute noch gar nicht richtig zum Essen gekommen«, erklärte ich kauend. Dummerweise gehöre ich zu den uncoolen Leuten, die sich verpflichtet fühlen, immer alles erklären zu müssen.

»Das passiert«, sagte Monsieur Chagall, ohne meine Verlegenheit weiter zu kommentieren. »Da drüben«, er zeigte auf einen Tisch mit Romanen, »finden Sie vielleicht, was Sie suchen.«

Und das tat ich dann wirklich. Eine Viertelstunde später verließ ich die *Librairie Capricorne* mit einer orangegefarbenen Papiertüte, auf der ein kleines weißes Einhorn gedruckt war.

»Eine gute Wahl«, hatte Monsieur Chagall gesagt, als er das Buch verpackte, das von einem jungen Engländer geschrieben worden war und den schönen Titel *Das Lächeln der Frauen* trug.

»Das wird Ihnen gefallen.«

Ich hatte genickt und mit hochrotem Kopf nach dem Geld gekramt, und es war mir kaum gelungen, meine Überraschung zu verbergen, die Monsieur Chagall vielleicht für einen Anfall übersteigerter Lesevorfreude hielt, als er hinter mir die Ladentür abschloß.

Ich atmete tief durch und blickte die leere Straße hinunter. Mein neuer Polizistenfreund hatte die Beschattung aufgegeben. Offenbar war die Wahrscheinlichkeit, daß jemand, der ein Buch kaufte, sich anschließend von einer Seine-Brücke stürzte, statistisch gesehen sehr gering.

Doch das war nicht der Grund meiner Überraschung, aus der bald eine Aufgeregtheit wurde, die meine Schritte beschleunigte und mich klopfenden Herzens in ein Taxi einsteigen ließ.

In dem Buch, das ich in seiner hübschen orangefarbenen Ummantelung an meine Brust drückte wie einen kostbaren Schatz, stand gleich auf der ersten Seite ein Satz, der mich verwirrte, neugierig machte, ja elektrisierte:

Die Geschichte, die ich erzählen möchte, beginnt mit einem Lächeln. Sie endet in einem kleinen Restaurant mit dem verheißungsvollen Namen »Le Temps des Cerises«, das sich in Saint-Germain-des-Prés befindet, dort, wo das Herz von Paris schlägt.

Es sollte die zweite Nacht werden, in der ich kaum schlief. Doch diesmal war es kein treuloser Geliebter, der mir die Ruhe raubte, sondern – wer hätte das gedacht von einer Frau, die alles andere war als eine passionierte Leserin – ein Buch! Ein Buch, das mich von den ersten Sätzen an in seinen Bann zog. Ein Buch, das manchmal traurig war, und dann wieder so komisch, daß ich laut lachen mußte. Ein Buch, das wunderschön und rätselhaft zugleich war, denn selbst, wenn man viele Romane liest, wird man doch selten auf eine Liebesgeschichte stoßen, in der das eigene kleine Restaurant eine zentrale Rolle spielt und in der die Heldin in einer Art und Weise beschrieben wird, daß man meint, sich selbst im Spiegel zu sehen – an einem Tag, wenn man sehr, sehr glücklich ist und alles gelingt!

Als ich nach Hause gekommen war, hatte ich meine feuchten Sachen über die Heizung gehängt und war in einen frischen weichen Schlafanzug geschlüpft. Ich hatte mir eine große Kanne Tee gekocht, mir ein paar Sandwiches gemacht und meinen Anrufbeantworter abgehört. Bernadette hatte dreimal versucht, mich zu erreichen, und sich dafür entschuldigt, daß sie mit dem »Einfühlungsvermögen eines Elefanten« auf meinen Gefühlen herumgetrampelt war.

Ich mußte lächeln, als ich ihre Ansagen hörte. »Hör mal, Aurélie, wenn du wegen dieses Idioten traurig sein willst, dann sei traurig, aber bitte sei mir nicht mehr böse und melde dich, ja? Ich denke so sehr an dich!«

Mein Groll war doch schon lange verflogen. Ich stellte das Tablett mit Tee, Sandwiches und meiner Lieblingstasse auf das Rattan-Tischchen neben das safrangelbe Sofa, überlegte einen Moment und schickte meiner Freundin dann eine SMS mit den Worten:

»Liebe Bernadette, es ist so schlimm, wenn du recht hast. Willst du am Mittwochmorgen vorbeikommen? Ich freue mich auf dich und schlafe jetzt. *Bises*, Aurélie!«

Das mit dem Schlafen war natürlich gelogen, sonst aber stimmte alles. Ich holte die Papiertüte aus der *Librairie Capricorne* von der Kommode im Flur und stellte sie vorsichtig neben das Tablett. Ich hatte ein eigenartiges Gefühl, so als ob ich schon damals gespürt hätte, daß dies meine ganz persönliche Wundertüte werden sollte.

Ich bezähmte meine Neugier noch ein wenig. Erst trank ich den Tee in kleinen Schlucken, dann aß ich die

Sandwiches, schließlich stand ich noch einmal auf und holte mir meine Wolldecke aus dem Schlafzimmer.

Es war so, als wollte ich den Moment, bevor das Eigentliche begann, noch etwas hinauszögern.

Und dann, endlich, wickelte ich das Buch aus dem Papier und schlug es auf.

Würde ich jetzt behaupten, daß die nächsten Stunden wie im Flug vorübergingen, wäre das nur die halbe Wahrheit. In Wirklichkeit war ich so in die Geschichte vertieft, daß ich nicht einmal hätte sagen können, ob eine oder drei oder sechs Stunden vergangen waren. In dieser Nacht hatte ich jegliches Zeitgefühl verloren – ich trat in den Roman wie die Helden aus *Orphée*, diesem alten Schwarzweiß-Film von Jean Cocteau, den ich als Kind einmal mit meinem Vater gesehen hatte. Nur daß ich nicht durch einen Spiegel ging, den ich kurz zuvor mit der Handfläche berührt hatte, sondern durch einen Buchdeckel.

Die Zeit dehnte sich aus, zog sich zusammen, und dann war sie völlig verschwunden.

Ich war an der Seite dieses jungen Engländers, den die Skileidenschaft seines frankophilen Kollegen (komplizierter Beinbruch in Verbier) nach Paris verschlägt. Er arbeitet für den Autohersteller Austin und soll nun anstelle des auf Monate arbeitsunfähigen Marketingleiters den Mini-Cooper in Frankreich etablieren. Das Problem: Seine Französischkenntnisse sind so rudimentär wie seine Erfahrungen mit Franzosen, und er hofft in völliger

Verkennung der französisch-nationalen Seele darauf, daß jeder in Paris (zumindest die Leute in der Pariser Niederlassung) die Sprache des Empires beherrscht und mit ihm kooperiert.

Er ist nicht nur entsetzt über den abenteuerlichen Fahrstil der Pariser Autofahrer, die sich in Sechserreihen auf zweispurigen Straßen drängeln, sich nicht im geringsten dafür interessieren, was hinter ihnen passiert, und die goldene Fahrschulregel »Innenspiegel, Außenspiegel, Losfahren« gleich auf das »Losfahren« verkürzen, sondern auch darüber, daß der Franzose an sich seine Beulen und Kratzer grundsätzlich nicht reparieren läßt und von Werbesprüchen wie *Mini — it's like falling in love* unbeeindruckt bleibt, weil er lieber mit Frauen Liebe macht als mit Autos.

Er lädt hübsche Französinnen zum Essen ein und bekommt eine mittlere Krise, weil diese sich zwar mit dem Ausruf »*Ah, comme j'ai faim!*« das komplette (und teure) Menu bestellen, dann aber etwa dreimal in ihren *Salade au chèvre* picken, vier Gabeln vom *Bœuf Bourguignon* zu nehmen und zwei Löffelchen von der *Crème Brûlée*, bevor sie das Besteck anmutig in den ganzen kulinarischen Rest fallen lassen.

Von Schlangestehen hat noch kein Franzose je etwas gehört, und über das Wetter redet hier auch niemand. Warum auch? Es gibt interessantere Themen. Und kaum Tabus. Man will wissen, warum er mit Mitte Dreißig noch keine Kinder hat (»Wirklich *gar* keine? Nicht mal eins? *Zéro?*«), was er von der Politik der Amerikaner in Afghanistan hält, von Kinderarbeit in Indien, ob die Kunstobjekte aus Hanf und Styropor von Vladimir Wroscht in der Galerie *La Borg* nicht *très hexagonale* sind (er kennt weder den Künstler noch die Galerie, noch die Bedeutung des Wortes »hexagonal«), ob er mit seinem Sexleben zufrieden ist und wie er dazu steht, wenn Frauen sich ihre Schamhaare färben.

Mit anderen Worten: Unser Held fällt von einer Ohnmacht in die nächste.

Er ist der englische Gentleman, der eigentlich nicht gern redet. Und mit einemmal muß er alles diskutieren. Und an allen möglichen und unmöglichen Orten. In der Firma, im Café, im Fahrstuhl (vier Stockwerke reichen für eine lebhafte Grundsatzdiskussion über Autobrände in der Banlieue, den Vororten von Paris), auf der Herrentoilette (ist die Globalisierung eine gute oder schlechte Sache?) und natürlich im Taxi, denn französische Taxifahrer haben im Unterschied zu den Kollegen in London zu jedem Thema eine Meinung (die sie auch kundtun), und dem Fahrgast ist es nicht gestattet, hinter einer Trennscheibe schweigend seinen Gedanken nachzuhängen.

Er soll etwas *sagen*!

Am Ende trägt der Engländer es mit britischem Humor. Und als er sich nach einigen Irrungen und Wirrungen Hals über Kopf in Sophie, ein reizendes und etwas kapriziöses Mädchen verliebt, trifft britisches Understatement auf französische Kompliziertheit und sorgt zunächst für viele Mißverständnisse und Verwicklungen.

Bis am Ende alles in einer wunderbaren *Entente cordiale* endet. Wenn auch nicht in einem Mini, sondern in einem kleinen französischen Restaurant mit dem Namen *Le Temps des Cerises*. Mit rot-weiß karierten Tischdecken. In der Rue Princesse.

Meinem Restaurant! Daran gab es keinen Zweifel.

Ich klappte das Buch zu. Es war sechs Uhr morgens, und ich glaubte wieder daran, daß Liebe möglich war. Ich hatte 320 Seiten gelesen und war kein bißchen müde. Dieser Roman war wie ein äußerst belebender Ausflug in eine andere Welt – und doch kam mir diese Welt seltsam vertraut vor.

Wenn ein Engländer ein Restaurant, das anders als zum Beispiel *La Coupole* oder die *Brasserie Lipp*, nicht in jedem Reiseführer zu finden ist, so genau beschreiben konnte, mußte er schon einmal da gewesen sein.

Und wenn die Heldin seines Romans so aussah wie man selbst – bis hin zu jenem zarten dunkelgrünen Seidenkleid, das man in seinem Kleiderschrank hängen hatte, und dieser Perlenkette mit der großen ovalen Gemme, die man zum achtzehnten Geburtstag bekommen hatte, so war das entweder ein riesengroßer Zufall – oder dieser Mann mußte diese Frau schon einmal gesehen haben.

Doch wenn *diese Frau* sich an einem der unglücklichsten Tage in ihrem Leben in einer Buchhandlung genau *dieses Buch* aus Hunderten von anderen Büchern heraussuchte, war das kein Zufall mehr. Es war das Schicksal selbst, das zu mir sprach. Doch was wollte es mir sagen?

Nachdenklich drehte ich das Buch um und starrte auf das Photo eines sympathisch wirkenden Mannes mit kurzen blonden Haaren und blauen Augen, der auf einer Bank in irgendeinem englischen Park saß, die Arme lässig über der Rückenlehne ausgebreitet, und mich anlächelte.

Ich schloß einen Moment die Augen und überlegte, ob ich dieses Gesicht schon einmal gesehen hatte, dieses jungenhafte, entwaffnende Lächeln. Aber solange ich auch in den Schubladen meines Gehirns suchte – dieses Gesicht fand ich nicht.

Auch der Name des Autors sagte mir nichts: Robert Miller.

Ich kannte keinen Robert Miller, ich kannte eigentlich überhaupt keinen Engländer – mal abgesehen von den englischen Touristen, die sich ab und zu in mein Restaurant verirrten, und diesem englischen Austauschschüler aus meiner Schulzeit, der aus Wales kam und mit seinen roten Haaren und den vielen Sommersprossen aussah wie der Freund von Flipper, dem Delphin.

Aufmerksam studierte ich die kurze Biographie des Autors.

Robert Miller arbeitete als Ingenieur für eine große englische Autofirma, bevor er mit »Das Lächeln der Frauen« seinen ersten Roman schrieb. Er liebt alte Autos, Paris und französisches Essen und lebt mit seinem Yorkshire-Terrier Rocky in einem Cottage in der Nähe von London.

»Wer bist du, Robert Miller?« sagte ich halblaut, und meine Blicke kehrten wieder zu dem Mann auf der

Parkbank zurück. »Wer bist du? Und wieso kennst du mich?«

Und plötzlich begann eine Idee in meinem Kopf herumzugeistern, die mir immer besser gefiel.

Ich wollte diesen Autor, der mir nicht nur in meinen dunkelsten Stunden den Lebensmut zurückgegeben hatte, sondern auch auf irgendeine rätselhafte Weise mit mir verbunden zu sein schien, kennenlernen. Ich würde ihm schreiben. Ich würde mich bei ihm bedanken. Und dann würde ich ihn zu einem ganz zauberhaften Abend in mein Restaurant einladen und herausfinden, was es mit diesem Roman auf sich hatte.

Ich setzte mich auf und zielte mit dem Zeigefinger auf die Brust von Robert Miller, der vielleicht gerade in diesem Moment irgendwo in den Cotswolds seinen kleinen Hund ausführte.

»Mr. Miller – wir sehen uns!«

Mr. Miller lächelte mir zu, und ich zweifelte merkwürdigerweise nicht einen Augenblick daran, daß es mir gelingen würde, meinen neuen (und einzigen!) Lieblingsschriftsteller ausfindig zu machen.

Wie hätte ich auch ahnen können, daß gerade dieser Autor das Licht der Öffentlichkeit scheute wie die Pest.

2

»Was soll das heißen – dieser Autor scheut das Licht der Öffentlichkeit wie die Pest?« Monsieur Monsignac war aufgesprungen. Sein mächtiger Bauch bebte vor Erregung, und unter dem Donnerhall seiner lauter werdenden Stimme duckten sich die Teilnehmer der Lektoratsrunde tiefer in ihre Sitze.

»Wir haben jetzt fast fünfzigtausend Exemplare von diesem blöden Buch verkauft. Dieser Miller steht kurz vor dem Sprung auf die Liste. *Le Figaro* will eine große Story über ihn machen.« Monsignac beruhigte sich für einen Augenblick, ließ den Blick schwärmerisch nach oben gleiten und beschrieb mit seiner rechten Hand eine riesige Schlagzeile in der Luft.

»Titel: *Ein Engländer in Paris*. Der Überraschungserfolg der Éditions Opale.« Dann ließ er die Hand so abrupt auf den Tisch klatschen, daß Madame Petit, die das Protokoll führte, vor Schreck ihren Stift fallen ließ. »Und da sitzen Sie hier und wollen mir allen Ernstes erzählen, daß dieser Mann nicht in der Lage ist, seinen verdammten englischen Arsch für einen Tag nach Paris zu bewegen? Sagen Sie mir, daß das nicht wahr ist, André, sagen Sie es!«

Ich sah sein rotes Gesicht, seine hellen Augen, die Blitze schleuderten. Kein Zweifel, Jean-Paul Monsignac, Verleger und Inhaber der Éditions Opale würde in den nächsten Sekunden einen Herzinfarkt bekommen.

Und ich war schuld daran.

»Monsieur Monsignac, bitte beruhigen Sie sich.« Ich knetete meine Hände. »Glauben Sie mir, ich tue mein möglichstes. Aber Monsieur Miller ist nun mal Engländer. *My home is my castle* – Sie wissen schon. Er lebt sehr zurückgezogen in seinem Cottage, bastelt normalerweise an seinen Autos rum – er ist den Umgang mit der Presse doch gar nicht gewöhnt, und er steht einfach nicht gern im Mittelpunkt. Ich meine, das … das macht ihn doch gerade so sympathisch …«

Ich merkte, wie ich um mein Leben redete. Warum hatte ich nicht einfach gesagt, daß Robert Miller sich für ein Jahr auf einer Weltreise befand und sein iPhone nicht dabeihatte?

»Patati, patata. Hören Sie auf zu quatschen, André! Sorgen Sie dafür, daß der Engländer sich in den Zug setzt, durch den Kanal rauscht, hier ein paar Fragen beantwortet und ein paar Bücher signiert. Das wird man ja wohl noch erwarten können. Immerhin war dieser Mann«, er nahm das Buch, warf einen Blick auf die Rückseite und ließ es dann wieder auf den Tisch vor sich fallen, »Automechaniker, nein, sogar *Ingenieur*, bevor er seinen Roman geschrieben hat. Da wird er ja wohl auch mal in Kontakt mit der menschlichen Rasse getreten sein. Oder ist er Autist?«

Gabrielle Mercier, eine der beiden Lektorinnen, kicherte hinter vorgehaltener Hand, ich hätte die blöde Gans erwürgen können.

»Natürlich ist er kein Autist«, beeilte ich mich zu sagen. »Er ist nur, na ja, ein bißchen menschenscheu.«

»Das ist *jeder* intelligente Mensch. Seit ich die Menschen kenne, liebe ich die Tiere. – Wer hat das gesagt? Na? Weiß es jemand?« Monsieur Monsignac blickte erwartungsvoll in die Runde. Selbst jetzt konnte er es nicht lassen, seine Bildung unter Beweis zu stellen. Er war auf der *École Normale Supérieure* gewesen, der Eliteschule von Paris, und es verging nicht ein Tag in unserem Verlag, an dem nicht irgendein bedeutender Philosoph oder Schriftsteller zitiert wurde.

Seltsamerweise funktionierte das Gedächtnis von Monsieur Monsignac sehr selektiv. Während er die Namen der großen Literaten, Denker und Goncourt-Preisträger mühelos behielt und uns alle mit Sprüchen und Zitaten nervte, tat er sich in bezug auf Unterhaltungsliteratur äußerst schwer. Entweder wurde der Name eines Autors sofort vergessen, und dann hieß es nur noch »dieser Mann« oder »dieser Engländer« oder »dieser Da-Vinci-Code-Schreiber«, oder er erging sich in aberwitzigen Verdrehungen wie Lars Stiegsson (Stieg Larsson), Nicolai Bark (Nicholas Sparks) oder Steffen Lark (Stephen Clarke).

»Ich halte ja nicht so furchtbar viel von amerikanischen Autoren, aber warum haben wir eigentlich keinen Steffen Lark im Programm?« hatte er vor zwei Jahren in die Runde gebellt. »Ein Amerikaner in Paris – das scheint ja heute auch noch bestens zu funktionieren!«

Ich war derjenige, der sich um die englischsprachigen Bücher kümmerte, und ich hatte ihn behutsam darauf aufmerksam gemacht, daß es sich bei Steffen Lark um einen *Engländer* handelte, der in Wirklichkeit *Stephen Clarke* hieß und mit großem Erfolg witzige Bücher über Frankreich schrieb.

»Witzige Bücher über Paris. Von einem Engländer. So, so«, hatte Monsieur Monsignac gesagt und mit seinem großen Kopf gewackelt. »Hören Sie auf, mich zu belehren, André, und bringen Sie mir lieber auch mal so einen Clarke, wofür bezahle ich Sie eigentlich? Sind Sie jetzt ein Trüffelschwein oder nicht?«

Wenige Monate später hatte ich das Manuskript eines gewissen Robert Miller aus der Tasche gezogen. Es stand dem Witz und Einfallsreichtum seines populären Vorbilds in nichts nach. Die Rechnung war aufgegangen, das Buch verkaufte sich über die Maßen gut, und dafür mußte ich jetzt büßen. Wie heißt es so schön? Vor den Hochmut haben die Götter den Fall gesetzt. Und mit Robert Miller befand ich mich sozusagen im freien Fall.

Daß Jean-Paul Monsignac sich den Namen seines neuen Erfolgsautors schließlich doch noch gemerkt hatte (»Wie heißt dieser Engländer noch mal – Meller?«), verdankte ich nur der Tatsache, daß er einen berühmten Namensvetter hatte (»Nein, Monsieur Monsignac, nicht Meller – *Miller*!«), der die höheren Weihen (»Miller? Ist er etwa verwandt mit *Henry* Miller?«) bereits erhalten hatte.

Während die Runde noch überlegte, ob das Zitat von Hobbes stammte oder nicht, dachte ich plötzlich, daß Monsignac mit all seinen schrecklichen Eigenarten der beste und menschlichste Verleger war, den ich in fünfzehn Jahren Verlagsarbeit kennengelernt hatte. Es fiel mir schwer, ihn zu belügen, aber wie es aussah, hatte ich keine Wahl.

»Und wenn wir Robert Miller die Fragen vom *Figaro* einfach schriftlich zukommen lassen und seine Antworten dann an die Presse weiterleiten? So wie wir das damals bei diesem koreanischen Verlag gemacht haben? Das ist doch sehr gut angekommen.« Es war ein letzter kläglicher Versuch, das Unheil abzuwenden. Und natürlich überzeugte er nicht.

»Nein, nein, nein, das gefällt mir nicht!« Monsignac hob abwehrend die Hände.

»Ausgeschlossen – da geht ja jede Spontaneität verloren«, fiel nun auch Michelle Auteuil ein und blickte mißbilligend durch ihre schwarze Chanel-Brille. Michelle lag mir schon seit Wochen damit in den Ohren, daß man mit »diesem sympathischen Engländer« doch mal etwas machen sollte. Bisher hatte ich mich taub gestellt. Doch nun hatte sie eine der wichtigsten Zeitungen auf ihrer Seite und – was noch schlimmer war – meinen Chef.

Michelle macht bei uns die Pressearbeit, sie trägt immer nur Schwarz oder Weiß, und ich hasse sie für ihre apodiktischen Bemerkungen.

Sie sitzt da, in ihrer makellos weißen Bluse unter dem schwarzen Kostüm, und sagt Sätze wie »Das geht ja *gar* nicht«, wenn man mit einer Idee zu ihr kommt, die man selbst für grandios hält, weil man noch irgendwie an das Gute im Menschen glaubt, der sich – einfach so – von einem Buch begeistern läßt. »Kein Kulturredakteur auf dieser Welt liest im Ernst historische Romane, André – das können Sie vergessen!« Oder sie sagt: »Eine Buchpräsentation mit einer *unbekannten* Autorin, die auch noch *Kurzgeschichten* schreibt? Ich bitte Sie, André! Wen soll denn das hinterm Ofen hervorlocken? Ist die Dame wenigstens für den Prix Maison nominiert? Nein?« Dann seufzt sie, verdreht ihre blauen Augen und wirbelt ungeduldig mit ihrem kleinen silbernen Kugelschreiber herum, den sie immer in der Hand hat. »Sie haben wirklich *keine* Ahnung, wie Pressearbeit heute läuft, was? Wir brauchen Namen, Namen, Namen. Suchen Sie sich wenigstens einen prominenten Vorwortschreiber.«

Und bevor man noch etwas sagen kann, klingelt schon wieder ihr Telefon, und sie begrüßt mit überschwenglicher Stimme irgend so einen dieser TV- oder Journalistentypen mit Lederjacke, die »im Ernst« keine historischen Romane lesen und sich jetzt noch toller vorkommen, weil eine langbeinige Schönheit mit glatten schwarzen Haaren mit ihnen scherzt.

All das ging mir durch den Kopf, als Michelle Auteuil jetzt vor mir saß wie frischgefallener Schnee und auf eine Reaktion wartete.

Ich räusperte mich. »Spontaneität«, wiederholte ich, um Zeit zu gewinnen. »Das gerade ist ja eben das Problem.« Ich blickte bedeutungsvoll in die Runde.

Michelle verzog keine Miene. Sie gehörte definitiv nicht zu den Frauen, die sich durch rhetorische Manöver aus der Reserve locken ließen.

»Dieser Miller ist im Gespräch nämlich längst nicht so witzig und schlagfertig, wie man es vielleicht denken könnte«, fuhr ich fort. »Und er ist – wie übrigens die meisten Schriftsteller – auch nicht sehr spontan. Schließlich ist er ja nicht einer von diesen ...«, ich konnte mir den Seitenhieb einfach nicht verkneifen und schickte Michelle einen Blick hinüber, »... Fernsehfritzen, die Tag und Nacht labern, aber für die Bücher, die sie schreiben, einen Ghostwriter brauchen.«

Michelles blaue Augen verengten sich.

»Das interessiert mich alles nicht!« Jean-Paul Monsignacs Geduld war endgültig erschöpft. Er wedelte mit Millers Buch in der Luft herum, und ich hielt es nicht für völlig ausgeschlossen, daß er es in der nächsten Sekunde nach mir werfen würde. »Seien Sie nicht kindisch, André. Holen Sie mir diesen Engländer nach Paris! Ich will ein schönes Interview im *Figaro* mit vielen Photos, basta!«

Mein Magen zog sich schmerzhaft zusammen.

»Und wenn er nein sagt?«

Monsignac kniff die Augen zusammen und schwieg ein paar Sekunden. Dann sagte er mit der Freundlichkeit eines Henkers:

»Dann sorgen Sie dafür, daß er ja sagt.«

Ich nickte beklommen.

»Schließlich sind Sie der einzige von uns, der diesen Miller kennt, nicht wahr?«

Ich nickte wieder.

»Wenn Sie es sich allerdings nicht zutrauen, ihn herzuholen, kann *ich* auch mit diesem Engländer reden. Oder vielleicht … *Madame Auteuil?*«

Diesmal nickte ich nicht.

»Nein, nein, das wäre … nicht gut, das wäre überhaupt nicht gut«, erwiderte ich schnell und spürte, wie die Falle über mir zuschnappte. »Miller ist wirklich ein bißchen heikel, wissen Sie – also, nicht daß er unangenehm wäre, er ist eher so der Typ Patrick Süskind, nicht leicht zu fassen, aber das … das kriegen wir schon hin. Ich setze mich heute noch mit seinem Agenten in Verbindung.«

Ich legte die Hand über meinen Bart und drückte mit Daumen und Fingern das Kinn zusammen in der Hoffnung, daß man mir meine Panik nicht ansah.

»*Bon*«, erklärte Monsignac und lehnte sich in seinem Sessel zurück. »Patrick Süskind – das gefällt mir!« Er lachte wohlwollend. »Nun, er schreibt zwar nicht ganz so intelligent wie Süskind, aber dafür sieht er besser aus, nicht wahr, Madame Auteuil?«

Michelle lächelte maliziös. »In der Tat! Sehr viel besser. Endlich mal ein Autor, den man mit Handkuß der Presse präsentieren kann. Das sage ich schon seit Wochen. Und wenn der geschätzte Kollege sich jetzt doch noch dazu durchringt, seinen wunderbaren Autor mit uns zu teilen, steht dem Glück nichts mehr im Wege.«

Sie schlug ihr dickes schwarzes Filofax auf. »Was halten Sie von einem gemeinsamen Mittagessen mit den Journalisten in der Brasserie des *Lutetia?*«

Monsignac verzog das Gesicht, aber er schwieg. Ich glaube, außer mir wußte niemand, daß er das *Lutetia* nicht besonders schätzte, seiner unrühmlichen Vergangenheit wegen. »Dieser alte Nazischuppen«, hatte er einmal zu mir gesagt, als wir in dem alten Grandhotel zu einem Verlagsempfang eingeladen waren. »Wissen Sie, daß Hitler hier sein Hauptquartier hatte?«

»Danach begleiten wir unseren Autor beim Einkaufen im weihnachtlich geschmückten Paris«, fuhr Michelle fort. »Das wird eine runde Geschichte, und wir können auch endlich ein paar vernünftige Photos machen.« Sie wedelte geschäftig mit ihrem Silberstift und blätterte in ihrem Kalender. »Sollen wir Anfang Dezember ins Auge fassen? Das würde dem Buch noch mal einen zusätzlichen Push geben – für das Weihnachtsgeschäft …«

Den Rest der nachmittäglichen Dienstagskonferenz erlebte ich wie durch einen dichten Nebel. Mir blieben knapp drei Wochen und ich hatte keinen Plan. Weit entfernt hörte ich die Stimme von Jean-Paul Monsignac. Er kritisierte ohne Umschweife, er lachte laut, er flirtete ein bißchen mit Mademoiselle Mirabeau, der neuen hübschen Lektoratsassistentin. Er befeuerte seine kleine Truppe, und die Konferenzen in den Éditions Opale waren nicht ohne Grund sehr beliebt und von hohem Unterhaltungswert.

Doch an diesem Nachmittag hatte ich nur einen Gedanken. Ich mußte Adam Goldberg anrufen! Er war der einzige, der mir helfen konnte.

Ich bemühte mich, meinen Blick dorthin zu richten, wo gesprochen wurde, und betete, daß die Konferenz schnell vorüberging. Man besprach verschiedene Veranstaltungstermine und ging die Verkaufszahlen des Monats Oktober durch. Buchprojekte wurden vorgestellt und stießen beim Verleger auf Ablehnung (»Wer soll das lesen wollen?«), Unverständnis (»Was meinen die anderen?«) oder Zustimmung (»Großartig! Da machen wir eine Gavalda draus!«). Dann, als der Nachmittag sich schon seinem Ende zuneigte, entbrannte eine heftige Diskussion darüber, ob man für den Kriminalroman eines bis dato völlig unbekannten venezianischen Eisdielenbesitzers, der von seiner geschäftstüchtigen amerikanischen Agentin als »männliche Donna Leon« angepriesen wurde, eine Garantiesumme bieten sollte, für die normale Sterbliche sich einen kleinen Palazzo kaufen können. Monsignac beendete das Für und Wider, in dem er sich das Manuskript von Madame Mercier geben ließ und es in seine alte braune Ledertasche stopfte. »Genug diskutiert, wir reden morgen weiter, lassen Sie mich einen Blick darauf werfen.«

Dies hätte das Zeichen für den Aufbruch sein können, wenn sich in diesem Moment nicht noch Mademoiselle Mirabeau zu Wort gemeldet hätte. Schüchtern und in einer Ausführlichkeit, die alle anderen gähnen ließ, erzählte sie von einem unverlangt eingesandten Manuskript, bei dem bereits vom dritten Satz an klar war, daß es niemals das Licht der Bücherwelt erblicken würde. Monsignac hob die Hand, um der Unruhe, die sich plötzlich im Raum bemerkbar machte, Einhalt zu gebieten. Mademoiselle Mirabeau war so aufgeregt, daß sie seine warnenden Blicke an uns gar nicht bemerkte. »Das haben Sie sehr schön gemacht, Kindchen«, sagte er, als sie endlich ihren letzten Notizzettel beiseite legte.

Mademoiselle Mirabeau, die erst seit einigen Wochen bei uns im Lektorat arbeitete, errötete vor Erleichterung. »Wahrscheinlich kommt es aber wohl doch eigentlich nicht infrage«, hauchte sie.

Monsignac nickte mit ernster Miene. »Ich fürchte, da haben Sie recht, Kindchen«, sagte er geduldig. »Aber machen Sie sich nichts draus. So vieles, was man zu lesen bekommt, ist Schrott. Sie lesen den Anfang: Schrott. Sie gucken in der Mitte rein: Schrott. Das Ende: Schrott. Wenn einem so was auf den Schreibtisch kommt, kann man sich die Mühe sparen und …«, er hob seine Stimme ein wenig, »man muß auch gar nicht mehr viel Worte darüber verlieren.« Er lächelte.

Mademoiselle Mirabeau nickte einsichtig, die anderen grinsten verhalten. Der Verleger der Éditions Opale war in seinem Element und wippte auf seinem Sessel vor und zurück. »Ich verrate Ihnen jetzt mal ein Geheimnis, Mademoiselle Mirabeau«, sagte er, und jeder von uns wußte, was nun kommen würde, denn wir hatten es alle schon einmal gehört. »Ein gutes Buch ist auf *jeder* Seite gut«, sagte er, und mit diesen hehren Worten war die Konferenz dann wirklich zu Ende.

Ich raffte meine Manuskripte an mich, lief bis zum Ende des engen Ganges und stürzte in mein kleines Büro.

Völlig außer Atem ließ ich mich in den Schreibtischstuhl fallen und wählte mit zitternden Händen die Nummer in London.

Es schellte ein paarmal, ohne daß jemand abhob.

»Adam, geh dran, verdammt noch mal«, fluchte ich leise, und dann schaltete sich der Anrufbeantworter ein.

»*Literary Agency* Adam Goldberg, Sie sind mit unserem Anrufbeantworter verbunden. Leider rufen Sie außerhalb unserer Geschäftszeiten an. Bitte hinterlassen Sie eine Nachricht nach dem Signalton.«

Ich holte tief Luft. »Adam!« sagte ich, und es klang selbst in meinen Ohren wie ein Hilfesschrei. »Hier ist André. Bitte ruf mich umgehend an. Wir haben ein Problem!«

3

Als das Telefon klingelte, war ich gerade im Garten eines bezaubernden englischen Cottages und zupfte gedankenverloren ein paar welke Blätter aus einem Busch mit duftenden Teerosen, die an einer Backsteinmauer emporrankten.

Ein paar Vögel zwitscherten, der Morgen war erfüllt von einem fast unwirklichen Frieden, und die Sonne schien mild und warm auf mein Gesicht. Der perfekte Anfang eines perfekten Tages, dachte ich und beschloß, das Telefon zu überhören. Ich tauchte mein Gesicht in eine besonders dicke rosafarbene Blüte, und das Klingeln verstummte.

Dann hörte ich ein leises Knacken, und eine Stimme, die ich gut kannte, die aber irgendwie nicht hierhergehörte, erklang hinter mir.

»Aurélie? … Aurélie, schläfst du noch? Warum gehst du nicht ans Telefon? Hm … komisch … Bist du vielleicht gerade unter der Dusche? … Hör mal, ich wollte dir nur sagen, es wird eine halbe Stunde später bei mir, und ich bringe Croissants mit und Chocolatines, die ißt du doch immer so gern. – Aurélie? Haaaallooo! Hallohallohallo! Jetzt nimm doch mal ab, bitte!«

Seufzend schlug ich die Augen auf und taumelte auf nackten Füßen in den Flur, wo das Telefon auf seiner Station stand.

»Hallo, Bernadette!« sagte ich verschlafen, und der englische Rosengarten verblaßte.

»Habe ich dich geweckt? Es ist doch schon halb zehn.« Bernadette gehört zu den Menschen, die gerne früh aufstehen, und halb zehn ist für sie schon fast Mittag.

»Hm … hm.« Ich gähnte, ging ins Schlafzimmer zurück, klemmte mir den Hörer zwischen Kopf und Schulter und angelte mit einem Fuß nach meinen ausgetretenen Ballerinas, die unter dem Bett lagen. Zu den Nachteilen eines kleinen Restaurants gehört es, daß man am Abend eigentlich nie frei hat. Der unschlagbare Vorteil allerdings ist der, daß man morgens ohne Eile den Tag beginnen kann.

»Ich hatte gerade so etwas Schönes geträumt«, sagte ich und zog die Vorhänge auf.

Ich blickte zum Himmel – keine Sonne! – und verlor mich in Gedanken an das sommerliche Cottage.

»Geht es dir besser? Ich bin gleich bei dir!«

Ich lächelte. »Ja. Viel besser«, erklärte ich und merkte überrascht, daß es stimmte.

Drei Tage waren vergangen, seit Claude mich verlassen hatte, und bereits gestern, als ich zwar etwas übernächtigt, jedoch keineswegs unglücklich in den Markthallen meine Einkäufe machte und abends im Restaurant die Gäste begrüßte und ihnen den *Loup de mer* ans Herz legte, den Jacquie so köstlich zubereiten konnte, hatte ich kaum noch an ihn gedacht. Dafür um so mehr an Robert Miller und seinen Roman. Und an meine Idee, ihm zu schreiben.

Nur einmal, als Jacquie mir väterlich den Arm um die Schulter legte und sagte: »*Ma pauvre petite*, wie konnte er dir das antun, dieser Mistkerl. *Ah, les hommes sont des cochons*, komm, hier, iß einen Teller Bouillabaisse«, hatte ich einen kleinen Stich im Herzen verspürt, aber jedenfalls mußte ich nicht mehr weinen. Und als ich nachts nach Hause gekommen war, hatte ich mich mit einem Glas Rotwein an den Küchentisch gesetzt, noch einmal in dem Buch geblättert, und dann hatte ich lange vor einem weißen Bogen Papier gesessen, meinen Füller in der Hand. Ich konnte mich nicht erinnern, wann ich das letzte Mal einen Brief geschrieben hatte, und nun schrieb ich einen Brief an einen Mann, den ich gar nicht kannte. Das Leben war seltsam.

»Weißt du was, Bernadette?« sagte ich und ging in die Küche, um den Tisch zu decken. »Es ist etwas Merkwürdiges passiert. Ich glaube, ich habe eine Überraschung für dich.«

Eine Stunde später saß Bernadette vor mir und sah mich verblüfft an.

»Du hast ein *Buch* gelesen?«

Sie war mit einem kleinen Strauß Blumen und einer riesigen Tüte voller Croissants und *Pains au chocolat* gekommen, um mich zu trösten, und statt einer Unglücklichen mit gebrochenem Herzen, die ein Papiertaschentuch nach dem anderen vollheulte, fand sie eine Aurélie vor, die ihr aufgeregt und mit glänzenden Augen eine abenteuerliche Geschichte erzählte, von einem getupften Regenschirm, der weggeweht war, von einem Polizisten auf einer Brücke, der sie verfolgt hatte, von einer verwunschenen Buchhandlung, in der Marc Chagall gesessen und ihr Kekse angeboten hatte, und von diesem wunderbaren Buch, nach dem sie gegriffen hatte. Wie eins zum anderen gekommen war, welche Fügung! Daß sie die ganze Nacht gelesen hatte, in diesem schicksalhaften Buch, das ihren Liebeskummer vertrieben und sie neugierig gemacht hatte. Von ihrem Traum und daß sie dem Autor einen Brief geschrieben hatte, und ob dies alles nicht höchst erstaunlich sei.

Vielleicht hatte ich zu schnell geredet oder zu verworren, jedenfalls hatte Bernadette das Wesentliche nicht begriffen.

»Also, du hast dir so einen Liebeskummer-Ratgeber gekauft, und danach ging's dir besser«, faßte sie mein ganz persönliches Wunder in schlichten Worten zusammen. »Ist doch wunderbar! Ich hätte zwar nicht gedacht, daß du der Typ für Selbsthilfebücher bist, aber Hauptsache, es hat dir geholfen.«

Ich schüttelte den Kopf. »Nein, nein, nein, du hast es nicht verstanden, Bernadette. Es war keines dieser Psychobücher. Es ist ein Roman, und ich selbst komme darin vor!«

Bernadette nickte. »Du willst sagen, die Heldin denkt so ähnlich wie du, und das hat dir so gut daran gefallen.«

Sie grinste und breitete theatralisch die Arme aus. »Willkommen in der Welt der Bücher, liebe Aurélie. Ich muß sagen, dein Enthusiasmus läßt mich hoffen. Vielleicht wird aus dir noch eine ganz passable Leserin!«

Ich stöhnte. »Bernadette, jetzt hör mir doch mal zu. Ja, ich lese nicht viele Bücher, und nein, ich flippe nicht völlig aus, nur weil ich jetzt mal irgendeinen Roman gelesen habe. Dieses Buch hat mir gefallen, sehr gut sogar. Das ist die eine Sache. Und die andere Sache ist: Es kommt ein Mädchen darin vor, eine junge Frau, die so aussieht wie ich. Sie heißt zwar Sophie, aber sie hat lange dunkelblonde, gewellte Haare, sie ist mittelgroß und schlank, sie trägt mein Kleid. Und sie sitzt am Ende in meinem Restaurant, das *Le Temps des Cerises* heißt und in der Rue Princesse liegt.«

Bernadette sagte einen langen Moment nichts. Dann sagte sie:

»Und ist diese Frau aus dem Roman auch mit einem abgedrehten, völlig beknackten Typen namens Claude zusammen, der sie die ganze Zeit mit einer anderen betrügt?«

»Nein, ist sie nicht. Sie ist mit gar keinem zusammen und verliebt sich später in einen Engländer, der die Sitten und Gebräuche der Franzosen ziemlich seltsam findet.« Ich warf ein Stück Croissant nach Bernadette. »Außerdem *hat* Claude mich nicht die ganze Zeit schon betrogen!«

»Wer weiß? Aber laß uns nicht von Claude reden! Ich will jetzt sofort dieses wunderbare Buch sehen!«

Bernadette hatte offensichtlich Feuer gefangen. Vielleicht war es aber auch einfach so, daß sie alles wunderbar fand, was mich von Claude wegführte und mir meinen Seelenfrieden wiedergab. Ich stand auf und holte das Buch, das auf der Anrichte lag.

»Hier«, sagte ich.

Bernadette warf einen Blick auf den Titel. »*Das Lächeln der Frauen*«, las sie laut vor. »Ein schöner Titel.« Sie blätterte interessiert durch die Seiten.

»Siehst du … hier«, sagte ich eifrig. »Und hier … lies das mal!«

Bernadettes Augen gingen hin und her, während ich gespannt wartete.

»Tja«, sagte sie schließlich. »Ein bißchen seltsam ist das schon. Aber, *mon Dieu*, es gibt diese merkwürdigen Zufälle. Wer weiß, vielleicht kennt der Autor dein Restaurant oder hat mal was davon gehört. Ein Freund hat ihm davon vorgeschwärmt, der mal dort gegessen hat bei einem Geschäftsbesuch in Paris. Irgend so was. Und, versteh mich jetzt bitte nicht falsch, du bist etwas ganz Besonderes, Aurélie, aber du bist sicherlich nicht die einzige Frau mit langen dunkelblonden Haaren …«

»Und was ist mit dem Kleid? Was ist mit dem Kleid?« hakte ich nach.

»Ja, das Kleid …« Bernadette überlegte einen Augenblick. »Was soll ich sagen, es ist ein Kleid, das du irgendwann irgendwo gekauft hast. Ich nehme mal an, es ist kein Modell, das Karl Lagerfeld persönlich für dich entworfen hat, oder? Mit anderen Worten – auch andere

Frauen könnten dieses Kleid haben. Oder es war mal in der Auslage eines Schaufensters an einer Puppe drapiert. Es gibt so viele Möglichkeiten …«

Ich gab einen unzufriedenen Laut von mir.

»Aber ich verstehe, daß dir das alles höchst erstaunlich vorkommen muß. Das würde mir im ersten Moment sicherlich genauso gehen.«

»Ich kann nicht glauben, daß das alles ein Zufall sein soll«, erklärte ich. »Das glaube ich einfach nicht. «

»Meine liebe Aurélie, *alles* ist Zufall oder Schicksal – wenn man so will. Ich für meinen Teil denke, daß es für all diese merkwürdigen Koinzidenzien eine einfache Erklärung gibt, aber das ist nur meine Meinung. Auf jeden Fall hast du dieses Buch zum richtigen Zeitpunkt gefunden, und ich bin einfach froh, daß es dich auf andere Gedanken gebracht hat.«

Ich nickte und war ein wenig enttäuscht. Irgendwie hatte ich mir eine etwas dramatischere Reaktion vorgestellt. »Aber du mußt zugeben, daß so etwas nicht oft passiert«, sagte ich. »Oder ist dir schon mal so etwas passiert?«

»Ich gebe alles zu«, erklärte sie lachend. »Und nein – mir ist so etwas noch nie passiert.«

»Obwohl du so viel mehr liest als ich«, ergänzte ich.

»Ja, obwohl ich so viel mehr lese«, wiederholte sie. »Eigentlich schade.«

Sie warf einen prüfenden Blick auf das Buch und drehte es dann um. »Robert Miller«, sagte sie. »Nie gehört. Auf jeden Fall sieht er verdammt gut aus, dieser Robert Miller.«

Ich nickte. »Und sein Buch hat mein Leben gerettet. Wenn man so will«, fügte ich rasch hinzu.

Bernadette blickte auf. »Hast du ihm *das* geschrieben?«

»Nein, natürlich nicht«, sagte ich. »Jedenfalls nicht direkt. Aber ja, ich habe mich bei ihm bedankt. Und ihn zu einem Essen in mein Restaurant eingeladen, das er ja – deinen Worten zufolge – entweder schon kennt oder von dem er gehört hat.« Von dem Photo erzählte ich ihr nichts.

»Oh, là là«, sagte Bernadette. »Du willst es aber wissen, was?«

»Ja«, sagte ich. »Außerdem schreiben Leser manchmal Briefe an Autoren, wenn ihnen die Bücher gut gefallen haben. So ungewöhnlich ist das nicht.«

»Willst du mir den Brief vorlesen?« fragte Bernadette.

»Auf keinen Fall.« Ich schüttelte den Kopf. »Briefgeheimnis. Außerdem hab ich ihn schon zugeklebt.«

»Und abgeschickt?«

»Nein.« Erst jetzt wurde mir klar, daß ich mir über die Adresse noch gar keine Gedanken gemacht hatte. »Wie macht man das eigentlich, wenn man an einen Autor schreiben will?«

»Nun, du könntest an den Verlag schreiben, und die leiten den Brief dann an den Betreffenden weiter.« Bernadette nahm das Buch noch einmal zur Hand. »Laß mal sehen«, sagte sie und suchte nach dem Impressum. »Ah, hier steht es: Copyright Éditions Opale, Rue de l'Université, Paris.« Sie legte das Buch wieder auf den Küchentisch. »Das ist doch gar nicht weit von hier«, sagte sie und trank noch einen Schluck Kaffee. »Da könntest du ja fast persönlich vorbeigehen und den Brief abgeben.« Sie zwinkerte mir zu. »Dann ist er schneller da.«

»Du bist blöd, Bernadette«, sagte ich. »Und weißt du was? Genau so werde ich es machen.«

Und so kam es, daß ich am frühen Abend einen kleinen Umweg nahm und die Rue de l'Université entlangspazierte, um ein längliches gefüttertes Kuvert in den Postkasten der Éditions Opale einzuwerfen. »An den Schriftsteller Robert Miller/Éditions Opale« stand auf dem Umschlag. Erst hatte ich nur »Éditions Opale zu Händen Herrn Robert Miller« geschrieben, aber »An den Schriftsteller« klang irgendwie feierlicher, fand ich. Und ich gestehe, ein wenig feierlich war mir schon zumute, als ich hörte, wie der Brief mit einem leisen Geräusch auf der anderen Seite der großen Eingangstür landete.

Wenn man einen Brief abschickt, setzt man immer etwas in Gang. Man tritt in einen Dialog. Man möchte sich mitteilen mit all seinen Neuigkeiten, Erlebnissen und Befindlichkeiten oder man will etwas wissen. Ein Brief besteht immer aus einem Absender und einem Empfänger. Er fordert in der Regel eine Antwort heraus, es sei denn, man schreibt einen Abschiedsbrief – und selbst dann ist das, was man schreibt, auf ein lebendiges Gegenüber bezogen und löst, anders als ein Tagebucheintrag, eine Reaktion aus.

Ich hätte nicht genau in Worte fassen können, was ich mir eigentlich als Reaktion auf diesen Brief erwartete.

Auf jeden Fall war es mehr, als einfach einen Punkt hinter meinen Dank für ein Buch zu setzen.

Ich erwartete mir eine Antwort – auf meinen Brief und meine Fragen –, und die Aussicht, den Autor kennenzulernen, der seine Geschichte im *Temps des Cerises* enden ließ, war aufregend. Jedoch nicht so aufregend wie das, was dann wirklich passierte.

4

Adam Goldberg war wie vom Erdboden verschluckt. Er antwortete nicht, und ich wurde mit jeder Stunde, die verstrich, nervöser. Seit dem vorigen Abend hatte ich immer wieder versucht, ihn zu erreichen. Die Tatsache, daß man jemanden theoretisch auf vier verschiedenen Nummern anrufen konnte, und er dann, wenn es darauf ankam, doch nicht erreichbar war, erfüllte mich mit Haß auf das digitale Zeitalter.

In seiner Agentur in London lief unermüdlich das Band, dessen Ansage ich inzwischen schon mitsprechen konnte. Auch auf Adams Geschäftshandy meldete sich niemand, ich konnte aber eine Nachricht hinterlassen, außerdem wurde der Teilnehmer zusätzlich mit einer SMS über meinen Anruf in Kenntnis gesetzt, das war beruhigend! Auf seinem Anschluß zu Hause klingelte das Telefon minutenlang ins Leere, bevor sich ein Anrufbeantworter einschaltete, auf dem mir die helle Stimme von Adams sechsjährigem Sohn Tom entgegenplapperte.

»Hi, the Goldbergs are not at home. But don't you worry – we'll be back soon and then we can taaaaalk ...« Es folgten ein Kichern und ein Knacken, und danach kam der Zusatz, daß man das Oberhaupt der Familie Goldberg in dringenden Fällen auch auf seinem privaten Mobiltelefon erreichen konnte.

»In urgent cases you can reach Adam Goldberg on his mobile ...« Erneutes Knacken, dann ein Flüstern. *»What's your mobile number, Daddy«?* Und dann gab die Kinderstimme in voller Lautstärke eine weitere Telefonnummer bekannt, die ich bis dato noch gar nicht kannte. Wählte man diese Nummer, teilte einem wiederum eine freundliche Automatenstimme mit, daß der Teilnehmer »vorübergehend nicht zu erreichen« war. Diesmal konnte man nicht einmal eine Botschaft hinterlassen, sondern wurde aufgefordert, es später noch einmal zu versuchen. *»This number is temporarily not available, please try again later«,* hieß es lapidar, und ich knirschte mit den Zähnen.

Wieder im Verlag, schrieb ich gleich morgens eine Mail an die *Literary Agency,* in der Hoffnung, daß Adam, wo immer er sich gerade befand, seine E-Mails abrufen würde.

Lieber Adam, ich versuche dich auf allen Kanälen zu erreichen. Wo steckst du?! Hier brennt die Hütte!!! Bitte ruf mich DRINGEND zurück, am besten auf dem Handy. Es geht um unseren Autor Robert Miller, der nach Paris kommen soll. Grüße, dein André.

Eine Minute später war die Antwort da, und ich seufzte erleichtert, bis ich die zweisprachige Botschaft öffnete:

Sorry, I'm out of the office. In urgent cases you can reach me on my mobile number.

Leider bin ich nicht im Büro. In dringenden Fällen können Sie mich auf meinem Mobiltelefon erreichen.

Was soll ich sagen? Es folgte die Nummer, die, wenn man sie anrief, *temporarily not available* war. Und so schloß sich der Kreis.

Ich versuchte zu arbeiten. Ich sah Manuskripte durch, beantwortete Mails, schrieb ein paar Klappentexte, trank meinen gefühlten hundertfünfzigsten Espresso und beäugte mein Telefon. Es hatte schon oft geklingelt an diesem Morgen, aber nie war mein Freund und Geschäftspartner Adam Goldberg am anderen Ende der Leitung gewesen.

Erst hatte Hélène Bonvin angerufen, eine französische Autorin, die sehr nett und auch sehr zeitintensiv war. Entweder befand sie sich mitten in einem Schreibrausch, dann erzählte sie mir von jedem kleinsten Einfall, den sie zu Papier gebracht hatte – und wenn es nach ihr gegangen wäre, hätte sie mir wahrscheinlich am liebsten das komplette Manuskript am Telefon vorgelesen. Oder sie befand sich mitten in einer Schreibkrise, und dann mußte ich all meine Kräfte aufbieten, um sie davon zu überzeugen, daß sie eine großartige Schriftstellerin war.

Dieses Mal war es also die Schreibkrise.

»Ich bin völlig leer, mir fällt überhaupt nichts mehr ein«, klagte sie in den Hörer.

»Ach, Hélène, das sagen Sie jedesmal, und am Ende kommt immer ein toller Roman dabei heraus.«

»Diesmal nicht«, erklärte sie mit düsterer Stimme. »Die ganze Geschichte stimmt vorne und hinten nicht. Wissen Sie was, André? Gestern habe ich den ganzen Tag vor dieser blöden Maschine gesessen, und am Abend habe ich alles wieder gelöscht, was ich geschrieben hatte, weil es einfach *grauenvoll* war. Platt und ideenlos und voller Klischees. Kein Mensch will so etwas lesen!«

»Aber, Hélène, das stimmt doch alles gar nicht. Sie schreiben so wunderbar – lesen Sie mal die enthusiastischen Rezensionen ihrer Leser auf Amazon. Außerdem ist es ganz normal, daß man ab und zu einen Durchhänger hat. Vielleicht nehmen Sie sich mal einen Tag, an dem Sie gar nichts schreiben. Dann fließen die Ideen schon wieder, Sie werden sehen.«

»Nein. Ich habe ein ganz komisches Gefühl. Das wird nichts mehr. Am besten wir vergessen diesen Roman … und ich …«

»Was reden Sie da für einen Unsinn!« unterbrach ich sie. »Sie wollen die Flinte ins Korn werfen, auf den letzten Metern? Das Buch ist doch schon so gut wie fertig.«

»Mag sein, aber es ist nicht *gut*«, erwiderte sie trotzig. »Ich müßte das Ding komplett umschreiben. Im Grunde kann ich alles löschen.«

Ich seufzte. Es war immer dasselbe mit Hélène Bonvin. Während die meisten Autoren, mit denen ich arbeitete, die ersten Seiten in Angst umkreisten und unglaublich lange brauchten, bis sie sich dazu durchringen konnten anzufangen, bekam diese Frau ihre Panikattakken seltsamerweise immer dann, wenn Dreiviertel des Manuskripts schon geschrieben waren. Dann gefiel ihr plötzlich gar nichts mehr, alles war ein großer Mist, das Schlechteste, was sie je geschrieben hatte.

»Hélène, jetzt hören Sie mir mal zu. Sie löschen gar nichts! Schicken Sie mir das, was Sie schon geschrieben haben, und ich schau es mir sofort an. Und dann reden wir darüber, ja? Ich wette, es wird phantastisch sein, so wie immer.«

Ich redete noch zehn Minuten auf Hélène Bonvin ein, bevor ich den Hörer erschöpft auflegte. Dann stand ich auf und ging ins Sekretariat, wo Madame Petit gerade ein Schwätzchen mit Mademoiselle Mirabeau hielt.

»Hat Adam Goldberg inzwischen angerufen?« fragte ich und Madame Petit, die ihre barocken Formen an diesem Morgen in ein großgeblümtes buntes Kleid gesteckt hatte, lächelte mich über ihre Kaffeetasse hinweg an.

»Nein, Monsieur Chabanais«, entgegnete sie freundlich. »Das hätte ich Ihnen doch sofort gesagt. Nur dieser eine Übersetzer, Monsieur Favre, der hatte noch ein paar Fragen, aber er meldet sich dann später noch mal. Und … ach ja, Ihre Mutter hat angerufen und bittet dringend um Rückruf.«

»Um Himmels willen!« Ich hob abwehrend die Hände. Wenn meine Mutter dringend um Rückruf bat, kostete mich das mindestens eine Stunde. Dringend war es aber nie.

Im Gegensatz zu mir hatte die Gute viel Zeit, und sie liebte es, mich im Verlag anzurufen, denn dort ging immer jemand ans Telefon. Wenn ich nicht greifbar war, plauderte sie eben mit Madame Petit, die sie »ganz reizend« fand. Irgendwann einmal hatte ich *Maman* meine Nummer im Verlag gegeben – für den Notfall. Leider waren ihre Vorstellungen von einem Notfall sehr verschieden von meinen, und sie rief mit treffsicherem Gespür immer dann an, wenn ich gerade auf dem Sprung war, um zu einem Termin zu eilen, oder unter Hochdruck ein Manuskript lektorierte, das möglichst noch bis zum Nachmittag in Satz gehen sollte.

»Stell dir vor, der alte Orban ist beim Kirschenpflükken von der Leiter gefallen und nun liegt er im Krankenhaus ... Oberschenkelhalsbruch! Was sagst du dazu? Ich meine ... muß der in seinem Alter noch auf Bäumen rumklettern?«

»*Maman*, bitte! Ich habe jetzt überhaupt keine Zeit!«

»*Mon Dieu*, André, was bist du denn immer so hektisch«, sagte sie dann, und der Vorwurf in ihrer Stimme war nicht zu überhören. »Ich dachte, es interessiert dich; immerhin warst du als Kind so oft bei den Orbans ...«

Diese Gespräche endeten in der Regel unerfreulich. Entweder ich saß gerade am Schreibtisch, dann ließ ich das Telefonat manchmal über mich ergehen, versuchte dabei weiterzuarbeiten und sagte so oft an den falschen Stellen »Aha« oder »Oh je«, daß meine Mutter irgendwann schließlich aufgebracht schrie: »André, hörst du mir überhaupt zu?!« Oder ich schnitt ihr, noch bevor sie loslegte, mit einem gereizten »Ich kann jetzt nicht!« das Wort ab und mußte mir dann anhören, ich sei hochgradig nervös und würde wahrscheinlich nicht vernünftig essen.

Um zu verhindern, daß *Maman* hundert Jahre mit mir beleidigt war, mußte ich dann versprechen, sie abends von zu Hause aus »in Ruhe« anzurufen.

Und deswegen war es für alle Beteiligten besser, wenn sie im Büro erst gar nicht zu mir durchdrang. »Wenn meine Mutter anruft, sagen Sie ihr, ich bin in einer Konferenz und melde mich am Abend«, hatte ich Madame Petit immer wieder eingeschärft, doch die Sekretärin machte gemeinsame Sache mit *Maman*.

»Aber, André – es ist doch Ihre *Mutter*!« sagte sie, wenn sie meine Order wieder einmal unterwandert hatte. Und wenn sie mich ärgern wollte, fügte sie noch hinzu: »Ich finde auch, daß Sie manchmal ziemlich gereizt sind.«

»Hören Sie, Madame Petit«, sagte ich jetzt und warf ihr einen drohenden Blick zu. »Ich bin ziemlich im Druck, und Sie stellen auf keinen … auf gar keinen Fall meine Mutter durch. Und auch sonst niemanden, der meine Zeit stiehlt – außer es ist Adam Goldberg oder jemand aus seiner Agentur. Ich hoffe, ich habe mich klar ausgedrückt!«

Die hübsche Mademoiselle Mirabeau sah mich aus großen Augen an. Als ich sie in der ersten Woche unter meine Fittiche genommen hatte und ihr geduldig die Abläufe im Lektorat erklärte, hatte sie mich bewundernd angelächelt und schließlich gesagt, ich wäre genauso wie dieser nette englische Verleger aus der Verfilmung von John le Carrés Thriller *Das Rußlandhaus* – der mit den braunen Augen und dem Bart – nur jünger natürlich.

Das hatte mir ziemlich geschmeichelt. Na ja, ich meine, welcher Mann wäre nicht gern Sean Connery als britischer Gentleman-Verleger (in Jünger), der nicht nur belesen ist, sondern auch noch intelligent genug, um alle Geheimdienste auszutricksen. Nun sah ich ihren bestürzten Blick und strich mir unwirsch über meinen kurzgestutzten braunen Bart. Wahrscheinlich hielt sie mich jetzt für einen Unhold.

»Wie Sie wünschen, Monsieur Chabanais«, entgegnete Madame Petit spitz. Und als ich hinausging, hörte ich, wie sie zu Mademoiselle Mirabeau sagte: »Der hat vielleicht eine miese Laune heute. Und dabei ist seine Mutter eine so entzückende alte Dame …«

Ich knallte meine Bürotür zu und ließ mich in den Sessel fallen. Mißmutig starrte ich in die Mattscheibe meines Computers und studierte mein Gesicht, das sich in der dunkelblauen Fläche spiegelte. Nein, mit dem guten alten Sean verband mich heute gar nichts. Außer daß ich noch immer auf den Rückruf eines Agenten wartete, der zwar keine Geheimdokumente besaß, aber doch ein Geheimnis mit mir teilte.

Adam Goldberg war der Agent von Robert Miller. Der wortgewandte und clevere Engländer führte seit Jahren mit großem Erfolg seine kleine literarische Agentur in London und war mir von unserem ersten Gespräch an sympathisch gewesen. Inzwischen hatten wir schon so viele Buchmessen und mindestens ebenso viele lustige Abende in Londoner Clubs und Frankfurter Bars hinter uns gebracht, daß wir gute Freunde geworden waren. Er war es auch, der mir das Manuskript von Robert Miller angeboten und für eine eher bescheidene Garantiesumme verkauft hatte.

So lautete zumindest die offizielle Version.

»Gut gemacht, André!« hatte Monsieur Monsignac gerufen, als ich ihm erzählte, daß der Vertrag unter Dach und Fach sei, und mir war ein bißchen flau gewesen.

»Nun mach dir mal nicht ins Hemd«, hatte Adam gesagt und gegrinst. »Ihr wolltet einen Stephen Clarke, jetzt habt ihr einen. Ihr werdet die Garantie locker einspielen. Und du sparst noch die Übersetzung. Besser geht's doch gar nicht.«

Und nun war alles zu gut gegangen, und die Begehrlichkeiten wuchsen. Wer hätte denn auch ahnen können, daß Robert Millers kleiner Paris-Roman sich so gut verkaufte?

Ich ließ mich schwer in meinem Sessel zurückfallen und dachte daran, wie ich damals auf der Frankfurter Buchmesse mit Adam in *Jimmy's Bar* gesessen hatte und ihm erzählt hatte, was für eine Art Roman wir für unseren Verlag suchten.

Beflügelt von einigen alkoholischen Kaltgetränken hatte ich in groben Zügen eine mögliche Handlung entworfen und ihn gebeten, nach einem Roman dieser Art Ausschau zu halten.

»Sorry, aber so etwas habe ich zur Zeit nicht im Angebot«, hatte Adam geantwortet. Und dann hatte er leichthin gesagt: »Aber der Plot gefällt mir. Kompliment. Warum schreibst du das Buch eigentlich nicht selbst? Ich verkaufe es dann mit Handkuß an die Éditions Opale.«

Und das war der Anfang von allem gewesen.

Zunächst hatte ich noch lachend abgewehrt. »Was für eine Idee, niemals! Das könnte ich gar nicht. Ich lektoriere Romane, ich *schreibe* sie nicht!«

»Bullshit«, hatte Adam gesagt. »Du hast schon mit so vielen Autoren gearbeitet, du weißt doch nun wirklich, wie's geht. Du hast originelle Ideen, ein gutes Gefühl für den Spannungsbogen, keiner schreibt so witzige Mails wie du, und so einen Stephen Clarke, den pißt du doch besoffen in den Schnee.«

Drei Stunden und einige Mojitos später hatte ich schon fast das Gefühl, Hemingway zu sein.

»Aber ich kann doch dieses Buch nicht unter meinem Namen schreiben«, wandte ich ein. »Ich *arbeite* in diesem Verlag.«

»Das mußt du ja auch nicht, *hombre*! Wer schreibt denn heute noch unter seinem richtigen Namen, das ist nun wirklich sehr *old school*. Ich selbst vertrete einige Autoren, die sogar zwei oder drei Namen haben und damit für ganz unterschiedliche Verlage schreiben. John le Carré heißt in Wirlichkeit auch David Cornwell. Wir erfinden ein schönes Pseudonym für dich«, meinte Adam. »Wie wäre es mit Andrew Ballantine?«

»Andrew Ballantine?« Ich verzog das Gesicht. »Ballantine ist doch schon der Name eines Verlags, und dann Andrew – ich heiße André, und ich kaufe das Ding auch noch ein, da kann man ja dran fühlen …«

»Okay, okay, warte, ich hab's: Robert Miller! Na, was sagst du? Das ist so normal, daß es richtig echt klingt.«

»Und wenn die Sache aufliegt?«

»Sie fliegt nicht auf. Du schreibst dein kleines Buch. Ich biete es eurem Verlag an, respektive dir. Die Verträge laufen alle über mich. Ihr werdet ein hübsches Sümmchen damit verdienen, so was läuft immer. Du wirst deinen Anteil bekommen. Der alte Monsignac hat endlich seinen Roman à la Stephen Clarke. Und am Ende sind alle zufrieden. Ende, aus, Mickey Mouse.«

Adam stieß mit seinem Mojito an mein Glas. »Auf Robert Miller! Und seinen Roman. Oder traust du dich nicht? *No risk, no fun.* Komm, das wird ein großer Spaß!« Er lachte wie ein kleiner Junge.

Ich sah Adam an, der gut gelaunt vor mir saß. Plötzlich schien alles so einfach. Und wenn ich an mein unspektakuläres Gehalt und mein stets überzogenes Konto dachte, war die Idee einer zusätzlichen Einnahmequelle sehr verlockend. So schön dieser Beruf war – als Lektor, selbst als Cheflektor, wie in meinem Fall, verdiente man nicht gerade üppig, nicht einmal annähernd. Viele Lektoren, die ich kannte, arbeiteten in ihrer Freizeit noch als Übersetzer oder gaben irgendwelche Weihnachtsanthologien heraus, um ihr eher bescheidenes Salär aufzubessern. Die Buchbranche war eben nicht die Automobilbranche. Dafür hatten die Menschen interessantere Gesichter.

Das fiel mir immer wieder auf, wenn ich auf einer Buchmesse auf der Rolltreppe fuhr und mir die ganze Phalanx von redenden, nachdenkenden oder lachenden Büchermenschen entgegenkam. Über der ganzen Messe lag ein animiertes Flirren und Surren, und Millionen von

Gedanken und Geschichten ließen die Hallen vibrieren. Es war wie eine quecksilbrige, intelligente, lustige, eitle, schlagfertige, exaltierte, überwache, geschwätzige und geistig ungeheuer bewegliche Familie. Und es war ein Privileg, dazuzugehören.

Natürlich gab es neben den großen charakterstarken Verlegerpersönlichkeiten, die bewundert oder gehaßt wurden, auch jene glatten Managertypen, die behaupteten, es sei im Prinzip egal, ob man mit Coladosen handle oder mit Büchern, letztlich käme es immer nur auf ein professionelles Marketing an und, ja, ein bißchen natürlich auch auf den Inhalt, den sie *Content* nannten. Aber selbst diese Burschen blieben auf Dauer nicht völlig unbeeindruckt von dem Produkt, mit dem sie Tag für Tag zu tun hatten, und am Ende war es eben doch etwas anderes, ein fertiges Buch in der Hand zu halten als eine Coladose.

Nirgendwo sonst traf man mit so vielen beeindrukkenden, klugen, intriganten, gewitzten, neugierigen und schnellen Menschen zusammen. Jeder wußte alles, und mit dem Satz »Kennt ihr schon das neueste Gerücht?« wurden unter dem Siegel der Verschwiegenheit alle Geheimnisse preisgegeben, die die Branche zu bieten hatte.

Kennt ihr schon das neueste Gerücht? Marianne Dauphin soll eine Affäre mit dem Marketingleiter von Garamond haben und schwanger sein. Kennt ihr schon das neueste Gerücht? Der Borani-Verlag ist pleite und soll noch in diesem Jahr an einen Parfümerie-Konzern verkauft werden. Kennt ihr schon das neueste Gerücht?

Die Lektoren der Éditions Opale schreiben jetzt ihre Bücher selbst, und dieser Robert Miller ist in Wirklichkeit Franzose, hahaha!

Ich merkte, wie sich der Raum um mich zu drehen begann. Damals durfte noch geraucht werden, und *Jimmy's Bar* war um drei Uhr morgens ein einzigartiges, betäubendes Konglomerat aus Rauch, Drinks und Stimmen.

»Aber warum muß es ein englischer Name sein, das wird mir alles viel zu kompliziert«, sagte ich lahm.

»Ach, Andy, *come on*! Das *ist* ja gerade der Witz an der Sache! Ein Pariser, der über Paris schreibt – das will doch keiner haben. Nein, nein, da muß ein echter englischer Autor her, der alle Klischees bedient. Britischer Humor, ein ausgefallenes Hobby, am besten ein gutaussehender Junggeselle mit einem kleinen Hund. Ich sehe es genau vor mir.« Er nickte. »Robert Miller ist perfekt, glaub mir.«

»Ganz schön clever«, sagte ich beeindruckt und nahm eine Handvoll gerösteter Salzmandeln zu mir.

Adam streifte die Asche von seinem Zigarillo ab und lehnte sich behaglich in seinem Ledersessel zurück. *»It's not clever – it's brilliant!«* sagte er, wie seine Lieblingsfigur King Rolo dies in dem gleichnamigen Zeichentrickfilm alle zehn Minuten zu tun pflegte.

Der Rest war Geschichte. Ich schrieb das Buch, und es ging mir leichter von der Hand, als ich dachte. Adam machte die Verträge und steuerte sogar noch ein Autorenphoto bei – das Bild seines zwei Jahre älteren Bruders, eines gutmütigen Zahnarztes aus Devonshire, der in seinem Leben maximal fünf Bücher gelesen hatte und nun mehr oder weniger – im Grunde eher weniger als mehr – davon in Kenntnis gesetzt wurde, daß er der Verfasser eines Romans war. *»How very funny«*, war nach Adams Aussage alles, was er dazu sagte.

Ob dieser friedliche Mann es auch noch komisch finden würde, nach Paris zu kommen, um mit den Journalisten über sein Buch zu sprechen und eine Lesung abzuhalten, wagte ich zu bezweifeln. Kannte er überhaupt die Stadt, für die er seiner Vita zufolge ein Faible hatte? Oder war er noch nie aus seinem verschlafenen Devonshire herausgekommen? War er in der Lage, vor Publikum zu sprechen und zu lesen? Vielleicht hatte er einen Sprachfehler, oder er würde eine solche Strohmann-Nummer aus Prinzip nicht mitmachen. Erst jetzt fiel mir auf, daß ich überhaupt nichts über Adams Bruder wußte, außer daß er Waage-Aszendent-Waage war (und damit laut Adam ein Wunder an Ausgeglichenheit) und ein Vollblutzahnarzt (was immer das bedeutete). Ich kannte nicht einmal seinen Namen. Doch, natürlich kannte ich ihn: Robert Miller.

»Scheiße noch mal!« Ich lachte verzweifelt auf und verfluchte den Abend, an dem dieser ganze wahnwitzige Plan entstanden war. *»It's not clever, it's brillant!«* äffte ich meinen Freund nach. Ja, das war in der Tat die brillanteste Schnapsidee, die der clevere Adam je gehabt hatte, und nun drohte alles aus dem Ruder zu laufen, und ich würde jede Menge Ärger bekommen.

»Was mach ich nur, was mach ich nur?« murmelte ich und starrte wie hypnotisiert auf den Bildschirmschoner, der sich inzwischen eingeschaltet hatte und in stetem Wechsel Traumstrände der Karibik zeigte. Was hätte ich jetzt dafür gegeben, ganz weit weg zu sein, in einem dieser weißen Liegestühle unter Palmen zu liegen, mit einem Mojito in der Hand, und einfach stundenlang in den leeren blauen Himmel zu schauen.

Es klopfte zögernd an der Tür.

»Was ist denn schon wieder«, rief ich unwirsch und setzte mich auf.

Mademoiselle Mirabeau trat vorsichtig ins Zimmer. Sie trug einen dicken Stoß bedrucktes Papier vor sich her und sah mich an, als sei ich ein Menschenfresser, der kleine blonde Mädchen zum Frühstück verspeist.

»Verzeihen Sie, Monsieur Chabanais, ich wollte Sie nicht stören.«

Himmel, ich mußte mich zusammenreißen!

»Nein, nein, Sie stören nicht … kommen Sie nur!« Ich versuchte es mit einem Lächeln. »Was gibt's denn?«

Sie trat näher und legte den Stapel auf meinen Schreibtisch. »Das ist diese italienische Übersetzung, die Sie mir letzte Woche zum Lektorieren gegeben haben. Ich bin jetzt fertig damit.«

»Schön, schön, ich schau's mir später an.« Ich nahm den Stapel und legte ihn zur Seite.

»Es war eine sehr gute Übersetzung. Hat nicht viel Arbeit gemacht.«

Mademoiselle Mirabeau legte die Hände auf den Rücken und blieb wie angewurzelt im Zimmer stehen.

»Das freut mich zu hören«, sagte ich. »Manchmal hat man eben Glück.«

»Ich hab auch schon mal versucht, die Klappentexte zu schreiben. Sie liegen obendrauf.«

»Wunderbar, Mademoiselle Mirabeau. Danke. Vielen Dank.«

Ein zarter Rosaton zog sich über ihr feines herzförmiges Gesicht. Dann sagte sie unvermittelt: »Es tut mir sehr leid, daß Sie so einen Ärger haben, Monsieur Chabanais.«

Meine Güte, sie war wirklich süß! Ich räusperte mich.

»Halb so schlimm«, entgegnete ich und hoffte, daß es so klang, als hätte ich alles im Griff.

»Scheint nicht ganz einfach zu sein mit diesem Miller. Aber Sie werden ihn schon überzeugen.« Sie lächelte mir aufmunternd zu und ging zur Tür.

»Jede Wette«, sagte ich und vergaß für einen glücklichen Moment, daß mein Problem nicht Robert Miller war, sondern die Tatsache, daß es ihn überhaupt nicht gab.

Es war, wie ich es erwartet hatte. In dem Moment, als ich mein Schinkenbaguette aus dem Papier gewickelt hatte und herzhaft hineinbiß, klingelte das Telefon. Ich riß den Hörer an mich und versuchte den Bissen unzerkaut in eine Backe zu schieben.

»Hm … ja?« sagte ich.

»Da ist irgend so eine Dame dran. Sie sagt, es geht um Robert Miller – soll ich die jetzt durchstellen oder nicht?« Es war Madame Petit, unverkennbar immer noch eingeschnappt.

»Ja, ja, natürlich«, würgte ich hervor und versuchte, das Baguettestück irgendwie hinunterzubringen. »Das ist Goldbergs Assistentin, stellen Sie durch, stellen Sie durch!« Manchmal konnte Madame Petit wirklich nicht zwei und zwei zusammenzählen.

Es knackte in der Leitung, und dann hörte ich eine weibliche Stimme etwas atemlos fragen: »Spreche ich mit Monsieur André Chabanais?«

»Am Apparat«, entgegnete ich, befreit vom letzten Rest Baguette. Adams Assistentinnen hatten immer sehr angenehme Stimmen, fand ich. »Schön, daß Sie so schnell zurückrufen konnten, ich muß dringend mit Adam sprechen. Wo steckt er denn überhaupt?«

Die lange Pause am anderen Ende der Leitung irritierte mich. Plötzlich wurde mir eiskalt, und ich mußte an diese schreckliche Geschichte im letzten Herbst denken, wo ein amerikanischer Agent auf dem Weg zur Buchmesse im Flur seines Treppenhauses mit einem Gehirnschlag zusammengebrochen war.

»Es ist doch alles in Ordnung mit Adam, oder?«

»Äh … Also … Dazu kann ich leider gar nichts sagen.« Die Stimme klang ein wenig ratlos. »Ich rufe eigentlich wegen Robert Miller an.«

Offenbar hatte sie meine E-Mail an Adam gelesen. Adam und ich hatten damals ausgemacht, daß wir *nie-*

mandem von unserem kleinen Geheimnis erzählen würden, und ich hoffte, er hatte sich daran gehalten.

»Und genau deswegen muß ich ja unbedingt mit Adam reden«, sagte ich vorsichtig. »Robert Miller soll nämlich nach Paris kommen, wie Sie wahrscheinlich wissen.«

»Ach«, sagte die Stimme erfreut. »Das ist ja ganz *wunderbar*! Nein, das wußte ich nicht. Sagen Sie … haben Sie meinen Brief bekommen? Ich hoffe, es ist in Ordnung, daß ich ihn einfach so eingeworfen habe. Und würden Sie ihn dann freundlicherweise an Robert Miller weiterleiten? Es ist furchtbar wichtig für mich, wissen Sie!«

Ich kam mir allmählich vor wie Alice im Wunderland bei ihrer Begegnung mit dem weißen Kaninchen.

»Was für einen Brief? Ich habe keinen Brief bekommen«, erklärte ich verwirrt. »Sagen Sie – Sie *sind* doch von der Agentur Goldberg International, oder nicht?«

»Oh, nein. Hier spricht Aurélie Bredin. Keine Agentur. Ich glaube, man hat uns falsch verbunden. Ich würde gerne mit dem zuständigen Lektor für Robert Miller sprechen«, sagte die Stimme mit freundlicher Bestimmtheit.

»Am Apparat.« Allmählich hatte ich das Gefühl, daß das Gespräch sich zu wiederholen begann. Ich kannte keine Aurélie Bredin. »Nun, Madame Bredin. Was kann ich für Sie tun?«

»Ich habe gestern abend einen Brief für Robert Miller bei Ihnen eingeworfen, und ich wollte nur sichergehen, daß er auch angekommen ist und weitergeleitet wird.«

Endlich fiel bei mir der Groschen. Diesen Presseleuten konnte es auch nie schnell genug gehen.

»Ah, jetzt weiß ich … Sie sind die Dame vom *Figaro*, richtig?« Ich lachte gequält.

»Nein, Monsieur.«

»Ja, aber … wer sind Sie dann?«

Die Stimme seufzte. »Aurélie Bredin, ich sagte es bereits.«

»Und weiter?«

»Der Brief«, wiederholte die Stimme ungeduldig. »Ich möchte, daß Sie meinen Brief an Monsieur Miller weiterleiten.«

»Von was für einem Brief reden Sie? Ich habe keinen Brief bekommen.«

»Das kann nicht sein. Ich habe ihn gestern doch persönlich vorbeigebracht. Ein weißes Kuvert. Adressiert an den Schriftsteller Robert Miller. Sie *müssen* den Brief doch bekommen haben!« Die Stimme ließ nicht locker, und nun war ich es, der allmählich die Geduld verlor.

»Hören Sie, Madame, wenn ich sage, hier ist kein Brief, dann können Sie mir das schon glauben. Vielleicht kommt er ja noch, dann leiten wir ihn gerne weiter. Können wir so verbleiben?«

Mein Vorschlag schien auf keine große Begeisterung zu stoßen.

»Wäre es denn möglich, daß ich die Adresse von Robert Miller bekomme? Oder hat er vielleicht eine E-Mail-Anschrift, unter der man ihn erreichen kann?«

»Tut mir leid, wir geben grundsätzlich keine Adressen von Autoren heraus. Die haben ja nun auch ein Anrecht auf Privatsphäre.« Meine Güte, was stellte diese Frau sich eigentlich vor?

»Könnten Sie nicht einmal eine Ausnahme machen? Es ist wirklich wichtig.«

»Wie meinen Sie das – *wichtig*? In welcher Beziehung stehen Sie denn zu Robert Miller?« fragte ich mißtrauisch. Es war in der Tat ganz schön merkwürdig für mich, solch eine Frage zu stellen, aber die Antwort, die jetzt kam, war noch merkwürdiger.

»Tja, wenn ich das so genau wüßte … Wissen Sie, ich habe sein Buch gelesen … wirklich ein großartiges Buch … und da stehen einige Dinge drin, die … nun ja … ich würde dem Autor gern ein paar Fragen stellen … und mich bedanken … er hat mir ja sozusagen das Leben gerettet …«

Ich starrte ungläubig in den Hörer. Ganz klar, diese Frau war nicht ganz richtig im Kopf. Wahrscheinlich eine von diesen überdrehten Leserinnen, die einem Autor gnadenlos auf die Pelle rücken und in ihrem übersteigerten Enthusiasmus Sachen schreiben wie »Ich möchte dich *unbedingt* kennenlernen!«, »Du denkst genau wie ich!« oder »Mach mir ein Kind!«

Gut, ich gebe zu, daß solche Sätze in den Leserbriefen, die an Robert Miller – also an mich – gingen, bisher noch nicht gefallen waren. Aber es hatte schon einige begeisterte Zuschriften gegeben, die ich »weitergeleitet« hatte. Mit anderen Worten, ich hatte sie gelesen, und da ich mich in einer gewissen Eitelkeit nicht dazu entschließen konnte, sie einfach wegzuwerfen, hatte ich sie anschließend in die hinterste Ecke meines Stahlschranks gestopft.

»Nun«, sagte ich. »Das freut mich wirklich außerordentlich. Aber Millers Adresse kann ich Ihnen trotzdem nicht geben. Da müssen Sie schon mit mir vorliebnehmen. Anders geht es nicht.«

»Aber Sie sagten, Sie hätten meinen Brief gar nicht bekommen. Wie können Sie ihn da weiterleiten?« fragte die Stimme in einer Mischung aus Aufsässigkeit und Verzagtheit.

Ich hätte die Stimme gern geschüttelt, aber Stimmen am Telefon haben die Eigenart, daß sie sich leider nicht schütteln lassen.

»Madame – wie war noch gleich Ihr Name?«

»Bredin. Aurélie Bredin.«

»Madame Bredin«, sagte ich und versuchte ganz ruhig zu bleiben. »Sobald dieser Brief in meinem Postkorb liegt, werde ich ihn weiterleiten, einverstanden? Vielleicht nicht sofort heute oder morgen, aber ich kümmere mich darum. Und jetzt muß ich dieses Gespräch leider beenden. Ich habe nämlich noch andere Dinge zu tun, die zwar zugegebenermaßen bestimmt nicht so wichtig sind wie *Ihr Brief*, aber sie müssen doch gemacht werden. Ich wünsche Ihnen noch einen schönen Tag.«

»Monsieur Chabanais?!« rief die Stimme rasch.

»Immer noch am Apparat«, entgegnete ich mürrisch.

»Aber was machen wir, wenn der Brief verlorengegangen ist?« Die Stimme zitterte ein wenig.

Ich fuhr mir entnervt durch die Haare. Vor meinem Auge erschien eine ältere Dame mit wirrem Haar und viel Zeit, die mit arthritischen Fingern Zeile um Zeile aufs Papier kritzelte und dabei leise vor sich hin kicherte.

»Dann, meine liebe Madame Bredin, schreiben Sie einfach einen neuen Brief. In diesem Sinne: *Bonne journée.*«

Von mir aus schreiben Sie auch hundert, dachte ich grimmig, als ich den Hörer auf die Gabel knallte. Keiner wird sein Ziel je erreichen.

Kaum hatte ich aufgelegt, öffnete sich die Tür zu meinem Büro, und Madame Petit steckte den Kopf herein. »Monsieur Chabanais!« sagte sie vorwurfsvoll. »Monsieur Goldberg hat schon zweimal versucht, Sie zu erreichen, und bei Ihnen ist ständig besetzt! Ich hab ihn jetzt gerade in der Leitung, kann ich …?«

»Ja!« rief ich. »Um Himmels willen ja!«

Mein Freund Adam war wie immer von einer buddhistischen Gelassenheit.

»Das wird aber auch Zeit«, hatte ich ihn angeschnauzt, als er entspannt sein »*Hi-Andy-how-is-it-going?*« in den Hörer rief.

»Wo steckst du überhaupt?! Hast du eine Ahnung, was hier los ist? Ich dreh am Rad, und du meldest dich auf keinem deiner beknackten Apparate. Wieso ist deine Agentur eigentlich nicht besetzt? Jeder macht mir Streß wegen diesem blöden Miller. Wildgewordene alte Damen rufen hier an und wollen seine Adresse. Monsignac will eine Lesung. Der *Figaro* will eine Story. Und weißt du, was passiert, wenn der Alte rauskriegt, daß es keinen Miller gibt?! Dann kann ich hier meine Kartons packen und gehen!«

Irgendwann mußte ich doch Luft holen, und Adam nutzte die Gelegenheit, um auch etwas zu sagen.

»*Calm down, my friend*«, sagte er. »Alles wird gut. Jetzt beruhige dich erst mal. Und welche deiner Fragen soll ich jetzt zuerst beantworten?«

Ich knurrte in den Hörer.

»Also … ich war ein paar Tage in New York und habe Verlagsbesuche gemacht, Carol hat mich begleitet und Gretchen hatte dummerweise zeitgleich eine Muschelvergiftung, weswegen letztendlich keiner in der Agentur war. Meine Familie hat die Gelegenheit genutzt und ist zur Grandma nach Brighton gefahren. Emma hatte das private Mobiltelefon dabei, aber das Aufladegerät vergessen. Und mein Handy spinnt zur Zeit, vielleicht war auch der Empfang einfach zu schlecht, jedenfalls kam deine Nachricht so bruchstückhaft und verzerrt an, daß ich nicht verstanden habe, was überhaupt los ist. Murphys Gesetz – ganz klassisch.«

»Murphys Gesetz?« fragte ich. »Was ist das wieder für eine Ausrede?«

»Keine Ausrede. Was schiefgehen kann, geht schief«, sagte Adam. »Das ist Murphys Gesetz. Aber mach dir nicht ins Hemd, Andy! Erstens: Du wirst *nicht* deine Kartons packen. Und zweitens: Wir kriegen das schon hin.«

»Du meinst: Du kriegst das schon hin«, erwiderte ich. »Du mußt nämlich deinem netten Zahnarzt-Bruder verklaren, daß er hier in Paris antanzen darf, um für zwei Tage Robert Miller zu spielen. Schließlich war die Sache mit dem Photo deine Idee. Ich wollte *gar kein* Photo, erinnerst du dich? Aber du konntest ja den Hals nicht vollkriegen mit deinen ganzen blöden Details. Photo, Hund, Cottage, Humor.« Ich unterbrach mich einen Moment selbst. »Lebt mit seinem kleinen Hund Rocky in einem Cottage. *Rocky!*« Ich spie das Wort förmlich aus. »Wer kommt schon auf die Idee, seinen Hund Rocky zu nennen? Das ist doch völlig gaga!«

»Für einen Engländer ist das ganz normal«, behauptete Adam.

»Aha. Nun ja! *Bon.* Wie ist er denn überhaupt so drauf, dein Bruder? Ich meine … versteht er Spaß? Kann er sich ausdrücken? Denkst du, er schafft es überhaupt, überzeugend aufzutreten?«

»Oh … *well* … ich denke schon …«, erklärte Adam, und ich hörte ein leises Zögern in seiner Stimme.

»Was ist?« hakte ich nach. »Jetzt sag nicht, daß dein Bruder inzwischen nach Südamerika ausgewandert ist.«

»Oh, nein! Mein Bruder würde niemals ein Flugzeug besteigen.« Adam schwieg wieder, aber es klang nicht so entspannt wie sonst.

»Ja … und?« bohrte ich nach.

»*Well*«, sagte er. »Es gibt nur dieses eine winzige Problemchen …«

Ich stöhnte auf und fragte mich, ob unser englischer Nicht-Autor inzwischen das Zeitliche gesegnet hatte.

»Er weiß nichts von dem Buch«, sagte Adam ruhig.

»*Was?*« schrie ich, und in einem Roman wären die Buchstaben mindestens in einer Schriftgröße von hundertfünfundzwanzig Punkt erschienen. »Du hast es ihm gar nicht *gesagt?* Ich meine – soll das ein *Witz* sein oder was?« Ich war außer mir.

»Nein, kein Witz«, sagte Adam knapp.

»Aber du hast mir doch erzählt, daß er *how very funny* gesagt hat. *How very funny* – das waren seine Worte!«

»Nun ja – um ehrlich zu sein, das waren *meine* Worte«, erklärte Adam zerknirscht. »Es gab ja damals gar keinen Grund, ihm schon alles zu erzählen. Das Buch ist in England nie erschienen. Und selbst wenn … mein Bruder liest sowieso nie. Höchstens Fachbücher über den neuesten Stand der Technik in bezug auf Implantate.«

»Meine Güte, Adam«, sagte ich. »Du hast vielleicht Nerven! Und was ist mit dem Photo? Ich meine, es ist immerhin sein Bild.«

»Ach, das! Weißt du, Sam trägt inzwischen einen Bart – niemand hätte ihn auf diesem Photo erkannt.«

Adam hatte sich wieder gefangen. Ich jedoch nicht.

»Na, großartig! *How very funny!*« schrie ich erregt. »Und jetzt? Kann er sich diesen Bart wieder abnehmen? *Wenn* er überhaupt bereit ist, dieses ganze Spiel mitzumachen. *Nachdem* du ihm vorher kein Sterbenswörtchen erzählt hast? Oh, Mann! Oh, Mann! *C'est incroyable!* Tja. Das war's dann wohl. *Fini!* Am besten pack ich hier gleich alles zusammen.«

Mein Blick wanderte über die vollgestellten Bücherregale und über die Manuskriptstapel, die noch geprüft werden wollten. Über das große Ausstellungsplakat der letzten Bonnard-Ausstellung im Grand Palais, das eine heitere südfranzösische Landschaft zeigte. Über die kleine Bronzestatue auf meinem Schreibtisch, die ich mir einmal aus der Villa Borghese in Rom mitgebracht hatte und die den Augenblick der Verwandlung der schönen Daphne, welche gerade vor Apoll flieht, in einen Baum zeigt.

Vielleicht sollte ich mich einfach auch in einen Baum verwandeln, dachte ich, auf der Flucht nicht vor einem Gott, sondern vor einem wutschnaubenden Jean-Paul Monsignac.

»Sie haben gute Augen«, hatte er gesagt, als er mich einstellte. »So einen offenen, ehrlichen Blick. *Eh bien!* Ich mag Menschen, die einem in die Augen schauen können.«

Mein Blick wanderte in Schwermut weiter zu dem hübschen kleinen Fenster mit den weißen Sprossen und den doppelten Scheiben, von dem aus ich über die Dächer der anderen Häuser hinweg die Spitze der Kirche von Saint-Germain sehen konnte und an frühlingshaften Tagen ein Stück blauen Himmel. Ich seufzte tief.

»Jetzt mach dir nicht ins Hemd, André«, ertönte aus weiter Ferne die Stimme Adam Goldbergs. »Wir kriegen das schon hin.«

»Wir kriegen das schon hin« war offenbar sein Lebensmotto. Meines nicht. Jedenfalls nicht in diesem Moment.

»Sam schuldet mir eh noch einen Gefallen«, fuhr Adam fort, ohne mein Verstummen zu beachten. »Er ist ein wirklich netter Bursche, und er wird schon mitmachen, wenn ich ihn darum bitte, verlaß dich drauf. Ich werde ihn noch heute abend anrufen und ihm alles erklären, okay?«

Ich wickelte schweigend das Telefonkabel um meinen Finger.

»Wann wäre denn der Wunschtermin?« fragte Adam.

»Anfang Dezember«, murmelte ich und betrachtete meinen eingewickelten Finger.

»Na, dann haben wir doch noch mehr als zwei Wochen!« rief Adam erfreut, und ich konnte nur staunen.

Für mich war die Zeit unerbittlich. Für ihn war sie eine Verbündete.

»Ich melde mich, sobald ich meinen Bruder erreicht habe. Kein Grund, sich verrückt zu machen«, sagte er beschwichtigend. Und dann beendete mein englischer Freund das Gespräch mit einer kleinen Variation seines Lieblingssatzes. »*Don't worry*. Das kriegen wir *locker* hin!«

Der Rest des Nachmittags verlief unspektakulär. Ich versuchte die Stapel auf meinem Schreibtisch abzuarbeiten und war nicht recht bei der Sache.

Gabrielle Mercier kam irgendwann mit wichtiger Miene vorbei, um mich wissen zu lassen, daß Monsieur Monsignac nach der Lektüre des italienischen Eisdielenbesitzerromans (Anfang – Mitte – Schluß) keine Hoffnung sah, daraus jemals eine Donna Leon machen zu können. »Ein schreibender *Eisdielenbesitzer*, das soll wohl höchst originell sein, was?« hatte Monsignac ver-

ächtlich gesagt. »Wenn Sie mich fragen – Mittelstufen-
prosa. Und nicht mal spannend! Eine Frechheit, dafür
so viel Geld zu verlangen. *Ils sont fous, les Américains!*«
Das fand Madame Mercier dann auch, die seit ungefähr
fünfundzwanzig Jahren einer Meinung mit dem Verleger
war, und so hatte man sich gütlich darauf geeinigt, daß
das Manuskript abgesagt werden konnte.

Gegen halb sechs kam Madame Petit mit ein paar
Briefen und Verträgen herein, die zu unterzeichnen
waren. Dann wünschte sie mir gnädig einen schönen
Abend und verabschiedete sich mit dem Hinweis, daß
die Post von heute im Sekretariat liege.

»Ja, ja«, sagte ich und nickte ergeben. An guten Tagen
brachte Madame Petit meine Post und legte sie mir persönlich auf den Schreibtisch. Meistens fragte sie mich
dann, ob ich einen schönen Kaffee haben wolle. (»Was
halten Sie von einem schönen Kaffee, Monsieur Chabanais?«) Wenn sie mit mir böse war, so wie heute, kam
ich selbstredend nicht in den Genuß dieses doppelten
Privilegs. Madame Petit war nicht nur eine stattliche
Sekretärin mit einem für Pariser Verhältnisse enormen
Busen. Sie war eine Frau mit Prinzipien.

In der Regel kam ich gegen zehn Uhr in den Verlag und blieb bis halb acht. Die Mittagspausen konnten
recht ausgedehnt sein, vor allem, wenn ich mit einem
Autor essen ging, konnte es schon mal drei Uhr werden.
»Monsieur Chabanais est en rendez-vous«, sagte Madame
Petit dann geschäftig, wenn jemand nach mir fragte. Ab
fünf Uhr wurde es endlich ruhiger in der ansonsten

eher umtriebigen Éditions Opale, und man kam zu den eigentlichen Arbeiten. Die Zeit verflog, und wenn ich viel zu tun hatte, konnte es passieren, daß ich auf die Uhr schaute und es plötzlich kurz vor neun war. Heute beschloß ich, früher zu gehen. Der Tag hatte mich angestrengt.

Ich drehte den alten Heizkörper unter dem Fenster ab, packte das Manuskript von Mademoiselle Mirabeau in meine alte Aktentasche, zog an dem kleinen messingfarbenen Metallkettchen, das von der dunkelgrünen Schreibtischlampe herabbaumelte, und löschte das Licht.

»Für heute reicht's«, murmelte ich und zog die Tür von meinem Büro hinter mir zu. Doch das Ende meines Tages war im großen Plan der göttlichen Vorsehung wohl noch nicht vorgesehen.

»Verzeihen Sie«, sagte die Stimme, die mir am Nachmittag den letzten Nerv geraubt hatte. »Können Sie mir wohl sagen, wo ich Monsieur Chabanais finde?«

Sie stand wie aus dem Boden gewachsen vor mir. Doch es war keine aufsässige Achtzigjährige, die mich mit ihren verloren geglaubten Briefen quälte. Eine junge schlanke Frau in dunkelbraunem Wollmantel und Wildlederstiefeln war die Besitzerin »der Stimme«. Um den Hals hatte sie nachlässig einen gestrickten Schal geschlungen. Ihre überschulterlangen Haare flogen auf und glänzten im schwachen Flurlicht wie gesponnenes Gold, als sie jetzt zögernd einen Schritt auf mich zu machte.

Sie sah mich aus dunklen grünen Augen fragend an.

Es war Donnerstagabend, kurz vor halb sieben, und ich hatte gerade ein *Déjà-vu*, das ich im ersten Moment nicht zuordnen konnte.

Ich rührte mich nicht und starrte die Gestalt mit dem dunkelblonden Haar an wie eine Erscheinung.

»Ich suche Monsieur Chabanais«, sagte sie noch einmal ernsthaft. Und dann lächelte sie. Es war, als ob ein Sonnenstrahl über den Flur huschte. »Wissen Sie vielleicht, ob er noch da ist?«

Mein Gott, ich kannte dieses Lächeln! Ich hatte es vor ungefähr eineinhalb Jahren schon einmal gesehen. Es war dieses unglaublich bezaubernde Lächeln, mit dem die Geschichte in meinem Roman begann.

Mit den Geschichten ist es so eine Sache. Woher nehmen Autoren ihre Geschichten? Schlummern sie einfach so in ihnen und werden durch bestimmte Ereignisse an die Oberfläche geholt? Nehmen die Schreibenden sie aus der Luft? Folgen sie dem Lebensweg realer Personen?

Was ist wahr, was ist erfunden? Was gab es wirklich und was hat es nie gegeben? Beeinflußt die Imagination die Wirklichkeit? Oder die Wirklichkeit die Imagination?

Der Illustrator und Cartoonist David Shrigley hat einmal gesagt: »Wenn die Leute mich fragen, woher ich meine Ideen habe, sage ich ihnen, daß ich es nicht weiß. Es ist eine dumme Frage. Denn wenn ich wüßte, woher ich meine Ideen hätte, wären es nicht mehr meine Ideen. Sie wären die Ideen eines anderen und ich hätte sie gestohlen. Ideen kommen von nirgendwoher und sind plötzlich im Kopf. Vielleicht kommen sie von Gott oder von den dunklen Mächten oder von irgend etwas ganz anderem.«

Meine Theorie ist, daß man die Menschen, die Romane schreiben und uns etwas erzählen, in drei große Gruppen unterteilen kann.

Die einen schreiben immer nur über sich selbst – manche von ihnen gehören zu den ganz Großen der Literatur.

Die anderen haben ein beneidenswertes Talent dafür, Geschichten zu *erfinden*. Sie fahren im Zug, schauen aus dem Fenster, und plötzlich haben sie eine Idee.

Und dann gibt es noch jene, die sozusagen die Impressionisten unter den Schreibern sind. Ihre Begabung liegt darin, Geschichten zu *finden*.

Sie gehen mit offenem Blick durch die Welt und pflücken Situationen, Stimmungen und kleine Szenen wie Kirschen von den Bäumen.

Eine Geste, ein Lächeln, die Art, wie sich jemand die Haare zurückstreicht oder die Schuhe zubindet. Momentaufnahmen, hinter denen sich Geschichten verstecken. Bilder, die zu Geschichten werden.

Sie sehen ein Liebespaar an einem lauen Abend durch den Bois de Boulogne schlendern und überlegen, wo das Leben die beiden hinführen wird. Sie sitzen im Café und beobachten zwei Freundinnen, die sich angeregt unterhalten. Noch wissen sie nicht, daß bald die eine die andere mit deren Freund betrügen wird. Sie fragen sich, wohin die Frau mit den traurigen Augen, die in der Metro sitzt und den Kopf an die Scheibe lehnt, wohl fährt.

Sie stehen an der Kinokasse und hören zufällig eine unglaublich lustige Diskussion zwischen der Kartenverkäuferin und einem uralten Ehepaar, das fragt, ob es eine *Studentenermäßigung* gibt – besser kann man es nicht erfinden! Sie sehen das Licht des Vollmonds, das sich wie eine Silberlache über die Seine ergießt, und ihr Herz füllt sich mit Worten.

Ich weiß nicht, ob es vermessen ist, wenn ich mich als Autor bezeichne. Immerhin habe ich ja gerade mal einen kleinen Roman geschrieben. Aber wenn ich es doch tue, so würde ich mich unbedingt jener letzten Kategorie zuordnen. Auch ich zähle zu den Menschen, die ihre Geschichten *finden*.

Und so habe ich auch damals die Heldin meines Romans in einem kleinen Restaurant gefunden.

Ich weiß es noch genau – ich schlenderte an diesem frühlingshaften Abend allein durch Saint-Germain, die Menschen saßen schon draußen vor den Restaurants und Cafés, und ging diesmal eine kleine Straße entlang, die ich sonst selten nehme. Meine damalige Freundin wünschte sich zu ihrem Geburtstag eine Kette und hatte mir von einem winzigen Schmuckladen der israelischen Designerin Michal Negrin vorgeschwärmt, der sich in der Rue Princesse befand. Ich entdeckte den Laden, verließ ihn kurze Zeit später mit einem nostalgisch verpackten, bunten Päckchen und dann – ohne irgendwie darauf vorbereitet zu sein – fand ich *Sie*!

Sie stand hinter der Scheibe eines Restaurants, das die Größe eines Wohnzimmers hatte, und sprach mit einem Gast, der an einem der kleinen Holztische mit rot-weiß gewürfelten Decken saß und mir den Rücken zuwandte. Das sanfte, gelbliche Licht überglänzte ihr langes, in der Mitte gescheiteltes Haar, und es war dieses bei jeder Bewegung auffliegende Haar, das mir zuerst ins Auge fiel.

Ich blieb stehen und sog jedes Detail dieser jungen Frau in mich auf. Das schlichte lange grünliche Kleid aus zartem Seidenstoff, das sie so selbstverständlich trug wie eine römische Frühlingsgöttin und dessen breite Träger ihre Schultern und die Arme freiließen. Die Hände mit den langen Fingern, die sich anmutig bewegten, wenn sie redete.

Ich sah, wie sie sich an den Hals faßte und mit einer Kette aus winzigen milchig-weißen Perlen spielte, die in einer großen alten Gemme endete.

Und dann schaute sie für einen kurzen Moment auf und lächelte.

Es war dieses Lächeln, das mich verzauberte und mich mit Freude erfüllte, obwohl es gar nicht mir galt. Ich stand draußen vor der Scheibe wie ein Voyeur und wagte nicht zu atmen – so vollkommen schien mir dieser Augenblick.

Dann öffnete sich die Tür des Restaurants, Menschen traten lachend auf die Straße, der Augenblick war vorbei, das schöne Mädchen drehte sich um und verschwand, und ich ging weiter.

Ich hatte niemals zuvor und auch später nicht in dem kleinen behaglichen Restaurant gegessen, dessen Namen ich so poetisch fand, daß ich gar nicht anders konnte, als meinen Roman dort enden zu lassen – im *Le Temps des Cerises*.

Meine Freundin bekam ihre glitzernde Halskette. Kurze Zeit später verließ sie mich.

Doch was mir blieb, war das Lächeln einer Fremden, das mich inspirierte und beflügelte. Ich taufte sie Sophie und füllte sie mit Leben. Ich schickte sie durch eine abenteuerliche Geschichte, die ich mir ausgedacht hatte.

Und nun stand sie plötzlich vor mir, und ich fragte mich allen Ernstes, ob es möglich war, daß eine Romanfigur ein Mensch aus Fleisch und Blut werden konnte.

»Monsieur?« Die Stimme hatte einen besorgten Ton angenommen, und ich kehrte in den Flur der Éditions Opale zurück, wo ich immer noch vor meiner zugezogenen Bürotür stand.

»Verzeihen Sie, Mademoiselle«, sagte ich und bemühte mich, meiner Verwirrung Herr zu werden. »Ich war gerade in Gedanken. Was sagten Sie?«

»Ich möchte mit Monsieur Chabanais sprechen, wenn das möglich ist«, wiederholte sie noch einmal.

»Nun … Sie sprechen mit ihm«, entgegnete ich, und ihre überraschte Miene zeigte mir, daß sie sich den Mann, der sie wenige Stunden zuvor so unfreundlich aus der Leitung geworfen hatte, auch anders vorgestellt hatte.

»Oh«, sagte sie, und ihre schmalen dunklen Augenbrauen gingen in die Höhe. »*Sie* sind das!« Ihr Lächeln verschwand.

»Ja, das bin ich«, wiederholte ich etwas einfältig.

»Dann haben wir heute nachmittag schon miteinander telefoniert«, sagte sie. »Ich bin Aurélie Bredin, erinnern Sie sich? Die mit dem Brief an Ihren Autor ... Monsieur Miller.« Ihre dunkelgrünen Augen sahen mich vorwurfsvoll an.

»Ja, in der Tat, ich erinnere mich.« Sie hatte verdammt schöne Augen.

»Sicher sind Sie verwundert, daß ich einfach hier so hereingeschneit bin?« sagte sie.

Was sollte ich darauf erwidern? Der Grad meiner Verwunderung überstieg wahrscheinlich ein Tausendfaches von dem, was sie sich vorstellen konnte. Es grenzte wirklich an ein Wunder, daß Sophie, die Heldin meines Romans, plötzlich hier hereinschneite und mir Fragen stellte. Daß *sie* die Frau vom Nachmittag war, die von mir die Adresse eines Autors haben wollte (den es gar nicht gab!), weil sein Buch (also mein Buch!) ihr angeblich das Leben gerettet hatte. Doch wie hätte ich ihr das erklären sollen? Ich verstand gerade selbst nichts mehr und hatte das Gefühl, daß in der nächsten Minute jemand mit triumphierendem Fernsehgelächter aus der Ecke springen würde, um mir übertrieben fröhlich zuzurufen: »*You are in Candid Camera, hahaha!*«

Also starrte ich sie weiterhin an und wartete darauf, daß meine Gedanken sich sortierten.

»Nun …«, sie räusperte sich. »Nachdem Sie heute am Telefon so …«, sie machte eine kleine Kunstpause, »… so ungeduldig und hektisch waren, habe ich gedacht, es ist vielleicht besser, wenn ich persönlich vorbeikomme, um mich nach meinem Brief zu erkundigen.«

Das waren meine Stichworte. Großartig, sie war gerade mal fünf Minuten hier und redete bereits wie *Maman*! Ich erwachte umgehend aus meiner katatonischen Starre.

»Hören Sie, Mademoiselle, ich hatte heute eine Menge um die Ohren. Aber ich war *nicht* hektisch oder ungeduldig!«

Sie sah mich nachdenklich an, dann nickte sie. »Stimmt«, sagte sie. »Wenn ich ehrlich sein soll, waren Sie eher *unfreundlich*. Ich habe mich schon gefragt, ob alle Lektoren so unfreundlich sind oder ob das Ihre Spezialität ist, Monsieur Chabanais.«

Ich grinste. »Keineswegs, wir versuchen hier nur unseren Job zu machen und werden leider manchmal dabei gestört, Mademoiselle …« Ich hatte ihren Namen schon wieder vergessen.

»Bredin. Aurélie Bredin.« Sie streckte mir die Hand entgegen und lächelte wieder.

Ich ergriff sie und fragte mich bereits in diesem Augenblick, wie ich es anstellen könnte, daß ich diese Hand (und wenn möglich nicht nur die Hand) länger halten konnte als nötig. Dann ließ ich los.

»Nun, Mademoiselle Bredin, ich freue mich jedenfalls, jetzt auch persönlich Ihre Bekanntschaft machen zu dürfen. Man begegnet ja nicht jeden Tag solch engagierten Leserinnen.«

»Hat sich mein Brief denn nun inzwischen gefunden?«

»Oh, ja! Natürlich«, log ich und nickte. »Er lag ganz friedlich in meinem Postkorb.«

Was konnte schon passieren? Entweder lag der Brief tatsächlich noch in meinem Postkorb, oder er lag dort morgen oder übermorgen. Und selbst wenn dieser Brief niemals auftauchte, wäre es vom Ergebnis dasselbe: Dieser wunderbare Leserbrief würde seinen Adressaten niemals erreichen, sondern bestenfalls ganz hinten in meinem Stahlschrank landen.

Ich lächelte zufrieden.

»Dann können Sie ihn ja an Robert Miller weiterleiten«, sagte sie.

»Aber selbstverständlich, Mademoiselle Bredin, seien Sie unbesorgt. Ihr Brief ist schon so gut wie in den Händen des Autors. Allerdings …«

»Allerdings?« wiederholte sie beunruhigt.

»Allerdings würde ich mir an Ihrer Stelle nicht zuviel erwarten. Robert Miller ist ein äußerst zurückhaltender, um nicht zu sagen *schwieriger* Mensch. Seit seine Frau ihn verlassen hat, lebt er ganz zurückgezogen in seinem kleinen Cottage. Er hat sein ganzes Herz an seinen kleinen Hund gehängt … Rocky«, fabulierte ich.

»Oh«, sagte sie. »Wie traurig.«

Ich nickte bekümmert.

»Ja, wirklich sehr traurig. Robert war immer schon ein wenig speziell, aber jetzt …« Ich seufzte tief und überzeugend. »Wir versuchen gerade, ihn für eine Geschichte mit dem *Figaro* nach Paris zu holen, aber ich habe wenig Hoffnung.«

»Merkwürdig, das hätte ich nie gedacht. Sein Roman ist so ... so lebensbejahend und humorvoll«, sagte sie nachdenklich. »Haben Sie Monsieur Miller denn einmal persönlich kennengelernt?« Sie sah mich zum erstenmal voller Interesse an.

»Nun ...« Ich räusperte mich bedeutungsvoll. »Ich glaube sagen zu können, daß ich einer der wenigen bin, die Robert Miller *wirklich* kennen. Immerhin habe ich viel mit ihm an seinem Buch gearbeitet, und er schätzt mich sehr.«

Sie wirkte beeindruckt. »Es ist ein tolles Buch geworden.« Und dann sagte sie: »Ach, ich würde diesen Miller wirklich zu gern kennenlernen. Meinen Sie nicht, es besteht eine kleine Chance, daß er mir antwortet?«

Ich zuckte mit den Schultern. »Was soll ich dazu sagen, Mademoiselle Bredin? Ich glaube es eher nicht, aber ich bin ja nicht der liebe Gott.«

Sie spielte an den Fransen ihres Schals herum. »Wissen Sie ... es ist nicht ein Leserbrief im *eigentlichen* Sinne. Es würde jetzt zu weit führen, Ihnen alles zu erklären, Monsieur Chabanais, und eigentlich ist das ja auch gar nicht Ihre Sache, aber Monsieur Miller hat mir in einer schwierigen Situation sehr geholfen, und ich würde mich gern erkenntlich zeigen, verstehen Sie?«

Ich nickte und konnte es kaum erwarten, an meinen Postkorb zu stürzen, um zu lesen, was Mademoiselle Aurélie Bredin Monsieur Robert Miller zu sagen hatte.

»Tja, warten wir es doch einfach ab«, meinte ich salomonisch. »Wie sagt der Engländer so schön? Abwarten und Tee trinken.«

Mademoiselle Bredin verzog ihr Gesicht in komischer Verzweiflung. »Ich warte aber so ungern«, erklärte sie.

»Wer wartet schon gern«, entgegnete ich großzügig und hatte das gute Gefühl, alle Fäden in der Hand zu haben. Nicht im Traum wäre es mir eingefallen, daß nur wenige Wochen später ich derjenige sein würde, der unruhig und verzweifelt auf die alles entscheidende Antwort einer äußerst verärgerten Frau mit dunkelgrünen Augen warten würde, die über den letzten Satz eines Romans bestimmen sollte. Und damit über mein Leben!

»Darf ich Ihnen meine Karte dalassen?« sagte Mademoiselle Bredin und zog eine kleine weiße Visitenkarte mit zwei roten Kirschen aus ihrem Lederbeutel. »Nur für den Fall, daß Robert Miller doch noch nach Paris kommt. Vielleicht könnten Sie mir dann netterweise Bescheid geben.« Sie warf mir einen Blick zu, der wohl verschwörerisch sein sollte.

»Ja, lassen Sie uns in Kontakt bleiben.« Ich gebe zu, ich wollte in diesem Moment nichts mehr als das. Auch wenn ich Robert Miller aus verständlichen Gründen am liebsten außen vor gelassen hätte. Ehrlich, ich fing jetzt schon an, diesen Kerl zu hassen. Ich nahm die Karte und konnte meine Überraschung kaum verbergen. »*Le Temps des Cerises*«, las ich halblaut. »Oh ... Sie *arbeiten* in diesem Restaurant?«

»Mir *gehört* dieses Restaurant«, entgegnete sie. »Kennen Sie es?«

»Äh ... nein ... ja ... nicht wirklich«, stammelte ich. Ich mußte aufpassen, was ich sagte. »Ist das ... ist das nicht das Restaurant, das in Millers Roman vorkommt? Na, haha, so ein Zufall!«

»*Ist* es ein Zufall?« Sie sah mich sinnend an, und ich fragte mich für einen panischen Moment, ob sie irgend etwas wissen konnte. Nein, das war unmöglich! Völlig unmöglich! Keiner außer Adam und mir wußte, daß Robert Miller in Wirklichkeit André Chabanais hieß.

»*Au revoir*, Monsieur Chabanais.« Sie lächelte mir noch einmal zu, bevor sie sich zum Gehen wandte. »Vielleicht finde ich es mit Ihrer Hilfe ja bald heraus.«

»*Au revoir*, Mademoiselle Bredin.« Ich lachte auch und hoffte, daß sie es niemals herausfinden würde. Und schon gar nicht mit meiner Hilfe.

5

»Miller«, sagte Bernadette. »Miller ... Miller ... Miller.«
Sie saß mit vorgebeugtem Oberkörper vor ihrem PC
und gab den Namen Robert Miller ein. »Wollen mal
sehen, was Google dazu sagt.«

Es war wieder Montag, und am Wochenende war
so viel los gewesen im Restaurant, daß ich keine Zeit
gefunden hatte, mich meiner neuen Lieblingsbeschäfti-
gung zu widmen – dem Suchen und Finden von Robert
Miller.

Wir hatten am Freitag zwei größere Gesellschaften
gehabt – einen Geburtstag, bei dem viel gesungen und
angestoßen wurde, und eine Gruppe von vielleicht
noch fideleren Geschäftsleuten, die offensichtlich schon
im November ihre Weihnachtsfeier abhielten und gar
kein Ende finden konnten.

Jacquie hatte geflucht und geschwitzt, weil Paul, der
Sous-Chef, krank geworden war und er jetzt die ganze
Braterei mit übernehmen mußte.

Außerdem wollte keiner der Gäste das Menu mit dem
Fisch. Alle bestellten *à la carte* und Jacquie beschwerte
sich, weil ich zuviel Lachs eingekauft hatte, den er jetzt
nicht mehr loswerden würde.

Doch ich war mit meinen Gedanken ganz weit weg. Sie umkreisten einen gutaussehenden Engländer, der vielleicht genauso einsam war wie ich.

»Stell dir vor, seine Frau hat ihn verlassen, und jetzt hat er nur noch seinen kleinen Hund«, hatte ich Bernadette erzählt, als ich sie am Sonntagnachmittag anrief. Ich lag auf meinem Sofa und hatte Millers Buch in der Hand.

»Nein, *chérie*! Das ist ja der Ball der einsamen Herzen! Er wurde verlassen, du wurdest verlassen. Er liebt die französische Küche, du liebst die französische Küche. Und er hat über dein Restaurant geschrieben und vielleicht sogar über dich. Da kann ich doch nur sagen: *Bon appetit!*« witzelte sie. »Hat er sich denn schon bei dir gemeldet, dein trauriger Engländer?«

»Also wirklich, Bernadette«, entgegnete ich und stopfte mir ein Kissen in den Nacken. »Erstens ist er nicht *mein* Engländer, zweitens finde ich all diese *Zufälle* sehr bemerkenswert, und drittens *kann* er meinen Brief noch gar nicht bekommen haben.« Ich mußte wieder an das etwas seltsame Gespräch denken, das ich vor ein paar Tagen in der Éditions Opale geführt hatte. »Ich kann nur hoffen, daß dieser komische bärtige Mann meinen Brief auch wirklich abschickt.«

Mit »dieser komische bärtige Mann« war Monsieur Chabanais gemeint, der mir im nachhinein immer weniger vertrauenerweckend vorkam.

Bernadette lachte. »Du machst dir viel zu viele Gedanken, Aurélie! Nenn mir einen Grund, warum er deinen Brief zurückhalten sollte.«

Ich studierte nachdenklich das Ölbild vom Baikalsee, das an der gegenüberliegenden Wand hing und das mein Vater auf seiner abenteuerlichen Reise mit der Transsibirischen Eisenbahn in Ulan Bator vor vielen Jahren einem russischen Maler abgekauft hatte. Es war ein heiteres, friedliches Bild, das ich immer wieder gerne ansah. Am Ufer schaukelte ein alter Kahn auf dem Wasser, dahinter erstreckte sich der See. Er war ganz klar, lag ruhig da, in eine frühsommerliche Moorlandschaft eingebettet, und leuchtete mir mit seinem unergründlichen Blau entgegen. »Man sollte es nicht denken«, hatte mein Vater gesagt. »Es ist einer der tiefsten Seen Europas.«

»Ich weiß nicht«, entgegnete ich und ließ meinen Blick über die spiegelnde Wasseroberfläche des Sees gleiten, auf der Licht und Schatten miteinander spielten. »Es ist nur so ein Gefühl. Vielleicht ist er eifersüchtig und will seinen heiligen Autor vor allen anderen Menschen abschirmen. Oder auch nur vor mir.«

»Ach, Aurélie – was redest du da! Du bist eine alte Verschwörungstheoretikerin.«

Ich setzte mich auf. »Bin ich nicht. Dieser Mann *war* merkwürdig. Erst gebärdet er sich am Telefon wie ein Zerberus. Und dann, als ich ihn später im Verlag angesprochen habe, hat er mich angestarrt wie ein Geistesgestörter. Er hat zuerst gar nicht reagiert auf meine Fragen, immer nur weiter gestarrt, so als ob er nicht alle Tassen im Schrank hätte.«

Bernadette schnalzte ungeduldig mit der Zunge. »Vielleicht war er einfach nur überrascht. Oder er hatte einen harten Tag. Meine Güte, Aurélie, was *erwartest* du? Er kennt dich doch überhaupt nicht. Du quatschst ihn am Telefon zu. Dann kommst du ohne jede Vorwarnung abends in den Verlag, überfällst den armen Mann, der gerade nach Hause gehen will, und fragst nach einem Brief, der für ihn irgendein Brief von irgendeiner überdrehten Autogrammjägerin ist, die sich ziemlich wichtig nimmt. Also, ich finde es erstaunlich, daß er dich nicht vor die Tür gesetzt hat. Stell dir mal vor, jeder Leser käme in den Verlag gestürmt, um sich persönlich davon zu überzeugen, daß seine Post auch an diverse Autoren weitergeschickt wird. Ich für meinen Teil *hasse* es, wenn Eltern plötzlich unangemeldet im Türrahmen stehen und nach der Schule mit mir ausdiskutieren wollen, warum ihr wunderbares Kind eine Strafarbeit machen soll.«

Ich mußte lachen. »Schon gut, schon gut. Trotzdem bin ich froh, daß ich selbst mit diesem Lektor sprechen konnte.«

»Das kannst du auch. Immerhin hat Monsieur Zerberus sich am Ende doch noch ganz nett mit dir unterhalten.«

»Nur um mir klarzumachen, daß der Autor sich sowieso nicht bei mir melden wird, weil er menschenscheu und verbittert in seinem Cottage sitzt und keine Zeit für solche Scherze hat«, warf ich ein.

»Und er will dir sogar Bescheid geben, wenn Robert Miller nach Paris kommt«, fuhr Bernadette unbeeindruckt fort. »Was willst du eigentlich mehr, Mademoiselle Ich-krieg-den-Hals-nicht-voll?«

Ja, was wollte ich mehr?

Ich wollte mehr über diesen Engländer herausfinden, der so sympathisch aussah und so wunderbare Dinge schrieb, und das war der Grund, warum ich an diesem Montagmorgen, eine Woche, nachdem alles angefangen hatte, mit Bernadette vor der Suchmaschine saß.

»Ich bin so froh, daß du montags nicht zur Schule mußt und wir uns treffen können«, sagte ich, und ein Gefühl der Dankbarkeit überkam mich, als ich meine Freundin sah, wie sie mit konzentrierter Miene alle Millers dieser Welt für mich heraussuchte.

»Hm … hm«, machte Bernadette, strich sich eine blonde Strähne hinters Ohr und sah gebannt auf den Bildschirm. »Mist, ich hab mich vertippt – Nein, ich meine nicht Niller, sondern M-i-l-l-e-r!«

»Weißt du, ich könnte mich ja gar nicht abends verabreden wie die meisten Leute, da muß ich ja ins Restaurant.« Ich beugte mich zu ihr, um auch etwas zu erkennen. »Obwohl … jetzt, wo Claude weg ist, ist es natürlich nicht schlecht, abends etwas zu tun zu haben«, redete ich weiter. »Diese Winterabende können sehr einsam sein.«

»Wenn du willst, können wir heute abend ins Kino gehen«, sagte Bernadette. »Émile ist zu Hause, und da kann ich gut weg. Hast du eigentlich noch was von Claude gehört?« fragte sie übergangslos.

Ich schüttelte den Kopf und war ihr dankbar, daß sie diesmal einfach nur Claude sagte.

»Ich hab nichts anderes von dem Idioten erwartet«, knurrte sie und runzelte die Stirn. »Unfaßbar, einfach so abzutauchen.« Dann wurde ihre Stimme wieder freundlicher. »Vermißt du ihn?«

»Nun ja«, sagte ich und war selbst ein wenig erstaunt, wie sehr meine Gefühlslage sich seit jenem unglücklichen Tag, als ich durch Paris geirrt war, verbessert hatte. »Nachts ist es schon ein bißchen seltsam, so allein im Bett zu liegen.« Ich überlegte einen Moment. »Es ist einfach komisch, wenn plötzlich keiner mehr den Arm um dich legt.«

Bernadette hatte ihren großen empathischen Augenblick. »Ja. Das kann ich mir gut vorstellen«, sagte sie, ohne gleich hinzuzufügen, daß es natürlich nicht dasselbe war, ob ein netter Mann oder ein Idiot seinen Arm um einen legte.

»Aber wer weiß, was noch kommt?« Sie sah mich an und zwinkerte mir zu. »Du hast ja inzwischen eine wunderbare Ablenkung gefunden. Und hier haben wir ihn schon: Robert Miller – zwölf Millionen zweihunderttausend Einträge. Na, wer sagt's denn?«

»Oh, nein!« Ich blickte ungläubig auf den Bildschirm. »Das gibt's ja nicht!«

Bernadette klickte wahllos ein paar Einträge auf. »Robert Miller – zeitgenössische Kunst.« Ein quadratisches Bild öffnete sich, das aus verschiedenenfarbigen Strichen bestand. »Oh, wirklich *sehr* zeitgenössisch!« Sie machte die Seite wieder zu. »Und was haben wir hier? Rob Miller, Rugby Union Player, hui – sportlich, sportlich.« Sie ließ den Curser über die Seite gleiten. »Robert Talbot Miller, amerikanischer Agent, spionierte für die Sowjetunion –

na, der wird's nicht sein, der hat das Zeitliche schon gesegnet.« Sie lachte, die Suchaktion begann ihr offensichtlich Spaß zu machen. »*Bof!*«, rief sie jetzt aus. »Robert Miller, Rang 224 unter den reichsten Leuten der Welt! Willst du es dir nicht noch mal überlegen, Aurélie?«

»So kommen wir nicht weiter«, sagte ich. »Du mußt ›Robert Miller Schriftsteller‹ eingeben.«

Unter »Robert Miller Schriftsteller« gab es immerhin nur noch sechshundertfünfzigtausend Einträge, was aber immer noch eine echte Herausforderung war.

»Konntest du dir nicht einen Autor mit einem etwas ausgefalleneren Namen aussuchen?« sagte Bernadette und klickte die erste Seite durch, die sich geöffnet hatte. Es war so ziemlich alles dabei – von einem Mann, der Pferdetrainingsbücher veröffentlichte, über einen Dozenten, der bei der Oxford University Press etwas über die englischen Kolonien geschrieben hatte, bis zu einem wirklich wahnsinnig furchterregend aussehenden englischen Autor, der ein Buch über die Burenkriege abgesondert hatte.

Bernadette deutete auf das Photo. »Der kann's ja wohl nicht sein, oder?«

Ich schüttelte heftig den Kopf. »Um Himmels willen, nein!« rief ich.

»So kommen wir jedenfalls nicht weiter«, sagte Bernadette. »Sag mir noch mal den Titel des Romans.«

»*Das Lächeln der Frauen.*«

»Gut … gut … gut.« Sie bewegte ihre Finger über die Tastatur. »Aha«, sagte sie dann. »Hier haben wir es:

»Robert Miller, Das Lächeln der Frauen!« Sie lächelte triumphierend, und ich hielt den Atem an.

»Robert Miller in den Éditions Opale … ach Mist, da kommt man nur auf die Verlagsseite … Und das hier … ist die Seite von Amazon, aber auch nur für die französische Ausgabe … Merkwürdig, irgendwo müßte doch auch das englische Original zu finden sein.« Sie betätigte wieder ein paar Tasten, dann schüttelte sie den Kopf. »Nichts zu machen«, sagte sie. »Hier steht nur noch was zu Henry Miller, *Das Lächeln am Fuße der Leiter* – ein gutes Buch übrigens –, aber das ist definitiv nicht unser Mann.«

Sie klopfte sich mit dem Zeigefinger nachdenklich an die Lippen. »Kein Hinweis auf eine Internetseite, kein Facebook – Mister Miller bleibt ein Geheimnis, jedenfalls im World Wide Web. Wer weiß, vielleicht ist er so *old fashioned*, daß er jede moderne Technik ablehnt. Trotzdem merkwürdig, daß ich das englische Buch nicht finden kann.« Sie klappte ihren Computer zu und sah mich an.

»Ich fürchte, da kann ich dir nicht helfen.«

Ich lehnte mich enttäuscht zurück. Angeblich konnte man doch heutzutage alles mit Hilfe des Internets herausfinden.

»Und was machen wir jetzt?« fragte ich.

»Jetzt machen wir uns einen kleinen Salat mit Ziegenkäse beziehungsweise *du* machst uns einen schönen *salade au chèvre*. Irgendeinen tieferen Sinn muß es ja haben, daß ich eine Köchin zur Freundin habe, meinst du nicht?«

Ich seufzte. »Fällt dir sonst nichts ein?«

»Doch«, sagte sie. »Warum rufst du nicht den Verlags-Zerberus an und fragst ihn, ob Robert Miller eine Internetseite hat und wieso du die englische Originalausgabe seines Romans nicht finden kannst?« Sie stand von ihrem Schreibtisch auf und ging in die Küche.

»Nein, ruf nicht an«, rief sie, als sie die Kühlschranktür aufmachte. »Schick dem armen Mann lieber eine Mail.«

»Ich habe gar nicht seine E-Mail-Adresse«, entgegnete ich unwillig und folgte Bernadette in die Küche. Sie schloß den Kühlschrank und drückte mir einen Kopf Eichblattsalat in die Hand.

»Meine Liebe, das ist ja nun wirklich kein Problem.«

Ich starrte mißmutig auf den Salatkopf, der auch nichts dafür konnte. Bernadette hatte recht. Natürlich war es kein Problem, E-Mail-Adressen von so uninteressanten Leuten herauszubekommen wie André Chabanais, dem Cheflektor der Éditions Opale.

6

»So, so, das finden Sie seltsam«, murmelte ich und studierte noch einmal die E-Mail, die ich mir nachmittags im Verlag ausgedruckt hatte. »Meine liebe Mademoiselle Aurélie, dies alles ist mehr als seltsam.«

Seufzend legte ich die Mail zur Seite und nahm dafür wieder den Brief zur Hand, den ich mittlerweile schon auswendig konnte und der mir wesentlich besser gefiel als diese unverbindliche und wenig charmante Anfrage.

Die Dinge fingen an, sich zu verkomplizieren, dennoch konnte ich nicht umhin, darüber zu staunen, daß ein und dieselbe Person in der Lage war, so unterschiedliche Briefe zu verfassen. Ich lehnte mich in meinem alten Ledersessel zurück, zündete mir eine Zigarette an und ließ das Streichholzbriefchen aus dem *Deux Magots* achtlos auf den Beistelltisch fallen.

Ich hatte schon einige Male versucht, mit dem Rauchen aufzuhören – das letzte Mal nach der Buchmesse, als der größte Streß vorüber zu sein schien und mein Leben in angenehm ruhige Bahnen zurückfand.

Ich hatte Carmencita, einer heißblütigen Lizenzdame aus Portugal, die mich schon seit drei Jahren auf unseren Terminen mit ihren schwarzen Augen anfunkelte und die mich diesmal zunächst zu einem Abendessen und danach in ihr Hotel eingeladen hatte, am nächsten Morgen klarmachen können, daß mein Bedarf an Frauen, denen ich Halsketten schenken konnte, für den Augenblick gedeckt war. Als Carmencita endlich schmollend abzog (nicht ohne mir das Versprechen abzuringen, daß ich sie nächstes Jahr zum Essen einladen würde), dachte ich, die größte Herausforderung für den Rest des Jahres würde nun darin bestehen, all der Manuskripte Herr zu werden, die ich in der Messe-Euphorie angefordert hatte.

Doch seit letzten Dienstag waren die kleinen blauen Päckchen mit den gesundheitsgefährdenden Glimmstengeln wieder meine ständigen Begleiter.

Die ersten fünf Zigaretten rauchte ich, als Adam nicht zurückrief. Als er sich am Donnerstag endlich meldete, legte ich die Zigaretten in die oberste Schublade meines Schreibtischs und beschloß, ihre Existenz zu vergessen. Dann tauchte abends wie vom Himmel gefallen dieses Mädchen mit den grünen Augen vor meinem Büro auf, und meine Gefühle gerieten in das heftigste Durcheinander, das ich jemals erlebt hatte. Ich befand mich in einem schönen Traum, der zugleich ein Alptraum war. Ich mußte die hartnäckige Mademoiselle Bredin loswerden, bevor sie die Wahrheit über Robert Miller herausfand, und wollte nichts lieber, als die Frau mit dem hinreißenden Lächeln wiedersehen.

Nachdem Mademoiselle Bredin am Ende des Flurs verschwunden war, hatte ich mir eine Zigarette angezündet. Dann war ich in das Sekretariat gestürzt, in dem tagsüber Madame Petit herrschte, und hatte mein grünes Plastikfach durchwühlt, bis ich ein längliches weißes Kuvert fand, das an den »Schriftsteller Robert Miller« adressiert war. Ich hatte noch einmal kurz den Kopf durch die Tür gesteckt und gelauscht – nicht daß Mademoiselle noch einmal zurückkam und mich dabei erwischte, wie ich fremde Post öffnete –, und dann riß ich hastig und ohne den Brieföffner zu benutzen jenen handgeschriebenen Brief auf, der nun schon seit ein paar Tagen an den unterschiedlichsten Stellen in meiner Wohnung gelegen hatte und immer wieder gelesen worden war.

Paris im November

Dear Robert Miller!

Sie haben mich heute nacht um den Schlaf gebracht, und dafür möchte ich Ihnen danken! Eben habe ich Ihr Buch »Das Lächeln der Frauen« zu Ende gelesen. Was heißt gelesen? Ich habe diesen Roman verschlungen, der so wunderbar ist und der mir erst gestern abend (sozusagen auf der Flucht vor der Polizei) in einer kleinen Buchhandlung eher zufällig in die Hände fiel. Damit will ich sagen: Ich habe nicht nach Ihrem Buch gesucht. Meine große Leidenschaft ist das Kochen, nicht das Lesen. Normalerweise. Doch Ihr Buch hat mich mitgerissen, begeistert, es hat mich zum Lachen gebracht und ist gleichzeitig so leicht und so voller Lebensweisheit. Mit einem Wort: Ihr Buch hat mich glücklich gemacht an einem Tag, als ich so unglücklich war wie nie zuvor (Liebeskummer, Welt-

*schmerz), und daß ich Ihr Buch gerade in diesem Moment
gefunden habe (oder hat Ihr Buch etwa mich gefunden?), ist
für mich eine schicksalhafte Fügung.*

*Das mag für Sie jetzt vielleicht merkwürdig klingen, aber be-
reits als ich den ersten Satz las, ahnte ich, daß dieser Roman
für mich eine ganz besondere Bedeutung haben würde. Ich
glaube nicht an Zufälle.*

*Lieber Monsieur Miller, bevor Sie jetzt denken, Sie haben
es mit einer Verrückten zu tun, sollten Sie ein paar Dinge
wissen.*

*Das »Temps des Cerises«, das in Ihrem Buch des öfteren vor-
kommt und das Sie so liebevoll beschreiben, ist mein Restaurant. Und Ihre Sophie – bin ich. Die Ähnlichkeit ist zumindest frappierend, und wenn Sie sich das Photo anschauen, das
ich beigelegt habe, werden Sie verstehen, was ich meine.*

*Ich weiß zwar nicht, wie das alles zusammenhängt, aber ich
frage mich natürlich, ob wir uns schon einmal begegnet sind,
ohne daß ich mich daran erinnern kann. Sie sind ein erfolgreicher englischer Autor, ich bin eine französische Köchin mit
einem eher unbekannten Restaurant in Paris – wie sollen sich
unsere Wege gekreuzt haben?*

*Sie können sich vielleicht vorstellen, daß mir diese ganzen
»Zufälle«, die doch irgendwie keine Zufälle sein können,
keine Ruhe lassen.*

*Ich schreibe Ihnen in der Hoffnung, daß Sie vielleicht eine
Erklärung für mich haben. Leider habe ich Ihre Adresse nicht
und kann nur über den Umweg des Verlags an Sie herantreten.
Es wäre mir eine Ehre, wenn ich den Mann, der solche
Bücher schreibt und dem ich, wie ich finde, sehr viel schulde,*

zu einem von mir zubereiteten Essen ins »Temps des Ceri-
ses« einladen dürfte.

Wie ich Ihrer Vita (und auch Ihrem Roman) entnehmen
kann, lieben Sie Paris, und ich denke, daß Sie vielleicht doch
öfter hier sind. Ich fände es so schön, wenn wir uns persönlich
kennenlernen könnten. Und vielleicht löst sich dann ja auch
so manches Rätsel.

Ich kann mir denken, daß Sie, seitdem Ihr Buch erschienen
ist, sicherlich viele begeisterte Zuschriften bekommen haben,
und mir ist auch klar, daß Sie nicht die Zeit haben, jedem
einzelnen Ihrer Leser zu antworten. Doch ich bin nicht jeder
Leser, das müssen Sie mir einfach glauben. Für mich ist »Das
Lächeln der Frauen« in jeder Hinsicht ein ganz besonderes,
ja schicksalhaftes Buch gewesen. Und es ist eine Mischung
aus tiefer Dankbarkeit, großer Verwunderung und neugieriger
Ungeduld, mit der ich diesen Brief an Sie abschicke.

Ich würde mich unglaublich über eine Antwort von Ihnen
freuen, und ich wünsche mir nichts mehr als eine Zusage für
ein Abendessen im »Temps des Cerises«.

Mit den allerherzlichsten Grüßen,
Ihre
Aurélie Bredin

PS: Es ist übrigens das erste Mal, daß ich einem Autor
schreibe. Und es ist normalerweise auch nicht meine Art,
fremde Herren zum Essen einzuladen, aber ich denke, in den
Händen eines englischen Gentlemans, für den ich Sie halte,
ist mein Brief gut aufgehoben.

Nach der ersten Lektüre dieses Briefes hatte ich mich auf den Bürostuhl von Madame Petit fallen lassen und eine weitere Zigarette geraucht.

Ich muß gestehen – wäre ich Robert Miller gewesen, hätte ich mich für einen Glückspilz gehalten. Ich hätte nicht eine Sekunde gezögert und diesen Brief beantwortet, der so viel mehr war als ein ganz normaler Leserbrief. Ach, ich hätte mich liebend gerne von der schönen Köchin in ihr kleines Restaurant einladen lassen zu einem ganz privaten *diner à deux* (die Einladung klang verlockend) und vielleicht auch noch zu ganz anderen Dingen (die ich mir noch verlockender vorstellte).

Doch dummerweise war ich nur André Chabanais, irgend so ein hergelaufener Durchschnitts-Cheflektor, der so *tat*, als sei er Robert Miller. Dieser großartige, witzige und doch tiefsinnige Schriftsteller, der sich in die Herzen schöner unglücklicher Frauen schrieb.

Ich sog an der Zigarette und betrachtete eingehend das Photo, das Aurélie Bredin ihrem Brief beigelegt hatte. Sie trug darauf dieses grüne Kleid (offenbar war es eines ihrer Lieblingskleider), die Haare fielen ihr offen über die Schultern und sie lächelte ganz verliebt in die Kamera.

Und wieder galt ihr Lächeln nicht mir. Als das Photo gemacht wurde, hatte sie wen-auch-immer angelächelt, wahrscheinlich war es der Typ, der ihr später das Herz gebrochen hatte (Liebeskummer, Weltschmerz). Und als sie das Bild in den Umschlag steckte, hatte sie es getan, um auf diese Weise Robert Miller anzulächeln. Hätte sie gewußt, daß ich es sein würde (und nicht ihr englischer

Gentleman), der ihr Photo später kurzerhand in seiner Brieftasche verschwinden ließ, hätte sie nicht mehr so reizend gelächelt, da war ich mir sicher.

Ich drückte die Zigarette aus, warf die Kippe in den Papierkorb und steckte den Brief samt Briefumschlag in meine Aktentasche.

Als ich den Verlag nach diesem ereignisreichen Tag endlich verließ, kamen mir bereits lachend und schnatternd die philippinischen Reinigungskräfte entgegen, die abends die Büros putzten und den Müll entsorgten.

»Oooh, Missju Zabanais, musse imme zoviel aabeite!« riefen sie fröhlich und nickten bedauernd. Ich nickte auch, wenngleich eher geistesabwesend als fröhlich. Zeit, endlich nach Hause zu kommen. Es war kalt, aber es regnete nicht, als ich die Rue Bonaparte hinunterging und mich fragte, warum Mademoiselle Bredin eigentlich auf der Flucht vor der Polizei gewesen war. Sie sah nicht gerade aus wie jemand, der im *Monoprix* ein T-Shirt klaute. Und was hieß in diesem Zusammenhang »sozusagen«? Hatte die Besitzerin des *Temps des Cerises* Steuern hinterzogen? Oder war dieser Polizist, vor dem sie in die Buchhandlung flüchtete, wo sie dann dankenswerterweise mein Buch fand, vielleicht ihr Freund, so ein gewalttätiger Bulle, mit dem sie sich fürchterlich zerstritten hatte und der sie anschließend verfolgte?

Die wichtigste Frage jedoch stellte ich mir erst, als ich den Zahlencode eingab, mit dem sich das Eingangstor in der Rue des Beaux-Arts öffnen ließ, das zu meiner Wohnung führte.

Wie gewann man das Herz einer Frau, die sich in den Kopf gesetzt hatte, einen Mann kennenzulernen, den sie bewunderte und dem sie sich schicksalhaft verbunden glaubte? Einen Mann, den es – Ironie des Schicksals – in Wirklichkeit gar nicht gab. Den Geist, den man nicht mehr loswurde, herbeigerufen von zwei erfindungsreichen Zauberlehrlingen, die sich für sehr schlau hielten und in einer Branche arbeiteten, die Träume verkaufte.

Hätte ich diese Geschichte in einem Roman gelesen, ich hätte mich köstlich amüsiert. Wenn man selbst den komischen Helden in der Geschichte spielen mußte, war sie nicht mehr ganz so lustig.

Ich stieß die Wohnungstür auf und machte das Licht an. Was ich brauchte, war eine geniale Idee (die ich leider noch nicht hatte). Eines jedoch wußte ich genau: Robert Miller, dieser perfekte englische Gentleman mit seinem blöden Cottage, der so wahnsinnig geistreich und humorvoll schrieb, würde niemals mit Aurélie Bredin zu Abend essen. Vielleicht aber, und wenn ich es geschickt anstellte, der sehr viel nettere Franzose André Chabanais mit seiner Mietwohnung in der Rue des Beaux-Arts.

Dieser nette Franzose hörte wenige Minuten später seinen Anrufbeantworter ab, auf dem sich eine vorwurfsvolle Nachricht seiner Mutter befand, die ihn aufforderte, doch endlich an den Apparat zu gehen.

»André? Ich weiß genau, daß du zu Hause bist, *mon petit chou*, warum nimmst du nicht ab? Kommst du am Sonntag zum Essen? Du könntest dich ab und zu auch mal ein bißchen um deine alte Mutter kümmern, ich langweile mich, was soll ich den ganzen Tag machen, ich kann nicht immer Bücher lesen«, quengelte sie, und ich tastete schon wieder nervös nach dem Zigarettenpäckchen in meiner Jackentasche.

Dann war Adams Stimme zu hören.

»*Hi,* Andy, ich bin's! Na, alles roger? Du, mein Bruder ist gerade auf einem Dentistenkongreß in Sant'Angelo und kommt erst am Sonntagabend zurück. Ha … ha … ha, die haben ein Leben, diese Ärzte, was?«

Er lachte unbekümmert, und ich fragte mich, ob er kapiert hatte, daß die Zeit lief. Hatte sein Bruder kein Handy? Gab es in diesem Sant'Angelo (wo war das überhaupt) keine Telefone? Was war los?

»Ich dachte, ist vielleicht besser, ich ruf Sam an, wenn er wieder zu Hause ist und den Kopf frei hat«, schob Adam die Erklärung gleich hinterher. »*Anyway,* ich melde mich wieder, wenn ich mit Sam gesprochen habe, übers Wochenende sind wir bei Freunden in Brighton, aber du kannst mich wie immer auf dem Handy erreichen.«

Ich sagte: »Ja, ja, alles klar, wie immer auf dem Handy« und zündete mir die nächste Zigarette an.

»Also, mach's gut – und André?«

Ich hob den Kopf.

»Mach dir nicht ins Hemd, mein Freund. Wir kriegen Sam schon nach Paris.«

Ich nickte ergeben und ging in die Küche, um zu sehen, was der Kühlschrank hergab. Die Ausbeute war gar nicht mal schlecht. Ich fand eine Tüte mit frischen grünen Bohnen, die ich kurz in Salzwasser kochte, und briet mir ein großes Steak dazu. Englisch, natürlich.

Als ich gegessen hatte, setzte ich mich mit einem Glas Côtes du Rhone und einem Blatt Papier an den runden Wohnzimmertisch und widmete mich meinen strategischen Überlegungen in Sachen Aurélie Bredin = A. B. Zwei Stunden später hatte ich folgende Überlegungen zu Papier gebracht:

1. Robert Miller ignoriert den Brief und antwortet *nicht*. ➤ A. B. wird sich zunächst wahrscheinlich an ihre Kontaktperson im Verlag wenden, um nachzuhören, was mit dem Autor los ist. André Chabanais = A. C. sagt, der Autor möchte keinen Kontakt. A. C. gibt keine weiteren Informationen raus ➤ A. B. rennt vor die Wand und verliert irgendwann das Interesse ➤ sie hat auch kein Interesse mehr an A. C. als möglichen Mittelsmann.

2. Robert Miller beantwortet den Brief nicht, aber A. C. bietet seine Hilfe an ➤ er macht sich damit bei A. B. beliebt. Allerdings werden Gedanken von A. B. in die falsche Richtung gelenkt, nämlich auf den Autor, nicht auf den Lektor. Kann er ihr am Ende wirklich helfen? Nein. Denn es gibt ja keinen Robert Miller. ➤ A. C. muß Zeit gewinnen, um A. B. zu zeigen, was für ein netter Kerl er ist. (Und was für ein Blödmann der Engländer in Wirklichkeit ist, aber ganz beiläufig!)

3. Robert Miller schreibt nett, aber zunächst etwas vage zurück. ➤ Die Flamme wird am Brennen gehalten.

Der Autor verweist auf seinen wunderbaren Lektor (A. C.) und macht Hoffnung, daß er in nächster Zeit eventuell in Paris ist, aber nicht weiß, ob Treffen möglich, da zu viele Termine.

4. A.C. arrangiert etwas. Fragt A.B., ob sie zu einem Termin, den er mit Miller hat (ein Abendessen?), dazustoßen möchte ➤ Sie will *und* ist dankbar. Natürlich kommt kein Autor, der angeblich im letzten Moment absagt ➤ A. B. ist sauer auf den Autor. A. C. sagt, er sei leider immer so unzuverlässig ➤ A. B. und A. C. verbringen einen wunderbaren Abend und A. B. merkt, daß sie sympathischen Lektor eigentlich viel lieber mag als komplizierten Autor.

Ich nickte zufrieden, als ich Punkt 4 jetzt noch einmal las. Das war für den Anfang keine schlechte Idee. Ob sie wirklich genial war, würde sich zeigen. Allerdings gab es noch ein paar offene Fragen:

1. War Aurélie Bredin das ganze Theater überhaupt wert? *Ja, auf jeden Fall!*
2. Durfte sie jemals die Wahrheit erfahren? *Nein, auf keinen Fall!*
3. Was war, wenn Sam Goldberg als Robert Miller wirklich nach Paris kam, um ein Interview zu geben oder eine Lesung abzuhalten, und A. B. davon erfuhr?

Auf die letzte Frage fiel mir zu vorgerückter Stunde beim besten Willen keine Antwort mehr ein. Ich stand auf, leerte den Aschenbecher aus (fünf Zigaretten) und löschte das Licht. Ich war hundemüde, und für den Moment war die dringendere Frage wohl eher die, was passieren würde, wenn Robert Miller *nicht* nach Paris kam.

Am Freitagmorgen erwartete mich Monsieur Monsignac schon in meinem Büro. »Ah, mein lieber André, da sind Sie ja endlich, *bonjour, bonjour*!« rief er mir entgegen und wippte auf seinen braunen Lederschuhen unternehmungslustig vor und zurück. »Ich habe Ihnen das Manuskript einer jungen und sehr hübschen Autorin auf den Schreibtisch gelegt – sie ist die Tocher des letzten Goncourt-Preisträgers, mit dem ich sehr befreundet bin – und ich würde Sie ausnahmsweise bitten, sich das *rasch* anzuschauen.«

Ich zog mir den Schal vom Hals und nickte. In meiner ganzen Zeit bei den Éditions Opale hatte ich es noch nie erlebt, daß Monsieur Monsignac etwas nicht rasch zurückhaben wollte. Ich warf einen Blick auf das Manuskript der Goncourt-Preisträger-Tochter, das in einer Klarsichtmappe steckte und den elegischen Titel *Confessions d'une fille triste* (Bekenntnisse eines traurigen Mädchens) hatte. Das waren höchstens hundertfünfzig Seiten, und wahrscheinlich mußte man nur fünf Seiten davon lesen, bis einem von der üblichen narzißtischen Selbstbespiegelung, die man heute so oft als bedeutungsvolle Literatur angeboten bekam, schlecht wurde.

»Kein Problem, ich gebe Ihnen bis heute mittag Bescheid«, sagte ich und hängte meinen Mantel in den schmalen Schrank neben der Tür.

Monsignac trommelte mit den Fingern auf seinem blau-weiß gestreiften Hemd herum. Er war eigentlich nicht klein, aber doch etwa zwei Köpfe kleiner als ich und erheblich umfangreicher. Trotz seiner Statur verstand er es, sich zu kleiden. Er haßte Krawatten, trug handgefertigte Schuhe und Paisleyschals und wirkte trotz seiner Körperfülle äußerst agil und beweglich.

»Wunderbar, André«, sagte er. »Wissen Sie, das mag ich so an Ihnen. Sie sind so herrlich unprätentiös. Sie reden nicht groß rum, Sie stellen keine überflüssigen Fragen, Sie *machen* die Dinge einfach.« Er sah mich aus seinen strahlend blauen Augen an und klopfte mir auf die Schulter. »Sie werden es noch weit bringen.« Dann zwinkerte er mir zu. »Falls das Ding hier Schrott ist, schreiben Sie einfach ein paar aufbauende Sätze zum Inhalt, Sie wissen schon – es hat durchaus Potential und man ist gespannt, was die Autorin noch schreiben wird, und so weiter und so weiter –, und sagen es dann sanft ab.«

Ich nickte und verkniff mir ein Grinsen. Und dann, schon zwischen Tür und Angel, drehte sich Monsignac noch einmal um und sagte den Satz, auf den ich schon die ganze Zeit gewartet hatte.

»Und? Alles klar mit Robert Miller?«

»Ich bin im Gespräch mit seinem Agenten Adam Goldberg, und der ist ganz zuversichtlich«, entgegnete ich. Der alte Monsieur Orban (der, der neulich beim Kirschenpflücken vom Baum gefallen war) hatte mir einmal einen Rat gegeben. »Wenn du lügst, bleib so nah an der Wahrheit, wie's geht, Junge«, hatte er gesagt, als ich an einem herrlichen Sommertag die Schule geschwänzt hatte und meiner Mutter eine haarsträubende Lügengeschichte auftischen wollte, »dann stehen die Chancen gut, daß man dir glaubt.«

»Er sagt, wir kriegen Miller«, fuhr ich beherzt fort, und mein Puls beschleunigte sich. »Im Grunde geht es nur noch um die … äh … Feinabstimmung. Ich denke, am Montag weiß ich Genaueres.«

»Schön … schön … schön.« Jean-Paul Monsignac schritt mit zufriedener Miene durch die Tür, und ich kramte in meiner Tasche. Und nachdem ich eine kleine Dosis Nikotin zu mir genommen hatte (drei Zigaretten), beruhigte ich mich allmählich. Ich riß mein Fenster auf und ließ die klare, kalte Luft herein.

Das Manuskript war Françoise Sagan für ganz Arme. Abgesehen davon, daß eine junge Frau, die nicht so recht weiß, was sie eigentlich will (und deren Vater ein berühmter Schriftsteller ist), auf eine karibische Insel fährt und uns dort an ihren sexuellen Erlebnissen mit einem schwarzen Inselbewohner (der die ganze Zeit über bekifft ist) teilhaben läßt, gab es keine nennenswerte Handlung. Jeder zweite Abschnitt beschrieb die Befindlichkeiten der Heldin, die eigentlich keinen so recht interessierten, nicht einmal den karibischen Lover. Am Ende reist die junge Frau wieder ab, das Leben liegt immer noch vor ihr wie ein großes Fragezeichen, und sie weiß nicht, warum sie so traurig ist.

Ich für meinen Teil wußte es auch nicht. Wenn ich als junger Mann die Möglichkeit gehabt hätte, unglaubliche acht Wochen auf einer Trauminsel zu weilen und es mir dort mit einer karibischen Schönheit in allen Stellungen und an weißen Stränden nett zu machen, wäre ich nicht schwermütig gewesen, sondern vor guter Laune wahrscheinlich übergeschnappt. Vielleicht fehlte mir der nötige Tiefgang.

Ich formulierte eine behutsame Absage und machte eine Kopie für Monsieur Monsignac. Mittags brachte Madame Petit die Post und fragte mich mißtrauisch, ob ich geraucht hätte.

Ich sah sie mit unschuldiger Miene an und hob die Hände.

»Sie *haben* geraucht, Monsieur Chabanais«, sagte sie und erspähte den kleinen Aschenbecher, der hinter meinem Ablagekorb auf dem Schreibtisch stand. »Sie haben sogar in *meinem* Büro geraucht, ich habe es genau gerochen, als ich heute morgen hereingekommen bin.« Sie schüttelte mißbilligend den Kopf. »Fangen Sie nicht wieder damit an, Monsieur Chabanais, es ist *so* ungesund, das wissen Sie doch!«

Ja, ja, ja, ich wußte alles. Rauchen war ungesund. Essen war ungesund. Trinken war ungesund. Alles, was Spaß machte, war irgendwann ungesund oder machte dick. Zuviel Aufregung war ungesund. Zuviel Arbeit war ungesund. Im Grunde war das ganze Leben eine einzige gefährliche Gratwanderung, und am Ende fiel man beim Kirschenpflücken von der Leiter oder wurde auf dem Weg zum Bäcker von einem Auto überfahren wie die Concierge in dem Roman *Die Eleganz des Igels*.

Ich nickte stumm. Was sollte ich auch sagen? Sie hatte ja recht. Ich wartete, bis Madame Petit aus dem Zimmer gerauscht war, dann klopfte ich mir nachdenklich eine weitere Zigarette aus dem Päckchen, lehnte mich zurück und sah ein paar Sekunden später zu, wie sich die kleinen weißen Rauchkringel, die ich in die Luft pustete, langsam auflösten.

Seitdem Madame Petit mich des Rauchens im Büro überführt hatte, waren weitere beunruhigende Dinge passiert, die meiner gesunden Lebensweise bedauernswerterweise im Wege standen. Der gesündeste und am wenigsten aufregende Moment war dabei wahrscheinlich noch das sonntägliche Mittagessen bei *Maman* in Neuilly, wobei ich nicht behaupten möchte, daß vollgefüllte Teller mit Choucroute und fettem Schweinefleisch und Würsten (die Mutter meiner Mutter kam aus dem Elsaß, deswegen ist Choucroute für sie ein Muß) das Beste ist, was man seinem Körper zuführen kann. Auch die Tatsache, daß die »Überraschung«, die *Maman* am Telefon angekündigt hatte, sich als ihre stets leidende Schwester und eine redselige, aber schwerhörige und aus diesem Grunde sehr laut sprechende Lieblingscousine (nicht *meine* Lieblingscousine) entpuppte, die sie dazugeladen hatte, machte das Mittagessen auf Elsässer Keramik nicht gerade zu einem wahren Vergnügen für mich. Das Choucroute lag mir wie ein Stein im Magen, und drei alte Damen, die einen gestandenen Mann von immerhin achtunddreißig Jahren und einem Meter fünfundachtzig im Wechsel mit *mon petit boubou* oder *mon petit chou* (mein kleiner Kohl-kopf) anredeten, machten mich wahnsinnig. Ansonsten lief alles wie immer, nur dreifach verstärkt.

Ich wurde gefragt, ob ich dünner geworden wäre (Nein!), ob ich nicht bald mal heiraten wollte (Sobald die Richtige auftauchte), ob *Maman* noch auf ein Enkel-chen hoffen durfte, das sie dann mit Choucroute voll-stopfen durfte (Aber sicher, ich freute mich schon jetzt darauf), ob im Job alles gut liefe (Klar, alles lief bestens). Dazwischen wurde ich wiederholt aufgefordert, »doch noch ein bißchen nachzunehmen« oder zu erzählen »was es Neues gibt«.

»Was gibt's Neues, André, erzähl mal!«

Drei Augenpaare sahen mich erwartungsvoll an, und ich war so etwas wie das Sonntagsradio. Diese Frage war immer sehr ermüdend. Die wirklichen Neuigkeiten aus meinem Leben konnte ich nicht erzählen (oder hätte an diesem Tisch irgend jemand begriffen, daß ich hochgra-dig nervös war, weil ich eine zweite Identität als engli-scher Autor angenommen hatte und die Sache auffliegen konnte?), also faselte ich etwas vom letzten Wasserrohr-bruch in meiner Altbauwohnung, und das war auch gut so, denn die Konzentrationsfähigkeit des Damentrios hielt nicht lange vor (vielleicht war das, was ich von mir gab, auch nicht spannend genug). Jedenfalls wurde ich schon bald von der schwerhörigen Cousine mit einem lauten »*Wer* ist gestorben?« unterbrochen (diesen Satz sagte sie im Verlauf des Mittags allerdings noch weitere fünf Mal, ich schätze, immer dann, wenn sie dem Verlauf des Gesprächs nicht mehr folgen konnte), und man wandte sich interessanteren Dingen (Venenentzündungen, Arztbesuchen, Hausrenovierungen, schlecht arbeitenden Gärtnern oder schlampigen Putzfrauen, Weihnachtskonzerten, Beerdigungen, Quizsendungen und den Schicksalen mir unbekannter Nachbarn und Gestalten aus der tiefsten Vergangenheit) zu, bevor endlich der Käse und die Früchte gereicht wurden.

Zu diesem Zeitpunkt waren ich und die Kapazität meines Magens bereits so erschöpft, daß ich mich für einen Moment entschuldigte und in den Garten ging, um zu rauchen (drei Zigaretten).

In der Nacht von Sonntag auf Montag wälzte ich mich im Bett, obwohl ich drei Kautabletten gegen Sodbrennen genommen hatte (Ziegenkäse und Camembert hatten mir den Rest gegeben), und hatte schreckliche Alpträume von Adams Bruder, dem gutaussehenden Bestsellerautor, der in seiner High-Tech-Zahnarztpraxis mit einer halbentkleideten Mademoiselle Bredin auf einer Arztliege lag und sie vor Leidenschaft stöhnend umfing, während ich bewegungsunfähig (und auch stöhnend) auf einem Zahnarztstuhl saß und von einer Helferin die Zähne gezogen bekam.

Als ich in Schweiß gebadet aufwachte, war ich so fertig, daß ich am liebsten gleich weitergeraucht hätte.

Doch dies alles war ein harmloses Vergnügen im Vergleich zu dem, was der Montag an Aufregungen bereithielt.

Früh am Morgen hatte Adam im Verlag angerufen, mit der Nachricht, daß sein Bruder zunächst zwar etwas unwillig gewesen sei, nun aber doch die Brisanz der ganzen Affäre Miller begriffen habe und bereit sei, für dieses eine Mal mitzuspielen. (»*He took it like a man*«, war Adams gut gelaunter Kommentar.)

Allerdings hätten Sams Französischkenntnisse ihre natürliche Grenze, er sei alles andere als ein Büchermensch und sein Wissen über Oldtimer hielte sich auch in Grenzen.

»Tja, ich fürchte, wir müssen ihn vorher noch gut instruieren«, sagte Adam. »Für die Lesung kannst du ihm ja dann die entsprechenden Passagen vorbereiten, das muß er dann halt üben.« Was das Abnehmen des Bartes anginge, nun ja, da müsse er, Adam, noch ein bißchen Überzeugungsarbeit leisten.

Nervös zog ich an meinem Rollkragenpulli, der mir plötzlich den Hals abschnürte. Natürlich wäre es von Vorteil, wenn *Robert Miller* aussehen würde wie Robert Miller (auf dem Photo) und der *Zahnarzt* aussehen würde wie der Zahnarzt, gab ich zu bedenken. Die ganze Sache sei ja auch so schon kompliziert genug.

»Ja, schon klar«, sagte Adam, »ich tue, was ich kann.« Und dann sagte er etwas, das mich sofort zu meinen Zigaretten greifen ließ.

»Übrigens würde Sam gerne schon übernächsten Montag kommen, das heißt, er *kann* nur dann kommen.«

Ich rauchte so schnell ich konnte. »Bist du verrückt?« schrie ich. »Wie soll das bitte schön gehen?«

Die Bürotür öffnete sich leise, und Mademoiselle Mirabeau stand mit fragendem Blick und einer Klarsichtmappe auf der Schwelle und wartete.

»*Jetzt nicht!*« rief ich entnervt und machte eine wedelnde Handbewegung. »Meine Güte, jetzt gucken Sie nicht so blöd, Sie *sehen* doch, daß ich telefoniere«, zischte ich ihr zu.

Sie sah mich erschrocken an. Dann fing ihre Unterlippe an zu zittern, und die Tür schloß sich so leise, wie sie geöffnet worden war.

»Er kommt ja auch nicht *jetzt*«, sagte Adam besänftigend, und ich wandte mich wieder dem Telefon zu. »Der Montag wäre perfekt. Ich würde mit Sam dann schon am Sonntag anreisen, und wir könnten uns in aller Ruhe noch mal besprechen.«

»Perfekt, perfekt«, schnaubte ich. »Das ist ja schon in zwei Wochen! So was muß doch vorbereitet werden. Wie sollen wir das hinkriegen?«

»*It's now or never*«, entgegnete Adam knapp. »Jetzt sei mal ein bißchen froh, daß es überhaupt klappt.«

»Ich freue mich wie verrückt«, sagte ich. »Schön, daß es nicht schon morgen sein soll.«

»Was ist das Problem? Der *Figaro* steht doch schon in den Startlöchern, soweit ich das verstanden habe. Und was die Lesung betrifft, so ist es doch wahrscheinlich besser, wenn wir sie in einem kleinen Rahmen abhalten. Oder wäre dir eine Lesung bei *Fnac* lieber?«

»Nein, natürlich nicht«, entgegnete ich. Je flacher wir den Ball hielten, desto besser. Die ganze Sache mußte so unspektakulär wie möglich über die Bühne gehen. Montag in zwei Wochen! Mir wurde heiß. Mit zitternden Händen drückte ich die Zigarette aus. »Mann, ist mir schlecht«, sagte ich.

»Wieso? Läuft doch alles rund«, erwiderte Adam. »Wahrscheinlich hast du wieder nicht richtig gefrühstückt.« Ich biß mir in die Faust. »Toast, Spiegelei und Bacon – da ist ein Mann gerüstet für den Tag«, belehrte mich mein englischer Freund. »Was ihr zum Frühstück zu euch nehmt – das ist doch was für Weicheier! Zwieback und Croissants! Da kann doch keiner im Ernst von leben.«

»Laß uns jetzt nicht grundsätzlich werden, ja?« erwiderte ich. »Sonst sag ich mal was zur englischen Küche.«

Es war nicht das erste Mal, daß ich mit Adam über die Vor- und Nachteile unserer Eßkultur stritt.

»Nein, bitte nicht!« Ich konnte direkt sehen, wie Adam grinste. »Sag mir lieber, daß mit dem Termin alles okay ist, bevor mein Bruder es sich noch mal anders überlegt.«

Ich holte tief Luft. »*Bon*. Ich spreche sofort mit unserer PR-Abteilung. Bitte sorge dafür, daß dein Bruder den Inhalt des Romans wenigstens in groben Zügen kennt, wenn er anreist.«

»Mach ich.«

»Stottert er eigentlich?«

»Hast du einen Knall? Warum sollte er stottern? Er spricht ganz normal und er hat sehr schöne Zähne.«

»Das ist beruhigend. Und Adam? Noch etwas.«

»Ja?«

»Es wäre gut, wenn dein Bruder die ganze Angelegenheit mit äußerster Diskretion behandeln könnte. Er sollte keinem erzählen, warum er mit dir nach Paris fährt. Seinen guten alten Freunden aus dem Club nicht, den Nachbarn nicht, und am besten nicht einmal seiner Frau. So eine Geschichte ist schneller rum, als man denkt, und die Welt ist klein.«

»Mach dir keine Sorgen, Andy. Wir Engländer sind *sehr diskret.*«

Entgegen aller Befürchtungen war Michelle Auteuil überaus erfreut, als sie hörte, daß Robert Miller schon so bald nach Paris kommen wollte.

»Wie haben Sie das so schnell hingekriegt, Monsieur Chabanais?« rief sie überrascht und veranstaltete ein wahres Tremolo mit ihrem Kugelschreiber. »Der Autor scheint doch gar nicht so schwierig zu sein, wie Sie immer sagen! Ich bespreche mich gleich mit dem *Figaro* und ich hatte schon mal bei zwei kleineren Buchhandlungen vorgefühlt.« Sie zog ihr Rolodex zu sich heran und blätterte durch die Karten. »Schön, daß es endlich geklappt hat und … wer weiß?« Sie lächelte mir zu und ihre schwarzen herzförmigen Elfen-Ohrringe baumelten lebhaft an ihrem schlanken Hals hin und her. »Vielleicht können wir im Frühjahr eine Pressereise nach England machen – ein Besuch im Cottage bei Robert Miller! Wie finden Sie das?«

Mir drehte sich der Magen um. »Großartig«, sagte ich und glaubte zu wissen, wie sich ein Doppelagent fühlt.

Ich beschloß, den guten Robert Miller sterben zu lassen, sobald er sein Programm in Paris absolviert hatte.

Mit der alten Corvette die unbefestigte Böschung runter. Genickbruch. Tragisch, er war doch noch gar nicht so alt. Nun gab es nur noch den kleinen Hund. Und der konnte glücklicherweise nicht reden. Und auch nicht schreiben. Vielleicht würde ich als Millers treuer Berater und gutherziger Lektor, der ich war, den kleinen Rocky in Pflege nehmen.

Man sah, wie es hinter der weißen Stirn von Michelle Auteuil arbeitete. »Schreibt er denn weiter?« fragte sie.

»Oh, ich denke schon«, beeilte ich mich zu sagen. »Allerdings braucht er immer sehr lange – nicht zuletzt wegen seines zeitaufwendigen Hobbys. Sie wissen schon, er bastelt ja immer an diesen Oldtimern rum.« Ich tat so, als ob ich auch überlegte. »Ich glaube, an seinem ersten Roman hat er … hat er sieben Jahre geschrieben. Tja. Fast wie John Irving. Nur schlechter.«

Ich lachte vergnügt und ließ Madame Auteuil verwirrt in ihrem Büro zurück. Die Idee, Miller sterben zu lassen, entzückte mich. Sie würde mich retten.

Doch bevor ich den britischen Gentleman sterben ließ, würde er mir noch einen kleinen Liebesdienst erweisen.

Die Mail von Aurélie Bredin erreichte mich um siebzehn Uhr dreizehn. Bis dahin hatte ich keine Zigarette mehr geraucht, immerhin. Seltsamerweise hatte ich fast ein schlechtes Gewissen, als ich ihre Mail aufklickte.

Nun ja, ich hatte den Brief gelesen, den sie so vertrauensvoll an Robert Miller geschrieben hatte. Ich trug ihr Photo in meiner Brieftasche mit mir herum, ohne daß sie davon wußte.

Das alles war natürlich nicht richtig. Aber auch nicht ganz falsch. Denn wer sonst, wenn nicht ich, hätte die Post für den Schriftsteller öffnen sollen?

Die Kopfzeile des Schreibens versetzte mich in leichte Unruhe.

Betreff: Fragen zu Robert Miller!!!

Ich seufzte. Drei Ausrufungszeichen verhießen nichts Gutes. Ohne den weiteren Brief zu kennen, hatte ich das ungute Gefühl, die Fragen von Mademoiselle Bredin nicht zufriedenstellend beantworten zu können.

Sehr geehrter Monsieur Chabanais,

heute ist Montag und seit unserem Zusammentreffen in Ihrem Verlag sind einige Tage vergangen. Ich hoffe doch sehr, daß Sie inzwischen meinen Brief an Robert Miller weitergeleitet haben, und auch wenn Sie mir wenig Hoffnung gemacht haben, bin ich ganz zuversichtlich, daß ich eine Antwort erhalten werde. Es gehört wahrscheinlich zu den Aufgaben eines Lektors, seinen Autor vor hartnäckigen Bewunderern abzuschirmen, aber vielleicht nehmen Sie Ihre Aufgabe ein bißchen zu ernst? Wie auch immer, ich danke Ihnen für Ihre Mühe und habe heute ein paar Fragen, die Sie mir sicher beantworten können.

1. Hat Robert Miller so etwas wie eine Internetseite? Leider konnte ich im Netz gar nichts dazu finden.

2. Ich habe auch vergeblich nach der englischen Originalausgabe gesucht und konnte seltsamerweise keine finde. Bei welchem Verlag ist Millers Roman in England erschienen? Und wie lautet der englische Titel? Wenn man den Namen Robert Miller bei amazon.uk eingibt, steht da nur ein Eintrag zu der französischen Ausgabe. Das Buch ist doch aber eine Übersetzung aus dem Englischen, oder? Es ist zumindest der Name eines Übersetzers angegeben.

3. Sie erwähnten bei unserem ersten Telefonat, daß der Autor möglicherweise in der nächsten Zeit zu einer Lesung nach Paris kommt. Da wäre ich natürlich sehr gern dabei – steht schon ein Termin fest? Wenn möglich würde ich schon jetzt zwei Karten vorbestellen.

In der Hoffnung, daß ich Ihre wertvolle Zeit nicht übermäßig in Anspruch nehme, verbleibe ich in Erwartung einer baldigen Antwort.

Mit freundlichen Grüßen,
Aurélie Bredin

Ich griff nach den Zigaretten und ließ mich schwer in den Sessel zurückfallen. *Mon Dieu*, Aurélie Bredin wollte es aber genau wissen. Verdammt, sie war ganz schön hartnäckig! Ich mußte sie irgendwie in ihrer investigativen Mission stoppen. Besonders die beiden letzten Punkte bereiteten mir Bauchschmerzen.

Ich wollte mir lieber nicht vorstellen, was alles passieren konnte, wenn die enthusiasmierte Mademoiselle Bredin auf den völlig unbedarften Robert Miller a.k.a. (*also known as* – wie es immer so schön heißt) Samuel Goldberg stieß und womöglich persönlich mit ihm reden konnte!

Aber die Wahrscheinlichkeit, daß die schöne Köchin von der geplanten Lesung erfuhr, war verschwindend gering. Ich würde es ihr jedenfalls nicht erzählen. Und da das Interview im *Figaro* ja frühestens am Tag danach erscheinen konnte, lauerte auch von dieser Seite keine Gefahr. Dann war leider schon alles gelaufen, und falls sie den Artikel entdeckte oder im nachhinein von der Lesung erfuhr, konnte ich mir immer noch etwas einfallen lassen.

(Die Tatsache, daß Mademoiselle Bredin *zwei* Karten haben wollte, war mir unangenehm aufgefallen. Weshalb benötigte sie zwei Karten? Es konnte doch nicht sein, daß sie schon wieder einen neuen Verehrer hatte, wo der schlimmste Liebeskummer gerade überstanden war. Wenn überhaupt, sollte sie sich von mir trösten lassen.)

Ich zündete mir die nächste Zigarette an und überlegte weiter.

Punkt zwei, nämlich die Frage nach der Originalausgabe, war da schon wesentlich heikler, denn es *gab* ja gar keine englische Version und noch weniger einen englischen Verlag. Ich würde mir eine zufriedenstellende Antwort überlegen müssen. Nicht daß Mademoiselle Bredin noch auf die Idee kam, den (nicht-existenten)

Übersetzer ausfindig machen zu wollen. Im Internet würde sie auch über diesen Herrn nichts finden. Aber was war, wenn sie im Verlag anrief und Staub aufwirbelte? Am besten setzte ich den Übersetzer auch gleich auf meine Todesliste. Man durfte die Energie dieser zarten Person nicht unterschätzen. So wild entschlossen, wie sie war, würde sie am Ende noch an Monsieur Monsignac herantreten.

Ich druckte mir die E-Mail aus, um sie mit nach Hause zu nehmen. Dort konnte ich in Ruhe überlegen, was zu tun war.

Das Papier kroch aus dem leise ratternden Drucker, und ich beugte mich vor und nahm es an mich. Nun hatte ich schon zwei Briefe von Aurélie Bredin. Doch das hier war kein sehr netter Brief.

Noch einmal überflog ich die gedruckten Zeilen und versuchte ein gutes Wort für André Chabanais zu finden. Ich fand keines. Die junge Dame konnte ganz schön spitzzüngig sein. Zwischen den Zeilen las man deutlich, was sie von dem Lektor hielt, mit dem sie vor einer Woche auf den Fluren des Verlags zusammengetroffen war: nichts! Ich hatte offenbar keinen großen Eindruck auf Aurélie Bredin gemacht.

Ein bißchen mehr Dankbarkeit hätte ich mir schon erwartet. Vor allem wenn man bedachte, daß eigentlich ich und mein Buch es waren, die Mademoiselle an ihrem persönlichen Tiefpunkt wieder glücklich gemacht hatten. Es war *mein* Humor, der sie zum Lachen gebracht hatte. Es waren *meine* Ideen, die sie bezaubert hatten.

Ja, ich gebe zu, es tat mir schon ein bißchen weh, daß ich mit kargen, ja fast schon unfreundlichen Worten und »freundlichen Grüßen« abgefertigt wurde, während mein *Alter ego* so charmant umworben und aufs allerherzlichste verabschiedet wurde.

Grimmig nahm ich einen Zug aus meiner Zigarette. Es wurde Zeit, Phase zwei einzuläuten und Mademoiselle Bredins Begeisterung auf die richtige Person umzuleiten.

Natürlich war mein Auftritt auf dem Flur auch nicht gerade das gewesen, was die Phantasie einer Frau beflügelte. Ich hatte geschwiegen, gestottert, gestarrt. Und zuvor, am Telefon war ich ungeduldig, ja *unfreundlich* gewesen. Kein Wunder, daß das Mädchen mit den grünen Augen mich keines Blickes würdigte.

Gut, ich war nicht so ein smarter Typ wie dieser Zahnarzt auf dem Autorenphoto. Aber schlecht sehe ich nun auch nicht gerade aus. Ich bin groß, stattlich und habe, obwohl ich in den letzten Jahren kaum noch Sport getrieben habe, einen durchtrainierten Körper. Ich habe dunkelbraune Augen, braunes volles Haar, eine gerade Nase, und meine Ohren stehen auch nicht ab. Und der dezente Bart, den ich seit ein paar Jahren trage, hatte lediglich *Maman* nicht gefallen. Alle anderen Frauen fanden ihn »männlich«. Immerhin hatte Mademoiselle Mirabeau mich neulich noch mit dem Verleger aus dem Film *Das Rußlandhaus* verglichen.

Ich strich mit dem Finger über die kleine nackte Bronzestatue der Daphne, die auf meinem Schreibtisch stand. Was ich brauchte, und zwar sehr bald, war eine

Chance, mich Aurélie Bredin von meiner Schokoladen-
seite zu präsentieren.

Zwei Stunden später war ich in meiner Wohnung und
umkreiste meinen Wohnzimmertisch, auf dem ein
handgeschriebener Brief und eine ausgedruckte Mail
in friedlicher Eintracht nebeneinander lagen. Draußen
fegte ein unfreundlicher Wind durch die Straßen, und
es hatte angefangen zu regnen. Ich sah hinunter auf
die Straße, wo eine alte Frau mit ihrem Regenschirm
kämpfte, der umzuschlagen drohte, und zwei Verliebte
sich an der Hand faßten und zu laufen begannen, um
sich in ein Café zu flüchten.

Ich knipste die beiden Schirmlampen an, die rechts
und links auf der Kommode unter dem Fenster standen
und schob eine CD von *Paris Combo* in meine Anlage. Das
erste Lied erklang, ein paar rhythmische Gitarrenklänge
und eine sanfte Frauenstimme erfüllten das Zimmer.

*»O'n na pas besoin, non non non non, de chercher si loin …
On trouve ce qu'on veut à coté de chez soi …«*, sang die
Sängerin und ich lauschte ihren süßen Worten wie einer
Offenbarung. Man mußte nicht immer so weit weg su-
chen, man fand das, was man wollte, gleich nebenan.

Plötzlich wußte ich, was ich zu tun hatte. Ich hatte
zwei Briefe bekommen. Ich würde zwei Briefe schreiben. Einen als André Chabanais. Und einen als Robert
Miller. Die Antwortmail des Lektors würde Aurélie Bredin noch heute abend in ihrer Mailbox finden. Und den
Brief von Robert Miller würde ich ihr am Mittwoch

persönlich in den Briefkasten werfen, weil der zerstreute Autor den Umschlag mit ihrem Absender bedauerlicherweise weggeworfen und das Antwortschreiben an mich geschickt hatte, damit ich es weitergeben konnte.

Ich würde zwei Köder auswerfen, und das Gute an der Sache war, daß ich in beiden Fällen der Mann an der Angel war. Und wenn mein Plan aufging, würde Mademoiselle Bredin am Freitagabend in der *Coupole* sitzen und einen sehr netten Abend mit Monsieur Chabanais verbringen.

Ich holte mein Notebook aus dem Arbeitszimmer und klappte es auf. Dann gab ich die E-Mail-Adresse von Aurélie Bredin ein und legte den Ausdruck neben mich.

Betreff: Antworten zu Robert Miller!!!

Chère Mademoiselle Bredin,

nachdem wir uns ja nun doch schon ein wenig kennen, würde ich gerne auf das sehr förmliche »Sehr geehrte Mademoiselle Bredin« verzichten und hoffe, daß Sie damit einverstanden sind.
Zunächst zu Ihrer dringendsten Frage, wenngleich sie nicht direkt ausgesprochen wurde:
Selbstverständlich habe ich Ihren Brief an Robert Miller weitergeleitet – ich habe ihn sogar mit dem Vermerk »Eilt« in die Post getan, damit Ihre Geduld nicht über die Maßen strapaziert wird. Denken Sie nicht so schlecht von mir! Wenn Sie mich für einen komischen Kauz halten, kann ich Ihnen das nicht verübeln – an dem Tag, als Sie so überraschend

*im Verlag auftauchten, sind ziemlich unerfreuliche Dinge
passiert, und es tut mir leid, wenn der Eindruck entstanden
sein sollte, daß ich Sie irgendwie davon abhalten möchte, mit
Monsieur Miller in Kontakt zu treten. Er ist ein wunderbarer
Autor, und ich schätze ihn sehr, aber er ist auch ein ziemlich
eigenwilliger Mann, der sehr zurückgezogen lebt. Ich bin mir
wirklich nicht so sicher wie Sie, ob er Ihren Brief beantworten
wird, aber ich wünsche es Ihnen. So einen schönen Brief kann
man eigentlich nicht unbeantwortet lassen.*

Den letzten Satz löschte ich wieder. Ob der Brief schön
war, konnte ich ja gar nicht wissen. Schließlich hatte
ich ihn nur weitergeleitet. Ich mußte wirklich aufpassen,
daß ich mich nicht verriet. Stattdessen schrieb ich:

*Wäre ich der Autor, ich würde Ihnen zurückschreiben, aber
das wird Ihnen kaum nützen. Zu schade, daß Monsieur
Miller nicht sehen kann, was für eine schöne Leserin ihm da
schreibt. Sie hätten ein Photo von sich beilegen sollen!*

Diese kleine Anspielung konnte ich mir einfach nicht
verkneifen.

Doch nun zu Ihren weiteren Fragen:

*1. Leider hat Robert Miller keine Internetseite. Er ist, wie
ich bereits erwähnte, ein eher privater Mensch und hält nicht
soviel davon, sich im Web zu verewigen. Wir hatten schon
Schwierigkeiten, überhaupt ein Autorenphoto von ihm zu*

bekommen. Im Gegensatz zu den meisten Autoren schätzt er
es überhaupt nicht, auf der Straße angesprochen zu werden.
Nichts haßt er mehr, als wenn jemand plötzlich vor ihm steht
und sagt: »Sind Sie nicht Robert Miller?«

2. Es gibt in der Tat keine englische Verlagsausgabe. Warum
das so ist, das ist eine längere Geschichte, mit der ich Sie
jetzt nicht langweilen will. Nur soviel: Der Agent, der Robert
Miller vertritt, auch ein Engländer, den ich sehr gut kenne, ist
direkt mit dem Manuskript an unseren Verlag herangetreten,
und wir haben es übersetzen lassen. In einem englischen Ver-
lag ist es bisher nicht erschienen. Mag sein, daß die Geschich-
te für ein englisches Publikum nicht so geeignet ist oder auf
dem englischen Markt derzeit andere Themen gefragt sind.

3. Es ist derzeit nicht sicher, ob Monsieur Miller in nächster
Zeit für Presseaktivitäten zur Verfügung steht, im Moment
sieht es eher nicht danach aus.

Das war glatt gelogen und doch auch wieder nicht. In
Wirklichkeit würde ja nur ein Zahnarzt zur Lesung nach
Paris kommen und als Miller ein paar Fragen beantwor-
ten und ein paar Bücher signieren.

Es war ein ziemlicher Schlag für ihn, daß seine Frau ihn
verlassen hat, und seither ist er sehr schwankend in seinen
Entscheidungen. Sollte er jedoch irgendwann zu einer Lesung
nach Paris kommen, ist es mir ein Vergnügen, Ihnen eine –
oder besser gesagt zwei – Karten zu reservieren.

Ich hielt einen Moment inne und überflog meinen Brief. Es klang alles sehr glaubwürdig und souverän, fand ich. Und vor allem war das Ganze kein bißchen *unfreundlich*. Und dann warf ich meinen ersten Köder aus:

Liebe Mademoiselle Bredin, ich hoffe, damit Ihre Fragen beantwortet zu haben. Ich würde Ihnen wirklich gerne mehr helfen, aber Sie werden verstehen, daß ich mich über die Wünsche (und Rechte) unseres Autors nicht einfach hinwegsetzen kann. Allerdings (und wenn Sie mir versprechen, es nicht an die große Glocke zu hängen) ließe sich vielleicht etwas Informelleres arrangieren.
Wie es der Zufall will, treffe ich Robert Miller am kommenden Freitag, um mit ihm über sein neues Buch zu sprechen. Es war eine ganz spontane Idee – er hat an diesem Tag in Paris zu tun und nicht sehr viel Zeit, aber wir werden uns zum Abendessen sehen. Wenn Sie mögen und es sich zeitlich einrichten können, könnten Sie vielleicht am Anfang ganz zufällig vorbeikommen und auf einen Drink dazustoßen und hätten auf diese Weise die Gelegenheit, Ihrem Lieblingsautor wenigstens einmal persönlich die Hand zu schütteln.
Es ist das beste Angebot, das ich Ihnen zur Zeit machen kann, und ich mache es auch nur, damit Sie mir nicht noch mehr beleidigte Mails schreiben.
Nun – was sagen Sie?

Es war das beste *unmoralische* Angebot, das ich ihr zur Zeit machen konnte, und ich war mir eigentlich ziemlich sicher, daß Aurélie Bredin anbeißen würde. Unmoralisch war es vor allem deswegen, weil die Person, um die es eigentlich ging, am Ende gar nicht zu dem Essen erscheinen würde. Doch das konnte Mademoiselle Bredin natürlich nicht wissen.

Ich schickte die Mail mit »sehr herzlichen Grüßen« ab und ging dann entschlossenen Schrittes zu meinem Schreibtisch, um einen Bogen Büttenpapier und meinen Kugelschreiber zu holen.

Sie *würde* kommen – vor allem, wenn sie den Brief von Robert Miller las, den ich gleich als nächstes verfassen würde. Ich setzte mich an den Tisch, goß mir ein Glas Wein ein und nahm einen großen Schluck.

Dear Miss Bredin schrieb ich in schwungvoller Schrift.

Und dann schrieb ich lange Zeit nichts. Ich saß vor dem weißen Blatt und wußte mit einemmal nicht, wie ich anfangen sollte. Meine Formulierungskünste waren wie abgerissen. Ich trommelte mit den Fingern auf der Tischplatte herum und versuchte an England zu denken.

Was schrieb so ein Miller, der allein und verlassen in seinem Cottage saß? Und wie sollte er auf die Fragen reagieren, die Mademoiselle Bredin ihm gestellt hatte? War es nun ein Zufall, daß die Heldin seines Romans so aussah wie die Verfasserin des Briefes? War es ein Geheimnis? Konnte er es sich selbst nicht erklären? War es eine lange Geschichte, die er ihr irgendwann einmal in Ruhe erzählen wollte?

Ich holte Aurélie Bredins Photo aus meiner Brieftasche, ließ mich von ihr anlächeln und verlor mich in schönen Phantasien.

Nach einer Viertelstunde stand ich auf. So hatte das keinen Zweck. »Mr. Miller, Sie sind nicht sehr diszipliniert«, schimpfte ich.

Es war kurz nach zehn, die Zigarettenschachtel war leer und ich mußte dringend etwas essen. Ich zog meinen Mantel an und winkte zu dem Tisch hinüber.

»Ich bin gleich wieder da, und Sie überlegen sich inzwischen was«, sagte ich. »Lassen Sie sich was einfallen, Sie Schriftsteller!«

Es regnete immer noch, als ich die tropfnasse Glastür zum *La Palette* aufstieß, das um diese Uhrzeit ziemlich voll war. Ein animiertes Stimmengewirr umfing mich, und im hinteren Teil des Bistros, der im Halbdunkel lag, war jeder Tisch besetzt.

Bei Künstlern, Galeristen, Studenten, aber auch Verlagsleuten war das *La Palette* mit seinen einfachen blankgescheuerten Holztischen und den Gemälden an den Wänden sehr beliebt. Man kam zum Essen oder auch einfach nur auf einen Kaffee oder ein Glas Wein. Das alte Lokal lag nur einen Katzensprung von meiner Wohnung entfernt. Ich kam oft hierher und traf fast immer auf ein paar Bekannte.

»*Salut, André! Ça va?*« Nicolas, einer der Kellner, winkte mir zu. »Sauwetter, was?«

Ich schüttelte ein paar Regentropfen ab und nickte. »Kann man wohl sagen«, rief ich zurück. Ich schob mich durch die Menge, stellte mich an die Bar und orderte einen *Croque-Monsieur* und einen Rotwein.

Das bunte Treiben um mich herum war auf seltsame Weise wohltuend. Ich trank meinen Wein, biß ein Stück von dem warmen Toast ab, bestellte noch mehr Wein und ließ meine Blicke schweifen. Ich spürte, wie die Hektik dieses aufregenden Tages allmählich von mir abfiel und ich mich entspannte. Manchmal mußte man sich einfach nur ein paar Schritte von seinem Problem entfernen, dann wurde alles ganz einfach. Den Robert-Miller-Brief zu schreiben war ein Kinderspiel. Letztendlich ging es ja nur darum, Aurélie Bredins fixe Idee zu befeuern, bis es mir gelungen war, mich überzeugend zwischen sie und den Autor zu drängen.

Es mochte nicht immer von Vorteil sein, in einer Branche zu arbeiten, die ausschließlich von Worten, Geschichten und Ideen lebte, und es gab Momente in meinem Leben, da hätte ich gern etwas Greifbareres, Reelleres, Monumentaleres gehabt, etwas, das man mit den Händen machte – wie ein Holzregal bauen oder eine Brücke, einfach etwas, das mehr Materie war und weniger Geist.

Immer wenn ich den Eiffelturm so kühn und unverwüstlich in den Pariser Himmel aufragen sah, dachte ich voller Stolz an meinen Urgroßvater, einen Ingenieur, der viele Erfindungen gemacht hatte und an der Konstruktion dieses beeindruckenden Monuments aus Eisen und Stahl beteiligt gewesen war.

Was für ein großartiges Gefühl mußte es sein, wenn man so etwas erschaffen konnte, hatte ich mich oft gefragt. Doch in diesem Moment hätte ich nicht mit meinem Urgroßvater tauschen wollen. Ich konnte zwar keinen Eiffelturm bauen (und ehrlich gesagt nicht einmal ein Regal), doch ich konnte mit Worten umgehen. Ich konnte Briefe schreiben und mir die richtige Geschichte ausdenken. Etwas, das eine romantische Frau, die nicht an Zufälle glaubte, anlocken würde.

Ich bestellte mir noch ein Glas Rotwein und malte mir das Abendessen mit Aurélie Bredin aus, dem bald schon, da war ich mir sicher, ein sehr viel intimeres Essen im *Temps des Cerises* folgen würde. Ich mußte es nur geschickt einfädeln. Und eines Tages, wenn Robert Miller lange vergessen war und schon viele wunderbare gemeinsame Jahre hinter uns lagen, würde ich ihr vielleicht sogar die ganze Wahrheit erzählen. Und wir würden gemeinsam darüber lachen.

So war der Plan. Aber natürlich kam alles ganz anders.

Ich weiß nicht, warum, aber irgendwie können die Menschen nicht anders. Sie machen Pläne und Pläne. Und dann sind sie ganz erstaunt, wenn diese Pläne nicht funktionieren.

Und so saß ich an der Theke und schwelgte in meinen Zukunftsvisionen, als mir jemand auf die Schulter tippte. Ein lachendes Gesicht tauchte vor mir auf, und ich kehrte in die Gegenwart zurück.

Vor mir stand Silvestro, mein alter Italienischlehrer, bei dem ich im letzten Jahr Stunden genommen hatte, um mein eingerostetes Italienisch aufzufrischen.

»*Ciao*, André, schön dich zu sehen«, sagte er. »Willst du dich zu uns an den Tisch setzen?« Er wies auf einen Tisch hinter sich, an dem zwei Männer und drei Frauen saßen. Eine von ihnen, eine aparte Rothaarige mit Sommersprossen und einem großen weichen Mund, sah lachend zu uns herüber. Silvestro hatte immer ausnehmend hübsche Mädchen im Schlepptau.

»Das ist Giulia«, sagte Silvestro und zwinkerte mir zu. »Ein neue Schülerin. Wunderschön und noch zu haben.« Er winkte der Rothaarigen zurück. »Was ist? Kommst du?«

»Das ist sehr verlockend«, entgegnete ich lächelnd, »aber nein, danke. Ich hab noch was zu tun.«

»Ach, jetzt vergiß mal die Arbeit. Du arbeitest eh immer viel zu viel.« Silvestro wischte mit der Hand nach unten.

»Nein, nein. Diesmal ist es eher was Privates«, sagte ich versonnen.

»Aaaah, du meinst – du hast noch was vor, eh?« Silvestro sah mich verschmitzt an und verzog den Mund zu einem breiten Grinsen.

»Ja, so könnte man sagen.« Ich grinste zurück und dachte an das weiße Blatt Papier auf meinem Wohnzimmertisch, das sich plötzlich mit Worten und Sätzen zu füllen begann. Mit einemmal hatte ich es sehr eilig.

»*Pazzo*, warum sagst du das nicht gleich? Na, dann will ich deinem Glück nicht im Wege stehen!« Silvestro klopfte mir ein paarmal wohlwollend auf die Schulter, bevor er wieder an seinen Tisch zurückging.

»Freunde, er hat noch was vor!« hörte ich ihn rufen, und die anderen winkten und lachten.

Als ich auf den Ausgang zusteuerte und mir meinen Weg durch die Gäste bahnte, die parlierend und trinkend vor der Theke standen, meinte ich für den Bruchteil einer Sekunde eine schlanke Gestalt mit langem dunkelblonden Haar zu sehen, die weiter hinten mit dem Rücken zur Tür saß und lebhaft gestikulierte.

Ich schüttelte den Kopf. Hirngespinste! Aurélie Bredin war jetzt in ihrem eigenen kleinen Restaurant in der Rue Princesse. Und ich war ein wenig betrunken.

Da wurde die Tür aufgestoßen, ein kalter Windstoß kam herein und mit ihm ein schlaksiger Mann mit blonden Locken und einem schwarzhaarigen Mädchen in einem karmesinroten Mantel, das sich eng an ihn schmiegte.

Sie sahen sehr glücklich aus, und ich trat zur Seite, um sie einzulassen. Dann ging ich selbst hinaus, die Hände in den Manteltaschen.

Es war kalt in Paris und es regnete, aber wenn man verliebt war, spielte das Wetter keine Rolle.

7

»Im Grunde findest du das alles völlig verrückt, oder? Gib's ruhig zu!«

Ich saß mit Bernadette schon eine Weile im *La Palette*, das an diesem Abend brechend voll war. Wir hatten noch einen Tisch ganz hinten an der Wand ergattert, und inzwischen drehte sich unsere Diskussion nicht mehr um *Vicky, Cristina, Barcelona*, den Film, den wir am Abend gesehen hatten, sondern darum, wie realistisch oder unrealistisch die Erwartungen einer gewissen Aurélie Bredin waren.

Bernadette seufzte. »Ich meine ja nur, daß es auf Dauer vielleicht besser wäre, seine Energien in realistischere Projekte zu stecken – sonst bist du nachher wieder enttäuscht.«

»Aha«, gab ich zurück. »Aber wenn diese Cristina mit einem wildfremden Spanier mitgeht, der ihr erklärt, daß er nicht nur mit ihr, sondern auch mit ihrer Freundin ins Bett gehen möchte, dann findest du das *realistisch*?«

Unsere Meinungen über die Heldinnen in dem Film gingen ziemlich auseinander.

»So habe ich es nicht gesagt. Ich habe nur gesagt, daß ich es *nachvollziehbar* finde. Immerhin ist der Typ doch total ehrlich. Das gefällt mir.« Sie goß mir etwas Wein nach. »Meine Güte, Aurélie, es ist nur Kino, warum regst du dich eigentlich so auf? Du findest es eher unglaubwürdig, was da passiert, ich finde es glaubwürdig. Dir hat Vicky besser gefallen, mir Cristina. Müssen wir jetzt darüber streiten?«

»Nein. Es ärgert mich nur ein bißchen, wenn du die Dinge mit zweierlei Maß mißt. Ja, mag sein, daß es unwahrscheinlich ist, daß dieser Mann mir antwortet, aber es ist *nicht* unrealistisch«, sagte ich.

»Ach, Aurélie, darum geht es doch gar nicht. Ich hab dir doch heute sogar noch geholfen, Informationen über den Autor im Internet zu suchen. Ich finde das ja auch alles ganz lustig und spannend. Ich möchte nur nicht, daß du dich wieder in so eine Sache verrennst.« Sie nahm meine Hand und seufzte. »Du hast irgendwie ein Händchen für aussichtslose Geschichten, weißt du? Erst bist du mit diesem seltsamen Graphiker zusammen, der alle paar Wochen einfach so verschwindet und einen gepflegten Knall hat. Und jetzt redest du nur noch von diesem geheimnisvollen Autor, der – egal, was du jetzt in diesen Roman alles hineininterpretierst – auf jeden Fall eines zu sein scheint: schwierig.«

»Das sagt dieser komische Verlags-Zerberus. Weißt du, ob's stimmt?« Ich schwieg und malte beleidigt mit meiner Gabel Muster auf die Serviette.

»Nein, weiß ich nicht. Hör mal, ich möchte doch nur, daß du glücklich wirst. Und ich habe manchmal einfach das Gefühl, daß du dein Herz an Sachen hängst, die nicht klappen können.«

»Aber ein Kinderarzt – das klappt, ja?« gab ich zurück. »Ist ja auch was Realistisches.«

Nimm lieber einen netten Kinderarzt, als dich immer auf so unrealistische Dinge zu kaprizieren, hatte Bernadette gesagt, als ich nach dem Kino laut überlegte, wie lange wohl ein Brief von England nach Frankreich brauchte.

»Okay, ich hätte das mit dem Kinderarzt nicht sagen dürfen«, sagte sie jetzt. »Obwohl dieser Olivier wirklich nett ist.«

»Ja. Ein netter Langweiler.« Bernadette hatte mir Dr. Olivier Christophle bereits im Sommer, als ich noch mit Claude zusammen war, auf ihrer Geburtstagsfeier vorgestellt und gab seitdem die Hoffnung nicht auf, daß aus uns noch ein Paar werden könnte.

»Ja, ja, du hast recht.« Bernadette winkte ab. »Der ist einfach nicht aufregend genug.« Um ihre Lippen spielte ein feines Lächeln. »Nun gut. Im Moment warten wir gespannt, wie lange die Post braucht, um einen Brief von England nach Paris zu befördern. Und ich möchte in dieser Sache weiterhin auf dem laufenden gehalten werden, ist das klar? Wenn dann irgendwann der Zeitpunkt für einen netten langweiligen Arzt gekommen ist, kannst du mir ja einfach Bescheid geben.«

Ich zerknüllte die Serviette und warf sie auf meinen Teller, auf dem noch Spuren eines Schinkenomelettes zu sehen waren.

»*D'accord!* So machen wir es«, sagte ich und suchte nach meinem Portemonnaie. »Du bist eingeladen.«

Ich merkte in meinem Rücken einen leichten Windzug und zog fröstelnd die Schultern hoch.

»Müssen die Leute immer so lange die Tür offenstehen lassen?« sagte ich und zog das Tellerchen mit der Rechnung zu mir herüber.

Bernadette starrte mich entgeistert an, dann verengten sich ihre Augen.

»Was ist? Hab ich jetzt schon wieder was Falsches gesagt?« fragte ich.

»Nein, nein.« Sie senkte rasch den Blick, und in diesem Augenblick wurde mir klar, daß sie nicht mich angestarrt hatte. »Laß uns noch einen Espresso nehmen«, sagte sie, und ich zog erstaunt die Augenbrauen hoch.

»Seit wann trinkst du so spät noch Kaffee? Du sagst doch immer, du kannst dann nicht schlafen.«

»Jetzt hab ich aber Lust drauf.« Sie sah mich an, als wollte sie mich hypnotisieren, und lächelte. »Hier, schau mal«, sagte sie und zog ein Ledermäppchen aus ihrer Handtasche. »Kennst du schon diese Bilder von Marie? Das ist zu Hause, bei meinen Eltern in Orange im Garten.«

»Nein ... Bernadette ... was ... was soll das?« Ich bemerkte, wie ihre Augen unruhig an mir vorbeischauten. »Was guckst du denn da immer?«

Bernadette hatte den Blick ins Bistro, während ich auf ein Ölbild schaute, das an der holzgetäfelten Wand hing. »Nichts. Ich halte Ausschau nach dem Kellner.« Sie wirkte angespannt, und ich machte Anstalten, mich auch umzudrehen.

»Nicht umdrehen!« zischte Bernadette und faßte mich am Arm, aber da war es schon zu spät.

In der Mitte des *La Palette*, dort, wo der Durchgang zum hinteren Teil des Bistros war, in dem wir saßen, stand Claude und wartete auf einen Tisch am Fenster, an dem der Kellner gerade kassierte. Er hatte den Arm zärtlich um eine junge Frau gelegt, die mit ihren kinnlangen schwarzen Haaren und den rosigen Wangen aussah wie eine mongolische Prinzessin. Sie trug einen taillierten Mantel aus rotem Filz, der an den Ärmeln und am Saum in winzigen Fransen endete. Und sie war unübersehbar schwanger.

Ich heulte auf dem ganzen Weg nach Hause. Bernadette saß neben mir im Taxi, hielt mich fest im Arm und reichte mir stumm ein Taschentuch nach dem anderen.

»Und weißt du, was das Schlimmste ist?« schluchzte ich, als Bernadette sich später neben mich auf das Bett setzte und mir eine heiße Milch mit Honig hinhielt. »Diesen roten Mantel … den hatten wir neulich zusammen noch in einem Schaufenster gesehen, in der Rue du Bac, und ich hab gesagt, den wünsche ich mir zum Geburtstag.«

Der Verrat schmerzte am meisten. Die Lügen. Ich zählte die Monate an den Fingern ab und kam zu dem Schluß, daß Claude mich schon seit einem halben Jahr betrogen hatte. Verdammt, er hatte so glücklich ausgesehen, wie er da stand mit seiner Mongolenprinzessin, die die Hand auf ihren kleinen Bauch legte.

Wir hatten gewartet, bis die beiden am Fenster Platz genommen hatten. Dann waren wir rasch hinausgegangen. Aber Claude hätte mich auch so nicht gesehen. Er hatte nur Augen für sein Schneewittchen.

»Ach, Aurélie, es tut mir so leid. Du warst doch eigentlich schon drüber weg. Und nun das! Das ist wie in einem schlechten Roman.«

»Er hätte ihr nicht diesen Mantel schenken dürfen. Es ist ... es ist so herzlos.« Ich sah Bernadette verwundet an. »Diese Frau steht da, in *meinem* Mantel, und ist so ... so glücklich! Und ich habe bald Geburtstag, und ich bin ganz allein und der Mantel ist auch weg. Das ist doch total ungerecht.«

Bernadette strich mir sanft übers Haar. »Nun trink mal einen Schluck Milch«, sagte sie. »Natürlich ist das ungerecht. Und schlimm. So etwas darf eigentlich nicht passieren, aber die Dinge laufen nun mal nicht immer nach Plan. Und eigentlich geht es doch gar nicht um Claude, oder?«

Ich schüttelte den Kopf und trank einen Schluck Milch. Bernadette hatte recht, es ging gar nicht um Claude, sondern um etwas, das am Ende immer unsere Seelen berührt, die Liebe zu einem Menschen, nach der wir uns alle sehnen, nach der wir unser Leben lang die Hände ausstrecken, um sie zu berühren und zu halten.

Bernadette sah nachdenklich aus. »Du weißt, daß ich nie sehr viel von Claude gehalten habe«, sagte sie. »Aber vielleicht hat er ja wirklich die Frau seines Lebens gefunden. Vielleicht wollte er es dir schon länger sagen und hat auf einen geeigneten Moment gewartet. Der natürlich niemals kommt. Und dann starb dein Vater. Und da war es noch schwerer, und er wollte dich nicht gerade in dieser Situation verlassen.« Sie verzog den Mund, wie sie es immer tat, wenn sie überlegte. »Könnte doch sein.«

»Aber der Mantel«, beharrte ich.

»Der Mantel, das ist unverzeihlich«, sagte sie. »Da müssen wir uns etwas überlegen.« Sie beugte sich über mich und gab mir einen Kuß. »Jetzt versuch zu schlafen, es ist schon spät.« Sie stieß ihren Zeigefinger in meine Bettdecke. »Und du bist nicht allein, hörst du? Irgendwer wacht immer über dich – und wenn es deine alte Freundin Bernadette ist.«

Ich lauschte auf ihre Schritte, die sich langsam entfernten. Sie hatte so einen festen und zuverlässigen Tritt.

»Gute Nacht, Aurélie!« rief sie noch einmal, und die Holzbohlen im Flur knarrten. Dann löschte sie das Licht, und ich hörte, wie die Tür leise hinter ihr ins Schloß fiel.

»Gute Nacht, Bernadette«, flüsterte ich. »Ich bin froh, daß es dich gibt.«

Ich weiß nicht, ob es an der heißen Milch mit Honig lag, aber ich schlief erstaunlich gut in dieser Nacht. Als ich aufwachte, schien zum erstenmal seit Tagen die Sonne in mein Schlafzimmer. Ich stand auf und zog die Vorhänge zurück. Ein klarer blauer Himmel überspannte Paris oder zumindest den kleinen rechteckigen Ausschnitt, den die Hofmauern freigaben und den ich von meinem Balkonfenster aus sehen konnte.

Man sieht immer nur einen kleinen Ausschnitt, dachte ich, als ich mir das Frühstück zubereitete. Ich hätte mir gewünscht, einmal das Ganze zu sehen.

Gestern abend, als ich Claude mit seiner schwangeren Freundin sah und das Bild wie ein Stich durch mein Herz ging, hatte ich gemeint, die ganze Wahrheit zu sehen. Und doch war es nur *meine* Wahrheit, meine Sicht auf die Dinge. Claudes Wahrheit war eine andere. Und die Wahrheit von der Frau im roten Mantel war wieder eine andere.

Konnte man irgendeinen Menschen in seinem tiefsten Inneren verstehen? Was ihn bewegte, was ihn antrieb, wovon er wirklich träumte?

Ich räumte das Geschirr in die Spüle und ließ Wasser darüberlaufen.

Claude hatte mich belogen, aber vielleicht hatte ich mich auch belügen lassen. Ich hatte nie gefragt. Manchmal lebt man besser mit der Lüge als mit der Wahrheit.

Claude und ich hatten nie wirklich über die Zukunft gesprochen. Er hatte nie zu mir gesagt: »Ich will ein Kind von dir.« Und ich hatte es auch nicht gesagt. Wir waren eine kurze Strecke des Weges zusammen gegangen. Es hatte schöne Momente gegeben und weniger schöne. Und es war unsinnig, in Herzensangelegenheiten Gerechtigkeit einzufordern.

Die Liebe war, was sie war. Nicht mehr und nicht weniger.

Ich trocknete mir die Hände ab. Dann ging ich zur Kommode im Flur und öffnete die Schublade. Ich zog das Photo von Claude und mir heraus und sah es noch einmal an. »Ich wünsch dir Glück«, sagte ich, und dann nahm ich das Bild und legte es in die alte Zigarrenkiste, in der ich meine Erinnerungen aufbewahre.

Bevor ich das Haus verließ, um auf dem Markt und beim Metzger meine Einkäufe zu machen, ging ich hinüber ins Schlafzimmer und heftete einen neuen Zettel an meine Gedankenwand.

Über die Liebe, wenn sie vorbei ist

Die Liebe, wenn sie vorbei ist, ist immer traurig.
Sie ist selten großherzig.
Der, der verläßt, hat ein schlechtes Gewissen.
Der, der verlassen wird, leckt seine Wunden.
Das Scheitern schmerzt fast mehr noch als das Auseinandergehen.
Doch am Ende ist jeder das, was er immer schon war.
Und manchmal bleibt ein Lied, ein Blatt Papier mit zwei Herzen,
Die zärtliche Erinnerung an einen Sommertag.

8

Als der Anruf kam, war ich gerade dabei, einer sehr beleidigten Mademoiselle Mirabeau Abbitte zu leisten.

Bereits während der Konferenz war mir aufgefallen, daß die sonst so reizende Lektoratsassistentin mich keines Blickes würdigte, und auch als ich mich ins Zeug legte und so witzig über ein Buch sprach, daß sogar die hoheitsvolle Michelle Auteuil vor Lachen fast vom Stuhl fiel, verzog das blonde Mädchen keine Miene. Alle meine Versuche, sie nach der Konferenz, als ich auf dem Flur neben ihr herging, zum Sprechen zu bringen, scheiterten. Sie sagte »Ja« und »Nein«, und mehr war nicht aus ihr herauszubringen.

»Kommen Sie doch bitte noch kurz in mein Büro«, sagte ich, als wir am Sekretariat angelangt waren.

Sie nickte und folgte mir schweigend.

»Bitte«, ich wies auf einen der Stühle, die an einem kleinen runden Besprechungstisch standen. »Setzen Sie sich doch.«

Mademoiselle Mirabeau nahm Platz wie eine beleidigte Comtesse. Sie verschränkte die Arme, schlug die Beine übereinander, und ich konnte nicht umhin, die hellen, netzartigen Seidenstrümpfe zu bewundern, die sie unter ihrem kurzen Rock trug.

»Nun«, sagte ich jovial. »Wo drückt der Schuh, heraus mit der Sprache. Was ist los?«

»Nichts«, sagte sie und sah auf das Parkett, als ob es dort etwas ganz Tolles zu entdecken gäbe.

Es war schlimmer, als ich befürchtet hatte. Wenn Frauen behaupteten, es wäre »nichts«, dann waren sie richtig sauer.

»Hm«, sagte ich. »Sind Sie da sicher?«

»Ja«, sagte sie. Offenbar hatte sie sich entschlossen, mit mir nur noch in Einwortsätzen zu sprechen.

»Wissen Sie was, Mademoiselle Mirabeau?«

»Nein.«

»Ich glaube Ihnen kein Wort.«

Florence Mirabeau schenkte mir nur einen kurzen Blick, bevor sie sich wieder dem Parkett zuwandte.

»Kommen Sie, Mademoiselle Mirabeau, seien Sie nicht grausam. Sagen Sie dem alten André Chabanais, warum Sie so beleidigt sind, sonst kann ich heute nacht nicht schlafen.«

Ich merkte, daß sie ein Lächeln unterdrückte.

»So alt sind Sie gar nicht«, entgegnete sie. »Und wenn Sie nicht schlafen können, geschieht Ihnen das ganz recht.« Sie zupfte an ihrem Rock herum, und ich wartete. »Sie haben gesagt, ich soll nicht so blöd gucken!« brach es schließlich aus ihr heraus.

»Das soll ich zu Ihnen gesagt haben? Das ist ja … das ist ja ungeheuerlich«, sagte ich.

»Haben Sie aber.« Sie sah mich zum erstenmal an. »Sie haben mich total angefahren, gestern, als Sie telefonierten. Dabei wollte ich Ihnen nur dieses Gutachten bringen, Sie hatten doch gesagt, es wäre eilig, und ich habe das ganze Wochenende gelesen und ich habe meine Verabredung extra abgesagt und ich habe alles so schnell wie möglich gemacht. Und das ist dann der Dank.« Sie hatte ganz rote Wangen bekommen nach dieser flammenden Rede. »Sie haben mich richtig angeschnauzt.«

Jetzt, da sie es sagte, erinnerte ich mich nur zu gut an mein erregtes Telefonat mit Adam Goldberg, in das Mademoiselle Mirabeau unglückseligerweise hereingeplatzt war.

»*Oh, mon Dieu, mon Dieu*, es tut mir leid.« Ich sah die kleine Mimose an, die mit vorwurfsvollem Gesicht vor mir saß. »Es tut mir *wirklich* leid«, wiederholte ich noch einmal mit Nachdruck. »Wissen Sie, ich wollte Sie gar nicht anfahren, ich hatte mich nur gerade so fürchterlich aufgeregt ...«

»Trotzdem«, sagte sie.

»Nein, nein«, ich hob beide Hände, »das soll keine Entschuldigung sein. Ich gelobe Besserung. Wirklich. Verzeihen Sie mir?«

Ich sah sie reumütig an. Sie schlug die Augen nieder und ihre Mundwinkel zuckten, während sie mit ihrem hübschen Bein wippte.

»Ich biete Ihnen zur Versöhnung ...«, ich machte eine leichte Verbeugung in ihre Richtung und überlegte, »ein Himbeertörtchen an. Was sagen Sie dazu? Würden Sie sich morgen mittag von mir auf ein Himbeertörtchen ins *Ladurée* einladen lassen?«

Sie lächelte. »Da haben Sie Glück«, sagte sie. »Ich mag sehr gerne Himbeertörtchen.«

»Darf ich daraus schließen, daß Sie mir nicht mehr böse sind?«

»Ja, dürfen Sie.« Florence Mirabeau stand auf. »Dann will ich jetzt mal das Gutachten holen«, sagte sie versöhnlich.

»Ja, tun Sie das!« rief ich. »Wunderbar! Ich kann es kaum erwarten!« Ich stand auch auf, um sie zur Tür zu geleiten.

»Sie müssen jetzt nicht gleich übertreiben, Monsieur Chabanais. Ich mache nur meinen Job.«

»Und darf ich Ihnen mal etwas sagen, Mademoiselle Mirabeau? Sie machen Ihren Job sehr gut.«

»Oh«, sagte sie. »Danke. Das ist nett, daß Sie das sagen. Monsieur Chabanais, ich …« Sie errötete wieder und blieb einen Moment zögernd an der Tür stehen, so als ob sie noch etwas sagen wollte.

»Ja?« fragte ich.

Und dann klingelte das Telefon. Ich wollte nicht schon wieder unhöflich sein, und so blieb ich stehen, anstatt Florence Mirabeau aus dem Zimmer zu schieben und an den Schreibtisch zu stürzen.

Nach dem dritten Klingeln sagte Mademoiselle Mirabeau:

»Nun gehen Sie schon ran, vielleicht ist es wichtig.«

Sie lächelte und verschwand durch die Tür. Schade, nun würde ich wahrscheinlich nie erfahren, was sie noch hatte sagen wollen. Doch in einem hatte Florence Mirabeau recht gehabt.

Dieser Anruf *war* wichtig.

Ich erkannte die Stimme sofort. Ich hätte sie aus hundert anderen Stimmen heraus erkannt. Sie klang, wie beim erstenmal, ein bißchen atemlos, so als ob jemand gerade eine Treppe hinaufgelaufen wäre.

»Spreche ich da mit Monsieur André Chabanais?« fragte sie.

»Am Apparat«, entgegnete ich und lehnte mich mit einem breiten Lächeln in meinem Sessel zurück. Der Fisch hatte angebissen.

Aurélie Bredin war begeistert von meinem Angebot, Robert Miller mit meiner Hilfe »zufällig« zu begegnen, und die Fragen eins bis drei aus ihrer schnippischen Mail an den *unfreundlichen* Lektor der Éditions Opale schienen erst einmal vergessen.

»Was für eine phantastische Idee!« sagte sie.

Ich fand meine Idee auch ganz phantastisch, aber das behielt ich natürlich für mich. »Nun ja, *so* phantastisch ist meine Idee jetzt auch nicht, aber … sie ist nicht schlecht«, erklärte ich großzügig.

»Das ist wirklich *so* unglaublich nett von Ihnen, Monsieur Chabanais«, fuhr Aurélie Bredin fort, und ich sonnte mich in meiner plötzlichen Bedeutsamkeit als *Undertaker*.

»*Il n'y a pas de quoi.* Keine Ursache«, gab ich weltmännisch zurück. »Wenn ich Ihnen damit weiterhelfen kann, dann freut es mich doch.«

Sie schwieg einen Moment.

»Und ich habe gedacht, Sie wären so ein griesgrämiger Lektor, der an seinen Autor keinen rankommen läßt«, sagte sie kleinlaut. »Ich hoffe, Sie sehen es mir nach.«

Triumph, Triumph! Dies war offenbar der Tag der Abbitten.

Zwar bekam ich kein Himbeertörtchen angeboten, aber darauf, ich gestehe es, war ich auch nicht besonders scharf. Die leichten Schuldgefühle von Aurélie Bredin schmeckten ungleich süßer.

»Aber meine liebe Mademoiselle Bredin, ich *könnte* Ihnen gar nichts nachtragen, selbst wenn ich es wollte. Ich habe mich ja nun auch nicht gerade von meiner besten Seite gezeigt. Vergessen wir doch einfach diesen ganzen unglücklichen Einstieg und konzentrieren wir uns auf unseren kleinen Plan.« Ich rollte mit meinem Sessel an den Schreibtisch heran und schlug meinen Terminkalender auf.

Zwei Minuten später war die Sache abgemacht. Aurélie Bredin würde am Freitagabend um halb acht in der *Coupole* erscheinen, wo ich einen Tisch auf meinen Namen reserviert hatte, und wir würden einen Drink nehmen. Gegen acht würde dann Robert Miller (mit dem ich angeblich verabredet war, um über sein neues Buch zu sprechen) dazukommen, und man hätte ausreichend Gelegenheit, sich miteinander bekannt zu machen.

Bei der Wahl des Restaurants hatte ich einen Moment geschwankt.

Ein kleines verschwiegenes Restaurant mit kuscheligen roten Samtsesseln wie das *Le Belier* wäre für meine wahren Absichten natürlich besser geeignet gewesen als die berühmte *Coupole* – diese große, lebhafte und abends stets volle Brasserie. Dennoch wäre es vielleicht ein bißchen seltsam gewesen, sich mit einem englischen Autor an einem Ort zu verabreden, der für Verliebte wie geschaffen schien.

Die *Coupole* war unverfänglich, und da der Autor ja niemals auftauchen würde, glaubte ich bessere Chancen auf einen weiteren gemeinsamen Abend mit der kapriziösen Mademoiselle Bredin zu haben, wenn das Restaurant nicht zu romantisch war.

»In der *Coupole*?« fragte sie und ich hörte sofort, daß ihre Begeisterung sich in Grenzen hielt. »Wollen Sie wirklich in diese Touristenhalle?«

»Das hat Miller vorgeschlagen«, entgegnete ich. »Er hat vorher in Montparnasse zu tun, und außerdem liebt er die *Coupole*.« (Mir wäre das *Temps des Cerises* auch lieber gewesen, aber das konnte ich natürlich nicht sagen.)

»Er liebt die *Coupole*?« Man spürte förmlich ihre Irritation.

»Nun ja, er ist Engländer«, sagte ich. »Er findet die *Coupole* ganz großartig. Er sagt, diese Brasserie mache ihn immer so … fröhlich, weil sie so lebendig und bunt ist.«

»Aha«, war alles, was Mademoiselle Bredin dazu sagte.

»Außerdem ist er ein absoluter Fan des *Fabuleux Curry d'Agneau des Indes*«, fügte ich hinzu und fand mich sehr überzeugend.

»Das berühmte indische Lammcurry?« wiederholte Mademoiselle Bredin. »Das kenne ich gar nicht. Ist es denn wirklich so gut?«

»Keine Ahnung«, entgegnete ich. »Das könnten Sie als Köchin sicher besser beurteilen als jeder andere. Robert Miller war jedenfalls beim letztenmal absolut davon hingerissen. Nach jedem Bissen sagte er ›delicious, absolutely delicious‹. Aber die Engländer sind ja auch nicht gerade verwöhnt, was die Küche angeht – *fish and chips*, Sie wissen schon. Ich glaube, die sind schon völlig außer sich, wenn jemand etwas Curry und ein paar Kokosraspeln ins Essen tut, hahaha.« Ich hätte mir gewünscht, daß Adam Goldberg mich jetzt hätte hören können.

Aurélie Bredin lachte nicht. »Ich dachte, Robert Miller liebt die *französische* Küche.« Offenbar fühlte sie sich in ihrer Köchinnen-Ehre gekränkt.

»Nun, das alles können Sie ihn dann ja selbst fragen«, entgegnete ich, um die kulinarischen Vorlieben meines Autors nicht weiter ausdiskutieren zu müssen. Ich kritzelte mit dem Kugelschreiber eine Leiste aus kleinen Dreiecken in meinen Terminkalender.

»Hat Monsieur Miller Ihren Brief denn eigentlich inzwischen bekommen?«

»Ich denke, ja. Eine Antwort habe ich allerdings noch nicht, falls es das ist, was Sie wissen wollten.« Es klang ein wenig gereizt.

»Er wird Ihnen schon schreiben«, beeilte ich mich zu sagen. »Spätestens, nachdem er Sie am Freitag persönlich kennengelernt hat.«

»Was wollen Sie damit sagen?«

»Daß Sie eine ganz bezaubernde junge Frau sind, deren Charme sich kein Mann auf Dauer entziehen kann – nicht einmal ein weltvergessener englischer Schriftsteller.«

Sie lachte. »Sie sind schlimm, Monsieur Chabanais, wissen Sie das?«

»Ja, ich weiß«, entgegnete ich. »Schlimmer, als Sie denken.«

9

Post Nubila Phoebus. Leise flüsterte ich die Inschrift, die auf dem weißen Findling eingraviert war, und berührte zärtlich die Buchstaben mit meinen Fingern »Nach Wolken die Sonne«.

Es war das Motto meines Vaters gewesen, der – was man bei seinem Beruf vielleicht nicht unbedingt vermutete – ein humanistisch gebildeter Mann gewesen war, der im Gegensatz zu seiner Tochter sehr viel gelesen hatte. Auf Regen folgt Sonnenschein – wie weise er doch gewesen war!

Ich stand auf dem Friedhof Père Lachaise, über mir trieben in schneller Folge weiße Wolken am Himmel, und wenn die Sonne zum Vorschein kam, wärmte sie sogar ein wenig. Seit Allerheiligen war ich nicht mehr an Papas Grab gewesen, aber heute hatte ich das starke Bedürfnis gehabt, hierherzukommen.

Ich trat einen Schritt zurück und legte den bunten Strauß aus Astern und Chrysanthemen auf die dafür vorgesehene quadratische Steinplatte des mit Efeu bewachsenen Grabes.

»Du kannst dir gar nicht vorstellen, was alles passiert ist, Papa«, sagte ich. »Du würdest staunen.«

Die Woche hatte so unglücklich begonnen, und nun stand ich hier auf dem Friedhof und war auf eine seltsame Weise glücklich und aufgeregt. Und vor allem war ich sehr gespannt auf den morgigen Abend.

Die Sonne, die nach dem regnerischen und trüben Wetter der letzten Zeit am Dienstag so heiter in mein Schlafzimmer schien, war wie ein Vorbote gewesen. Mit einemmal hatte sich alles zum Guten gewendet.

Nachdem ich am Dienstag meine Einkäufe im Restaurant abgeladen, mit Jacquie drei mögliche vorweihnachtliche Menus durchgesprochen und dann doch noch einige Male an den roten Mantel und seine Trägerin gedacht hatte, war ich am Nachmittag noch einmal nach Hause gegangen und hatte mir vorgenommen, diesen nicht gerade glanzvollen Tag in meinem Leben mit einer ebensowenig glanzvollen Tätigkeit zu füllen, bis ich abends wieder ins Restaurant zurückkehren würde.

Ich setzte mich also an meinen Computer und machte mich daran, einen Stapel längst überfälliger Rechnungen auf elektronischem Wege zu überweisen.

Vorher jedoch warf ich einen kurzen Blick in meine Mails und fand einen sehr freundlichen, ja, man kann sagen durchaus charmanten Brief von André Chabanais vor, der darin nicht nur alle meine Fragen beantwortete, sondern mir zu meiner großen Überraschung einen Vorschlag machte, der mich sofort in freudige Aufregung versetzte:

Ich hatte die Gelegenheit, Robert Miller, wenn auch nur kurz, kennenzulernen, denn Monsieur Chabanais traf sich mit dem Autor und lud mich ein, zufällig dazu-zukommen.

Natürlich nahm ich das Angebot an, und im Gegensatz zu meinem ersten Telefonat mit dem bärtigen Cheflektor war dieses Gespräch sehr lustig und fast schon ein kleiner Flirt, der mir in meiner Verfassung irgendwie gut tat.

Als ich Bernadette davon berichtete, zog sie mich natürlich sofort auf und meinte, daß dieser Lektor ihr immer besser gefiele, und wenn sich herausstellen würde, daß der Autor am Ende doch nicht ganz so wunderbar sein sollte wie sein Roman, hätte ich ja noch eine Option.

»Du bist unmöglich, Bernadette«, sagte ich. »Immer willst du mich mit irgendwelchen Männern verkuppeln. Wenn überhaupt, nehme ich gleich den Autor – der sieht erstens besser aus und ist schließlich derjenige, der das Buch geschrieben hat, schon vergessen?«

»Ist dieser Mann denn häßlich wie die Nacht?« wollte Bernadette wissen.

»Was weiß ich?« entgegnete ich. »Nein, wahrscheinlich nicht, ich hab nicht so genau hingeguckt. André Chabanais interessiert mich nicht. Außerdem hat er einen Bart.«

»Was ist daran so schlimm?«

»Jetzt hör auf damit, Bernadette! Du weißt, daß Männer mit Bart nicht mein Ding sind. Die würdige ich grundsätzlich keines Blickes.«

»Ein Fehler!« warf Bernadette ein.

»Außerdem suche ich keinen Mann. Ich suche keinen Mann, hörst du? Ich will einfach nur die Möglichkeit haben, mit diesem Schriftsteller zu sprechen – aus den dir bereits bekannten Gründen. Und weil ich ihm sehr dankbar bin.«

»Oh, göttliche Vorhersehung, schicksalhafte Verstrikkungen, wohin man schaut ...« Bernadette klang wie der Chor einer griechischen Tragödie.

»Genau«, sagte ich. »Du wirst schon sehen.«

Noch am gleichen Abend hatte ich Jacquie gesagt, daß ich am Freitag nicht ins Restaurant kommen könnte. Ich hatte Juliette Meunier angerufen, eine sehr gute und professionelle Servicekraft, die früher im Restaurant des *Lutetia* Chefkellnerin gewesen war und mich schon ein paarmal vertreten hatte. Sie studierte inzwischen Innenarchitektur und arbeitete nur noch stundenweise im Service. Glücklicherweise hatte sie noch nichts vor und sagte mir zu.

Jacquie war natürlich nicht erbaut. »Muß das sein? An einem Freitag? Und gerade jetzt, wo Paul krank ist«, schimpfte er, während er mit Töpfen und Pfannen hantierte und das Essen für unsere kleine Belegschaft kochte.

Eine Stunde bevor das Restaurant öffnete, aßen wir immer alle zusammen zu Abend: Jacquie, unser Küchenchef und von uns allen der Älteste, Paul, der junge Sous-Chef, die beiden Küchenhilfen Claude und Marie, Suzette und ich. Diese Essen, bei denen nicht nur Dinge besprochen wurden, die das Restaurant betrafen, hatten etwas sehr Familiäres. Es wurde geredet, gestritten, gelacht – und dann ging jeder gestärkt an seine Arbeit.

»Tut mir leid, Jacquie, aber ich habe überraschend einen wichtigen Termin«, sagte ich, und der Koch sah mich durchdringend an.

»Scheint ja sehr überraschend gekommen zu sein, der Termin. Heute mittag, als wir über die Weihnachtsmenus gesprochen haben, wußtest du noch nichts davon.«

»Ich habe schon mit Juliette telefoniert«, sagte ich rasch, damit er nicht weiter nachforschte. »Sie kommt gerne, und für den Dezember müssen wir uns sowieso überlegen, ob wir nicht jemanden in der Küche dazunehmen. Wenn Paul noch länger krank ist, kann ich dir auch in der Küche helfen, und wir fragen Juliette, ob sie mich am Wochenende im Restaurant vertritt.«

»*Ah, non*, ich arbeite nicht gerne mit Frauen in der Küche«, sagte Jacquie. »Frauen können nicht beherzt genug braten.«

»Jetzt werde nicht unverschämt«, sagte ich. »Ich brate sehr beherzt. Und du bist ein alter Chauvinist, Jacquie.«

Jacquie grinste. »Immer schon gewesen, immer schon gewesen.«

Er hackte in rasendem Tempo zwei große Gemüsezwiebeln auf einem Holzbrett klein und strich die Stücke mit dem Messer in eine große Pfanne. »Außerdem bist du nicht richtig gut in Saucen.« Er ließ die Zwiebelstückchen in der Butter goldgelb werden, übergoß sie mit Weißwein und drehte die Gasflamme etwas herunter.

»Was redest du da, Jacquie«, rief ich empört. »Du selbst hast mir die meisten Saucen beigebracht, und mein Filet in Pfeffersauce ist absolut köstlich, das hast du immer gesagt.«

Er schmunzelte. »Ja, deine Pfeffersauce ist wunderbar, aber auch nur, weil du das Geheimrezept kennst von deinem Papa.« Er warf ein paar Handvoll Pommes frites in die Friteuse, und mein Protest ging im Aufzischen des heißen Fettes unter.

Wenn Jacquie am Herd arbeitete, wurde er zum Jongleur. Er liebte es, mehrere Bälle gleichzeitig in der Luft zu halten, und es war atemberaubend, ihm dabei zuzuschauen.

»Dafür machst du sehr gute Desserts, das will ich gerne zugeben«, fuhr Jacquie unbeeindruckt fort und rüttelte an der Pfanne. »Nun ja, wollen wir hoffen, daß Paul am Samstag wieder auf dem Damm ist.« Er warf mir einen Blick über die Friteuse zu und zog ein Augenlid herunter. »Wichtiger Termin, eh? Wie heißt der Glückliche denn?«

Der Glückliche hieß Robert Miller, obwohl er noch gar nichts von seinem Glück ahnte. Er wußte ja nicht, daß er am Freitag ein *Blind date* in der *Coupole* haben würde. Und ich wußte nicht, ob er sich so wahnsinnig darüber freuen würde, wenn ein ungebetener Gast sein Gespräch mit André Chabanais störte.

Aber dann kam der Donnerstag und mit ihm ein Brief, der mich mit der Gewißheit erfüllte, daß ich alles richtig gemacht hatte und daß es manchmal doch gut war, seinem Gefühl zu folgen, egal wie absurd das anderen Menschen erschien.

Ich zog einen Umschlag aus dem Briefkasten, der nur mit meinem Namen versehen war. An das Kuvert hatte jemand einen Zettel geheftet, auf dem zu lesen stand:

Liebe Mademoiselle Bredin, dieser Brief kam gestern nachmittag im Verlag an, Glückwunsch! Robert Miller hat den Umschlag mit Ihrer Adresse versehentlich entsorgt, deswegen hat er ihn an den Verlag geschickt. Ich denke, es ist in Ordnung, wenn ich ihn direkt bei Ihnen einwerfe. Wir sehen uns morgen abend. Bonne lecture! André Chabanais

Ich lächelte. Das war typisch für diesen Chabanais, daß er mir gratulierte, als hätte ich eine Wette gewonnen, und mir viel Spaß beim Lesen wünschte. Wahrscheinlich hatte es ihn trotz allem überrascht, daß sein Autor mir geantwortet hatte.

Nicht einen Moment kam mir die Frage in den Sinn, woher André Chabanais eigentlich meine private Adresse hatte.

Ich konnte nicht warten, ich setzte mich im Mantel auf die kalten Steinstufen im Treppenhaus und riß den Brief auf. Dann las ich die Sätze, die in einer steilen Schrift mit blauem Kugelschreiber regelrecht in das Papier gedrückt worden waren.

Dear Miss Aurélie Bredin,

ich war sehr glücklich gewesen, Ihr nettes Brief zu erhalten. Unglücklicherweise hat auch meine kleine Hund Rocky dem Brief gut gefallen, besonders der Umschläg. Als ich das realisierte, war es leider schon zu spät, und Rocky, dieser kleine gefräßige Ungeheuer, hatte der Umschläg mit der Adresse schön geschluckt.

Ich muß mich for meine Hund entschüldigen, er ist noch sehr jung, und ich schicke meine Antwort an meine treuvolle Lektor André Chabanais, der ihn Sie geben wird, hoffnungsvoll.

Ich möchte Sie sagen, liebe Mademoiselle Bredin, daß ich habe schon viele Fan-Post gekriegt, aber noch nie ein so schöne und aufregende.

Ich freue mich wirklich sehr, daß Sie meine kleine Paris-Roman so sehr geholfen hat, in einer Zeit, wenn Sie so unglucklich waren. So ist er doch zu etwas nutze gewesen und das ist mehr, als man von die meiste Bücher sagen kann. (Ich hoffe auch, daß Sie der Police auf Dauer entronnen konnten!)

Ich glaube, ich kenne Sie gut verstehen. Ich habe auch lange unglucklich gewesen und ich fühle mit Sie von meine tiefste Herz!

Ich bin nicht der Kerl, der so gerne in Publikum ist, ich bleibe lieber inkognito, und ich furchte, ich bin etwas langweilig, denn ich liebe sehr gern in mein Cottage zu sein, in der Natur zu spazieren und an alte Autos rumzureparieren, aber wenn Sie das nicht schreckt, nehme ich die entzuckende Einladung in Ihre kleines Restaurant gern an, wann ich wieder nach Paris komme.

Mein nächstes Mal ist nur ganz kurz und fullgestopft mit
Termine, aber ich möchte kommen mit mehr Zeit, so daß wir
uns nett und ruhig unterhalten können. Ja, ich kenne Ihre
Restaurant, ich habe mir auf den ersten Blick darin verliebt,
besonders in der rot-karierte Tischdecken.
Danke sehr vielmals für das schöne Photo, was Sie mir
schickten. Darf ich sagen, daß Sie sind sehr sexy, ohne Ihre
Intimität zu verletzen?
Und, Sie haben naturlich recht – die Ähnlichkeit zwischen
Sophie und Sie, liebe Aurélie, ist erstaunend – und ich denke,
ich schulde Sie eine Erklärung von meine kleine Geheimnis!
Nur soviel: Ich habe niemals in meine kühnsten Erwartungen
gedacht, ein Post von meiner Heldin aus dem Buch zu erhal-
ten – es ist wie ein Traum, der Wahrheit bekommt.
Ich hoffe so sehr, daß Sie jetzt viel besser fühlen und von Ihre
Ungluck befreit sind. Ich freue mir so, Sie bald leibhaftig zu
sehen!
Verzeihen Sie mir, meine Französisch ist ein wenig arm,
leider! Aber ich wunsche mir sehr, Sie waren trotzdem erfreut,
daß ich Sie zurückgeschreibt habe.
Ich kann nicht warten, in Ihre schone Restaurant zu sitzen
und endlich mit Sie zu sprechen über ALLES.

Freundlich Wünsche und à tout bientôt!
Sehr ergeben,
Ihr Robert Miller

»Haben Sie eine Gießkanne, Mademoiselle?« krächzte
es hinter mir.

Ich fuhr zusammen und drehte mich um.

Vor mir stand eine kleine alte Frau in einem schwarzen Persianermantel und mit dazu passender Kappe. Sie hatte rot geschminkte Lippen und musterte mich neugierig.

»Eine *Gießkanne*!« wiederholte sie ungeduldig.

Ich schüttelte den Kopf. »Nein, tut mir leid, Madame.«

»Das ist schlecht, ganz schlecht.« Sie wackelte mit dem Kopf und preßte ihre roten Lippen ärgerlich zusammen.

Ich fragte mich, was die alte Dame mit einer Gießkanne wollte. Immerhin hatte es in den letzten Wochen so viel geregnet, daß die Erde sicherlich feucht genug war.

»Man hat mir meine Gießkanne gestohlen«, klärte mich die Alte auf. »Ich weiß genau, daß ich sie hinter dem Grabstein versteckt hatte«, sie zeigte auf ein Grab in der Nähe, über dem ein alter Baum seine knorrigen Äste ausstreckte, »und nun ist sie verschwunden. Überall wird gestohlen heutzutage – selbst auf dem Friedhof, was sagt man dazu?«

Sie kramte in ihrer großen schwarzen Handtasche und zog schließlich ein Päckchen Gauloises heraus. Ich staunte nicht schlecht. Sie zündete sich eine Zigarette an, inhalierte tief und blies den Rauch in den blauen Himmel.

Dann hielt sie mir die Schachtel hin. »Hier, wollen Sie auch eine?«

Ich schüttelte den Kopf. Ich rauchte manchmal in Cafés, aber nie auf Friedhöfen.

»Nun nehmen Sie schon eine, Kindchen.« Sie wackelte mit der Schachtel vor meinem Gesicht herum. »So jung kommen wir nicht mehr zusammen.« Sie kicherte, und ich hielt mir eine Hand vor den Mund und lächelte verblüfft.

»Also gut, danke«, sagte ich. Sie gab mir Feuer.

»Na, bitte«, sagte sie. »Ach, vergessen wir die blöde Gießkanne. Die hatte eh einen Riß. Ist es nicht schön, daß die Sonne scheint – nach all dem Regen?«

Ich nickte. Ja, es war schön. Die Sonne schien und das Leben steckte wieder voller Überraschungen.

Und so kam es, daß ich am Donnerstagmittag mit einer skurrilen alten Dame, die geradewegs aus einem Fellini-Film entsprungen zu sein schien, auf dem Père Lachaise in der Sonne stand und eine Zigarette paffte. Um uns herum herrschte heitere Stille, und ich hatte das Gefühl, daß wir die einzigen Menschen auf dem riesigen Friedhof waren.

In der Ferne ragte die Muse Euterpe auf, Sinnbild des Frohsinns, die so lange schon über Frédéric Chopins Grab wacht. Am Fuße des steinernen Grabmals standen viele Töpfe mit Blumen, Rosensträuße waren in das Gitter gesteckt. Ich ließ den Blick schweifen. Einige Gräber waren noch von Allerheiligen geschmückt, über andere war die Zeit hinweggegangen, die Natur hatte sich ihr Terrain zurückerobert, und Unkraut und wilde Pflanzen überwucherten die steinernen Einfassungen. Hier waren die Toten vergessen. Es waren nicht wenige.

»Ich habe Sie beobachtet«, sagte die alte Dame und blinzelte mich aus ihren wissenden braunen Augen an, die von hundert kleinen Fältchen umgeben waren. »Sie sahen aus, als hätten Sie eben an etwas sehr Schönes gedacht.«

Ich nahm einen Zug aus der Zigarette. »Das habe ich auch«, entgegnete ich und lächelte. »Ich habe an morgen gedacht. Morgen abend gehe ich in die *Coupole*, wissen Sie?«

»So ein Zufall«, sagte die alte Dame und wackelte erfreut mit dem Kopf. »In der *Coupole* bin ich morgen auch. Ich feiere meinen fünfundachtzigsten Geburtstag, Kindchen. Ich *liebe* die *Coupole* – ich bin jedes Jahr an meinem Geburtstag dort. Ich esse immer die Austern, die sind sehr gut.«

Plötzlich sah ich die Fellini-Dame im Kreis ihrer Kinder und Enkelkinder, wie sie sich an einem langen Tisch in der Brasserie feiern ließ.

»Na, dann wünsche ich Ihnen schon jetzt eine schöne Feier«, sagte ich.

Sie schüttelte bedauernd den Kopf. »Nun, es wird eine kleine Feier diesmal«, sagte sie. »*Sehr* klein, um ehrlich zu sein. Nur ich und die Kellner, aber die sind immer ganz reizend.« Sie lächelte selig. »Meine Güte, was haben wir schon gefeiert in der *Coupole*. Rauschende Feste. Henry, mein Mann, dirigierte an der Oper, wissen Sie? Und nach den Premieren ist der Champagner nur so geflossen, am Ende waren wir alle so herrlich betrunken.« Sie kicherte. »Ja, das ist lange her … Und George kommt immer erst an Weihnachten mit den Kindern nach Paris. Er lebt in Südamerika …« – ich nahm an, daß George ihr Sohn war – »*Eh bien*, und seit mein alter Freund Auguste gegangen ist«, sie unterbrach sich und blickte bedauernd zu dem Grabstein hinüber, hinter dem die Gießkanne fehlte, »ist leider keiner mehr da, der mit mir feiert.«

»Oh«, sagte ich. »Das tut mir leid.«

»Aber das muß Ihnen doch nicht leid tun, Kindchen, so ist nun mal das Leben. Jeder hat seine Zeit. Manchmal liege ich abends im Bett und zähle alle meine Toten durch.«

Sie sah mich verschwörerisch an und senkte ihre Stimme. »Es sind schon *siebenunddreißig*.« Sie nahm einen letzten Zug aus ihrer Zigarette und warf den Stummel achtlos zu Boden. »Na, und ich bin immer noch da, was sagt man dazu? Und soll ich Ihnen mal was sagen, Kindchen? Ich genieße jeden gottverdammten Tag. Meine Mutter ist hundertzwei geworden und war fröhlich bis zum Schluß.«

»Beeindruckend«, sagte ich.

Sie streckte mir energisch ihre kleine Hand entgegen, die in einem schwarzen Lederhandschuh steckte. »Elisabeth Dinsmore«, sagte sie. »Aber Sie dürfen ruhig Liz zu mir sagen.«

Ich ließ den Rest meiner Zigarette fallen und schüttelte ihr die Hand.

»Aurélie Bredin«, stellte ich mich vor. »Wissen Sie was, Liz? Sie sind der erste Mensch, den ich auf einem Friedhof kennenlerne.«

»Oh, ich habe schon viele Bekanntschaften auf dem Friedhof geschlossen«, versicherte mir Mrs. Dinsmore und verzog den roten Mund zu einem breiten Lächeln. »Sind nicht die schlechtesten gewesen.«

»Dinsmore … das klingt nicht sehr französisch«, sagte ich. Mir war vorher schon aufgefallen, daß die Aussprache der alten Dame eine leichte Färbung hatte, die ich jedoch ihrem Alter zugeschrieben hatte.

»Ist es auch nicht«, gab Mrs. Dinsmore zurück. »Ich bin Amerikanerin. Aber ich lebe schon seit Ewigkeiten in Paris. Und Sie, Kindchen? Was machen Sie in der *Coupole*?« fragte sie übergangslos.

»Oh, ich …«, entgegnete ich und merkte, wie ich rot wurde. »Ich treffe mich dort mit … jemandem.«

»Aaaah«, sagte sie. »Und … ist er nett?« Einer der Vorzüge des Alters war offenbar, daß man, ohne Zeit zu verlieren, gleich zum Wesentlichen kommen konnte.

Ich lachte und biß mir auf die Unterlippe. »Ja … ich denke, ja. Er ist Schriftsteller.«

»Meine Güte, ein Schriftsteller!« rief Elisabeth Dinsmore aus. »Wie *aufregend*!«

»Tja«, sagte ich, ohne auf die Details meiner Verabredung einzugehen. »Ich *bin* auch ziemlich aufgeregt.«

Nachdem ich mich von Mrs. Dinsmore – Liz – verabschiedet hatte, die mich für den nächsten Abend auf einen *coup de champagne* an ihren Tisch einlud, (»Aber Sie werden wahrscheinlich Besseres zu tun haben, als mit einer alten Schachtel Champagner zu schlürfen, Kindchen«, hatte sie blinzelnd hinzugefügt), blieb ich noch einen Moment vor dem weißen Findling stehen.

»*Au revoir*, Papa«, sagte ich leise. »Irgendwie habe ich das Gefühl, morgen wird ein ganz besonderer Tag.«

Und damit sollte ich – irgendwie – auch recht behalten …

Ich stand in einer Schlange, die bereits vor der großen Glastür anfing. Auch wenn die *Coupole* nicht gerade mein Lieblingsrestaurant war, so war sie doch ein beliebter Treffpunkt bei jung und alt. Nicht nur Touristen strömten in die legendäre Brasserie mit der roten Markise, die als der größte Speisesaal von Paris galt und an dem vielbefahrenen Boulevard Montparnasse lag. Auch Geschäftsleute und die Menschen, die in Paris lebten, kamen gerne hierher, um zu essen und zu feiern. Vor einigen Jahren hatte man im Tanzsaal, der unter der Brasserie lag, mittwochs immer Salsa-Abende veranstaltet, doch mittlerweile war die Salsa-Welle wohl wieder ein wenig abgeklungen, jedenfalls sah ich kein Plakat mehr, das auf dieses *Spectacle* hingewiesen hätte.

Ich rückte ein Stück in der Schlange vor und betrat das Innere der *Coupole*. Sofort umfing mich lebhaftes Stimmengewirr. Kellner eilten mit riesigen Silbertabletts durch die langen Reihen der weiß gedeckten Tische, über die sich die riesige Halle wölbte. Auch wenn man vergeblich nach einer richtigen Kuppel Ausschau hielt, war der Saal mit seinen grün bemalten Pfeilern und den *Art-déco*-Lampen unter der Decke immer wieder beeindruckend. Das Restaurant vibrierte vor Leben – *se donner en spectacle* war hier die Devise, und die Gäste schienen sie zu beherzigen. Ich war lange nicht mehr hier gewesen und betrachtete amüsiert das bunte Treiben.

Ein freundlicher Empfangschef verteilte kleine rote Karten an diejenigen unter den Besuchern, die keinen Tisch reserviert hatten, und wies sie an, in der Bar zu warten. Auf den Karten standen die Namen berühmter Komponisten, und alle paar Minuten hörte man einen jungen Kellner, der im Bereich der Bar umherging und sichtlich seinen Spaß daran hatte, wie ein Zirkusdirektor aus vollem Hals zu schreien: »Bach, deux personnes, s'il vous plaît« oder »Tschaikowsky, quatre personnes, s'il vous plaît« oder »Debussy, six personnes, s'il vous plaît«. Dann erhoben sich ein paar der Wartenden und wurden zu ihrem Tisch geführt.

»Bonsoir, Mademoiselle, vous avez une réservation? Haben Sie reserviert?« fragte mich der Empfangschef geschäftig, als ich an der Reihe war, und eine junge Frau nahm mir meinen Mantel ab und drückte mir eine Garderobenmarke in die Hand.

Ich nickte. »J'ai un rendez-vous avec Monsieur André Chabanais«, sagte ich.

Der Empfangschef warf einen Blick auf seine lange Liste. »Ah, oui, hier ist es«, sagte er. »Ein Tisch für drei Personen. Einen Augenblick bitte!« Er winkte einen Kellner herbei. Der Kellner, ein älterer Herr mit kurzem grauen Haar, lächelte mir mit wohlgefälligem Blick zu.

»Wollen Sie mir bitte folgen, Mademoiselle?«

Ich nickte und merkte, wie mein Herz plötzlich zu klopfen begann. In einer halben Stunde würde ich Robert Miller endlich kennenlernen, der sich, wie er in seinem Brief geschrieben hatte »so freute, mich bald leibhaftig zu sehen«.

Ich strich mein Kleid glatt. Es war das grüne Seidenkleid, das Kleid aus dem Buch, das Kleid, das ich auf dem Photo trug, welches ich Miller geschickt hatte. Ich hatte nichts dem Zufall überlassen.

Der freundliche Kellner blieb unvermittelt vor einer der holzgetäfelten Nischen stehen. »*Et voilà*«, sagte er. »Bitte sehr!«

André Chabanais sprang gleich von der Bank auf, um mich zu begrüßen. Er trug einen Anzug und ein weißes Hemd mit einer eleganten dunkelblauen Krawatte. »Mademoiselle Bredin«, rief er. »Wie schön, Sie zu sehen … bitte, nehmen Sie Platz.« Er wies auf seinen Platz auf der Bank und blieb selbst vor einem Stuhl *vis à vis* stehen.

»Danke.« Der Kellner rückte den Tisch mit der weißen Tischdecke und den bereits eingedeckten Gläsern ein wenig ab, und ich ging vorbei und ließ mich auf dem ledergepolsterten Sitz nieder.

André Chabanais setzte sich ebenfalls.

»Was möchten Sie trinken? Einen Champagner – zur Feier des *großen* Tages?« Er grinste mich an.

Ich merkte, wie ich rot wurde, und ärgerte mich, weil ich sah, daß er es auch sah. »Werden Sie nicht frech«, entgegnete ich und hielt die Handtasche auf meinem Schoß fest an mich gedrückt. »Aber ja, ein Champagner wäre sehr schön.«

Sein Blick glitt flüchtig über meine bloßen Arme, dann sah er mich wieder an. »Kompliment«, sagte er. »Sie sehen bezaubernd aus, wenn ich das einfach mal so sagen darf. Das Kleid steht Ihnen hervorragend. Es unterstreicht die Farbe Ihrer Augen.«

»Danke«, sagte ich und lächelte. »Sie sehen auch gar nicht mal so schlecht aus heute abend.«

»Ach …« André Chabanais winkte dem Kellner. »Ich habe heute nur eine ganz kleine Nebenrolle, wissen Sie.« Er wandte sich um. »Zwei Champagner, bitte!«

»Ich dachte, die Nebenrolle hätte ich heute«, erwiderte ich. »Schließlich bin ich ja sozusagen nur *en passant* hier.«

»Nun, wir werden sehen«, erklärte Monsieur Chabanais. »Trotzdem dürfen Sie Ihre Handtasche ablegen. Ihr Autor wird frühestens in einer Viertelstunde da sein.«

»Sie meinen, *Ihr* Autor«, sagte ich und legte die Handtasche zur Seite.

Monsieur Chabanais lächelte. »Sagen wir einfach *unser* Autor.«

Der Kellner kam und servierte den Champagner. Dann reichte er uns die Speisekarten. »Danke, aber wir warten noch auf einen Gast«, sagte Monsieur Chabanais und legte die Karten zur Seite.

Er nahm sein Glas und prostete mir zu, und wir stießen kurz an. Der Champagner war eiskalt. Ich trank drei große Schlucke und spürte, wie meine Nervosität einer gelösten Vorfreude wich.

»Danke noch mal fürs Arrangieren«, sagte ich. »Ehrlich gesagt, bin ich gespannt wie ein Flitzebogen.« Ich stellte die Sektflöte ab.

André Chabanais nickte. »Das kann ich gut verstehen.« Er lehnte sich in seinem Stuhl zurück. »Wissen Sie, ich zum Beispiel bin ein großer Fan von Woody Allen. Ich hab sogar mal angefangen, Klarinette zu spielen, nur weil er auch Klarinette spielt.« Er lachte. »Leider stand meine neue Leidenschaft unter keinem guten Stern. Die Nachbarn klopften immer gegen die Decke, wenn ich übte.«

Er trank einen Schluck und strich mit der Hand über die weiße Tischdecke. »Na ja, jedenfalls kam Woody Allen dann nach Paris und gab ein Konzert mit seiner komischen Alt-Herren-Jazzband. Der Saal, in dem normalerweise klassische Musik von großen Orchestern gespielt wird, war ausverkauft, und ich hatte einen Platz in der fünften Reihe ergattert. Wie alle anderen war ich nicht in erster Linie wegen der Musik hier. Ich meine, ehrlich gesagt, spielte Woody Allen auch nicht besser als ein Jazzmusiker aus irgendeiner Kneipe am Montmartre. Aber diesen alten Mann, den ich aus so vielen Filmen kannte, aus nächster Nähe zu sehen, ihn direkt sprechen zu hören – das war etwas unglaublich Besonderes und sehr aufregend.«

Er beugte sich vor und stützte sein Kinn auf der Hand ab. »Über eine Sache ärgere ich mich übrigens bis heute.«

Er schwieg einen Moment, und ich trank meinen Champagner aus und beugte mich auch vor. Dieser Chabanais war ein guter Geschichtenerzähler. Aber er war auch sehr aufmerksam. Als er sah, daß mein Glas leer war, machte er dem Kellner ein Zeichen und dieser brachte gleich zwei weitere *Coupes de champagne.* »À la vôtre«, sagte André Chabanais und ich hob mein Glas, ohne zu protestieren.

»Also, über eine Sache ärgern Sie sich bis heute«, wiederholte ich gespannt.

»Ja«, sagte er und fuhr sich mit der Serviette kurz über den Mund. »Es war nämlich so: Als das Konzert vorüber war, gab es einen Riesenapplaus. Die Leute standen auf oder trampelten mit den Füßen, um den schmächtigen kleinen Mann zu ehren, der da in seinem Pulli und seinen Cordhosen so bescheiden und verwirrt herumstand wie in seinen Filmen. Er war schon fünfmal abgegangen und dann unter dem donnernden Applaus seiner Fans wieder zurückgekommen, als mit einemmal ein Hüne in einem schwarzen Anzug auf die Bühne sprang. Er hatte so zurückgegeltes schwarzes Haar, wissen Sie, und sah auf den ersten Blick aus wie ein Intendant oder ein Tenor. Jedenfalls, er drückte dem verdutzten Allen die Hand und hielt ihm eine Karte und einen Stift hin, um sich ein Autogramm geben zu lassen. Und das tat dieser dann auch, bevor er endgültig von der Bühne verschwand.«

Monsieur Chabanais trank sein Glas aus. »Ich wünschte, ich hätte die Chuzpe besessen, auch einfach so auf die Bühne zu springen. Stellen Sie sich vor – dieses Autogramm hätte ich später mal meinen Kindern zeigen können.« Er seufzte. »Jetzt sitzt der gute Woody wieder in Amerika, ich renne in jeden seiner Filme, und es ist kaum anzunehmen, daß ich ihn in diesem Leben noch einmal zu Gesicht bekomme.«

Er sah mich an, und diesmal konnte ich in seinen braunen Augen keinen Spott erkennen.

»Wissen Sie, Mademoiselle Bredin, im Grunde bewundere ich Ihre Hartnäckigkeit. Wenn man etwas will, muß man es auch *wollen*.«

Ein zarter Klingelton unterbrach seine Eloge auf meine Willenskraft.

»Entschuldigen Sie bitte, das bin ich.« André Chabanais zog sein Mobiltelefon aus dem Jackett und wandte sich zur Seite. »*Oui?*«

Ich warf einen Blick auf die Uhr und war erstaunt, daß es bereits Viertel nach acht war. Die Zeit war nur so verflogen, und Robert Miller würde jeden Augenblick erscheinen.

»Ach, herrje, so was Blödes, das tut mir aber leid«, hörte ich Monsieur Chabanais sagen. »Nein, nein, das ist doch überhaupt kein Problem. Ich sitze ja hier ganz komfortabel. Nur kein Stress.« Er lachte. »Gut. Bis später dann. *Salut*.« Er steckte das Telefon wieder in seine Tasche.

»Das war Robert Miller«, sagte er. »Er steckt noch fest und kann erst in einer halben Stunde da sein.« Er sah mich treuherzig an. »Zu dumm, daß Sie jetzt warten müssen.«

Ich zuckte mit den Schultern. »Na, Hauptsache, er kommt überhaupt«, sagte ich und fragte mich, wo genau Robert Miller feststeckte. Was machte er eigentlich, wenn er keine Bücher schrieb? Ich wollte es gerade fragen, da sagte André Chabanais:

»*À propos* – Sie haben mir noch gar nichts über Millers Brief erzählt. Was stand denn drin?«

Ich lächelte ihn an und drehte eine Haarsträhne um meinen Finger.

»Wissen Sie was, Monsieur Chabanais, Cheflektor der Éditions Opale?« sagte ich und machte eine kleine Kunstpause. »Das geht Sie gar nichts an.«

»Oh«, sagte er enttäuscht. »Na, kommen Sie, seien Sie ein kleines bißchen indiskret, Mademoiselle Bredin. Immerhin habe ich den Brief zugestellt.«

»Niemals«, sagte ich. »Sie machen sich doch nur wieder über mich lustig.«

Er machte ein unschuldiges Gesicht.

»Doch, doch, doch«, sagte ich. »Woher hatten Sie eigentlich meine Adresse?«

Er schien einen flüchtigen Moment irritiert, dann lachte er. »Berufsgeheimnis. Wenn Sie mir nichts verraten, verrate ich Ihnen auch nichts. Obwohl ich mit einem kleinen bißchen Dankbarkeit gerechnet hätte.«

»Keine Chance«, erklärte ich und trank wieder einen Schluck. Solange ich nicht wußte, was für eine Verbindung es gab zwischen Robert Miller und mir, würde ich kein Sterbenswörtchen sagen. Immerhin hatte Miller von einem »kleinen Geheimnis« gesprochen.

Der Champagner stieg mir allmählich zu Kopf. »Auf jeden Fall glaube ich nicht, daß *unser Autor*«, ich machte ein bedeutsame Pause, »furchtbar verärgert sein wird, wenn er mich hier sitzen sieht. Er hat mir sehr nett geantwortet.«

»Erstaunlich«, entgegnete Monsieur Chabanais. »Ihr Brief muß ja unwiderstehlich gewesen sein.«

»Wie gut kennen Sie Miller eigentlich?« fragte ich und überging das »unwiderstehlich«.

»Oh, *ziemlich* gut.« Meinte ich in Monsieur Chabanais' Lächeln einen Hauch von Ironie zu erkennen, oder bildete ich mir das nur ein? »Wir sind nicht unbedingt die dicksten Freunde, und ich finde ihn in mancherlei Hinsicht ein wenig verschroben, aber ich würde mal behaupten, daß ich ihn bis in die verschlungensten Windungen seines Hirns kenne.«

»Interessant«, sagte ich. »Er jedenfalls hält offenbar große Stücke auf seinen ›treuvollen‹ Lektor.«

»Das will ich hoffen.« André Chabanais sah auf die Uhr. »Wissen Sie was? Das ist mir jetzt zu dumm. Ich habe einen Bärenhunger. Was halten Sie davon, wenn wir das Essen bestellen?«

»Ich weiß nicht«, meinte ich zögernd, »ich bin ja eigentlich gar nicht vorgesehen ...« Inzwischen war es halb neun, und ich merkte, daß ich allmählich auch Hunger bekam.

»Dann entscheide ich«, erklärte André Chabanais und winkte wieder nach dem Kellner. »Ich möchte doch schon bestellen«, sagte er. »Wir nehmen zwei-, nein dreimal das *Curry d'Agneau des Indes*, und dazu trinken wir ...«, er tippte in die Karte, »diesen Château Lafite-Rothschild.«

»Sehr gerne.« Der Kellner nahm die Karten wieder an sich und stellte einen Brotkorb auf den Tisch.

»Wenn Sie schon einmal hier sind, sollten Sie auch das berühmte Lammcurry probieren«, sagte Monsieur

Chabanais, dessen Laune immer besser wurde, und wies auf die wie Maharadschas gekleideten Inder, die immer wieder mit einem kleinen Wägelchen die Gänge des Restaurants auf- und abfuhren und das Lammcurry auftischten. »Mich interessiert Ihre professionelle Meinung.«

Als kurz nach neun das Mobiltelefon von André Chabanais ein zweites Mal klingelte und Robert Miller seine Verabredung in der *Coupole* endgültig absagte, war es zu spät, um noch zu gehen, obwohl ich einen kurzen Moment lang daran dachte.

Wir hatten schon ein Glas von dem köstlichen, samtigen Rotwein getrunken, und das sagenhafte Lammcurry, das meiner Meinung nach nicht ganz so sagenhaft war und durchaus noch ein paar mehr Bananen, Äpfel und Kokosflocken hätte vertragen können, dampfte auf unseren Tellern.

Monsieur Chabanais bemerkte wohl mein kurzes Zögern, als er mir mit bedauernder Miene die Neuigkeit verkündete und ich in maßloser Enttäuschung das bauchige Rotweinglas umfaßte.

»So was Dummes«, sagte er schließlich. »Ich fürchte, jetzt müssen wir zwei das Curry allein aufessen.« Er schaute mich in komischer Verzweiflung an. »Sie wollen mich doch jetzt nicht hier mit einem Kilo Lammfleisch und einer ganzen Flasche Rotwein sitzenlassen, oder? Sagen Sie, daß das nicht Ihr Ernst ist!«

Ich schüttelte den Kopf. »Nein, natürlich nicht. Sie können ja am wenigsten dafür. Na ja, da kann man wohl nichts machen …« Ich trank einen Schluck von dem Wein und rang mir ein Lächeln ab.

Ich war völlig umsonst gekommen. Ich hatte mir umsonst einen Abend freigenommen. Ich hatte mich umsonst gebadet, mir die Haare gemacht, das grüne Kleid angezogen. Ich hatte umsonst vor dem Spiegel gestanden und mir Sätze überlegt, die ich Robert Miller sagen wollte. Ich war so nah dran gewesen. Warum konnte nicht einmal etwas klappen?

»Oje, oje, jetzt sind Sie aber ganz furchtbar enttäuscht«, sagte Chabanais mitfühlend. Dann runzelte er die Stirn. »Ach, manchmal könnte ich diesen Miller zum Mond schießen. Es ist nicht das erste Mal, daß er einen Termin im letzten Moment absagt, wissen Sie?«

Er sah mich mit seinen braunen Augen an und lächelte. »Und jetzt sitzen Sie hier mit dem blöden Lektor und denken, daß Sie ganz umsonst gekommen sind und das Curry ist auch nicht so fabelhaft, wie alle sagen …« Er seufzte. »Das ist in der Tat bitter. Aber der Wein ist exzellent, das müssen Sie zugeben!«

Ich nickte. »Ja, das gebe ich zu.« André Chabanais gab sich alle Mühe, mich zu trösten, und das war trotz allem irgendwie sehr nett.

»Ach, kommen Sie, Mademoiselle Bredin, seien Sie nicht so traurig«, sagte er jetzt. »Sie werden diesen Autor schon noch kennenlernen, das ist doch nur eine Frage der Zeit. Immerhin hat er Ihnen geschrieben, und das will etwas heißen, oder etwa nicht?« Er breitete fragend die Arme aus.

»Doch«, sagte ich und fuhr mir nachdenklich mit dem Zeigefinger über die Lippen. Chabanais hatte ja recht. Es war nichts verloren. Und im Grunde war es vielleicht sogar besser, wenn ich Robert Miller allein sah. In meinem eigenen Restaurant.

Chabanais beugte sich vor. »Ich weiß, ich bin ein schlechter Ersatz für den großartigen Mr. Miller, aber ich werde alles tun, was in meiner Macht steht, damit Sie diesen Abend nicht in allzu schlechter Erinnerung behalten und mir vielleicht doch noch ein winziges Lächeln schenken.«

Er tätschelte meine Hand und hielt sie einen Moment länger als nötig fest. »Sie sind doch eine so schicksalsgläubige Person, Mademoiselle Bredin. Was meinen Sie – könnte es vielleicht einen tieferen Sinn haben, daß jetzt *wir* beide hier sitzen und Händchen halten?«

Er zwinkerte mir zu, und ich lächelte wider Willen, bevor ich meine Hand wegzog und ihm auf die Finger klopfte.

»Manchen Leuten reicht man den kleinen Finger, und dann wollen sie gleich die ganze Hand«, sagte ich. »So viel Schicksal *kann* es gar nicht geben, Monsieur Chabanais – geben Sie mir lieber noch etwas von dem Wein.«

10

Der Abend verlief besser, als ich gedacht hatte. Aurélie Bredin war sichtlich aufgeregt, aber hochgestimmt in der *Coupole* eingetroffen – fünf Minuten zu früh und in diesem grünen Seidenkleid, wie ich lächelnd bemerkte.

Sie sah umwerfend aus, und ich mußte mich sehr beherrschen, damit ich sie nicht immerzu anstarrte. Ich flachste ein wenig herum, um ihr die Zeit zu vertreiben, und Aurélie zeigte sich in ihrem Zustand freudiger Erwartung zugänglicher, als ich gedacht hatte.

Dann rief, wie vereinbart, Silvestro auf meinem Handy an. Er hatte den Job übernommen, ohne groß zu fragen.

»Na, wie läuft es?« fragte er, und ich sagte: »Ach, herrje, so was Blödes, das tut mir aber leid.« »Das klingt gut« sagte er, und ich antwortete: »Nein, nein, das ist doch überhaupt kein Problem. Ich sitze ja hier ganz komfortabel. Nur kein Streß.«

»Dann noch viel Spaß und bis nachher« sagte er, und ich legte auf.

Aurélie Bredin schluckte die Verspätung, und ich bestellte Champagner für uns. Wir tranken und erzählten, und einmal kam ich etwas ins Schwitzen, als sie mich plötzlich danach fragte, woher ich ihre Privatadresse eigentlich hätte. Aber ich konnte mich geschickt aus der Affäre ziehen. Außerdem verriet sie mir auch nicht ihre kleinen Geheimnisse. Kein Wort davon, was in dem Brief stand, den ich ihr geschrieben hatte. Und daß sie Robert Miller in ihr schönes Restaurant eingeladen hatte, erzählte sie mir natürlich auch nicht.

Um Viertel nach neun, wir aßen schon unser Lammcurry und Mademoiselle Bredin erklärte mir gerade, warum sie nicht an Zufälle glaubte, rief Silvestro wieder an und sagte: »Na, hast du sie schon rumgekriegt?«

Ich stöhnte ins Telefon und fuhr mir theatralisch durch die Haare. »Nein, das *glaube* ich jetzt nicht … ach, ist das ärgerlich!«

Er lachte und sagte: »Dann halt dich mal ran, mein Junge!«

Und ich entgegnete: »Das tut mir wahnsinnig leid, Mr. Miller, aber könnten Sie nicht doch noch vorbeischauen – wenigstens ganz kurz?«

Aus den Augenwinkeln sah ich, daß Mademoiselle Bredin beunruhigt ihr Besteck hingelegt hatte und zu mir herübersah. »Ja, wir … äh, ich meine … ich habe mir schon etwas zu essen bestellt, und vielleicht schaffen Sie es ja doch noch?« Ich ließ nicht locker.

»Vielleicht schaffen Sie es ja doch noch!« wiederholte Silvestro feixend. »Du solltest dich mal hören. Das nenne ich Einsatz. Aber nein, ich komme nicht. Ich wünsch dir noch einen schicken Abend mit der Kleinen.«

»Noch mindestens zwei Stunden … aha … völlig erledigt … hm … hm … tja, dann ist wohl nichts zu machen ... ja ... *sehr* schade ... alles klar ... Sie melden sich, wenn Sie wieder zu Hause sind«, wiederholte ich Millers nie geäußerte Sätze mit ersterbender Stimme.

»Nun komm mal zum Ende, das reicht«, sagte Silvestro. »*Ciao ciao!*« Er legte auf.

»Okay ... Nein, das verstehe ich doch ... Okay ... Kein Problem ... Auf Wiedersehen, Mr. Miller.« Ich legte mein Handy neben den Teller und sah Mademoiselle Bredin fest in die Augen.

»Miller hat gerade abgesagt«, sagte ich und holte tief Luft. »Es gibt Probleme. Er braucht mindestens noch zwei Stunden, bevor er aus seiner Besprechung raus ist, vielleicht sogar länger, sagt er, und er sei schon jetzt völlig erledigt, und es hätte keinen Zweck, sich noch zu treffen, weil er morgen schon wieder ganz früh zurückmuß.«

Ich sah, wie sie schluckte und nach ihrem Weinglas faßte wie nach einem Rettungsanker, und für einen Moment hatte ich die Befürchtung, daß sie einfach aufstehen würde und gehen.

»Tut mir echt leid«, sagte ich zerknirscht. »Vielleicht war das Ganze doch keine so gute Idee.«

Und als sie dann den Kopf schüttelte und doch sitzenblieb und mir sagte, daß ich ja am wenigsten dafür könne, hatte ich doch irgendwie ein schlechtes Gewissen. Aber was sollte ich machen? Ich konnte im Ernst keinen Robert Miller herbeizaubern. Schließlich war ich ja schon da.

Und so verlegte ich mich darauf, Mademoiselle Bredin zu trösten und sie mit ein paar Späßen über ihre

Schicksalsgläubigkeit aufzuziehen. Ich nahm sogar für einen süßen Moment ihre Hand, doch sie zog sie wieder weg und klopfte mir auf die Finger, als ob ich ein ungezogener kleiner Junge wäre.

Dann fragte sie mich, was Robert Miller eigentlich mache, wenn er keine Bücher schreibe, und was das überhaupt für eine Besprechung gewesen sei, und ich sagte, so ganz genau wisse ich das auch nicht, er sei ja Ingenieur und wahrscheinlich arbeite er immer noch in beratender Funktion für diesen Autokonzern.

Danach hörte ich mir geduldig an, was sie an Robert Millers Buch so großartig fand, wie unglaublich es war, daß sie das Buch genau zum richtigen Zeitpunkt gefunden hätte, und an welchen Stellen sie gelacht hatte oder berührt gewesen war. Geschmeichelt lauschte ich ihren schönen Worten und betrachtete ihre dunklen grünen Augen, die ganz sanft wurden.

Mehr als einmal überkam mich die Versuchung, ihr zu sagen, daß ich es war, ich allein, der ihre Seele gerettet hatte. Aber die Angst, sie zu verlieren, bevor ich die Gelegenheit hatte, sie überhaupt für mich zu gewinnen, war zu groß.

Und so heuchelte ich Überraschung, als sie mir – zögernd zwar, aber mit zunehmendem Zutrauen – von den mir bereits zur Genüge bekannten Übereinstimmungen von Restaurant und Heldin berichtete.

»Verstehen Sie jetzt, warum ich diesen Mann sehen *muß*?«, sagte sie, und ich nickte verständnisvoll. Schließlich war ich der einzige, der den Schlüssel zu dem

»schicksalhaften Geheimnis« besaß. Dieses Geheimnis, das ja viel leichter zu erklären war, als Aurélie Bredin dachte, wenngleich nicht weniger schicksalhaft.

Wenn ich damals das Buch unter *meinem* Namen und mit *meinem* Photo veröffentlicht hätte, hätte das Mädchen mit den grünen Augen und dem bezaubernden Lächeln, das ich durch die Scheibe eines Restaurants gesehen und zur Heldin meiner Phantasie erkoren hatte, in *mir* den Mann gesehen, den das Schicksal ihr geschickt hatte. Und alles wäre gut gewesen.

So aber war ich zur Lüge verdammt und kämpfte gegen einen fiktiven Schriftsteller. Nun ja, nicht *ganz* fiktiv, wie mir bei der nächsten Frage von Aurélie Bredin schmerzhaft bewußt wurde.

»Ich frage mich, warum diese Frau Miller verlassen hat«, sagte sie nachdenklich und pickte mit der Gabel den letzten Rest des Lammcurrys von ihrem Teller. »Er ist ein erfolgreicher Ingenieur, er muß ein warmherziger und humorvoller Mensch sein, sonst könnte er nicht solche Bücher schreiben. Und mal ganz abgesehen davon finde ich, daß er phantastisch aussieht. Ich meine, er könnte Schauspieler sein, finden Sie nicht? Wieso verläßt man einen so attraktiven Mann?«

Sie trank ihren Wein aus, und ich zuckte mit den Schultern und füllte erneut ihr Glas. Wenn sie fand, daß der Zahnarzt *phantastisch* aussah, wurde es schwer für mich. Wie gut, daß sie diesem Sam Goldberg nie persönlich begegnen würde. Nicht, wenn ich es verhindern konnte!

»Was ist? Sie gucken plötzlich so grimmig.« Sie sah mich belustigt an. »Habe ich etwas Falsches gesagt?«

»Um Gottes willen, nein!« Ich fand, daß es an der Zeit war, den attraktiven Superhelden ein kleines bißchen zu demontieren.

»Man kann nur nie hinter die Fassade schauen, nicht wahr?« sagte ich bedeutungsvoll. »Und gutes Aussehen ist nicht alles. Ich für meinen Teil glaube, daß seine Frau es nicht gerade leicht gehabt hat mit ihm. So sehr ich Miller als Autor auch schätze.«

Mademoiselle Bredin wirkte verunsichert. »Was meinen Sie damit – nicht gerade leicht gehabt?«

»Ach, gar nichts, ich rede Unsinn – vergessen Sie einfach, was ich gesagt habe.« Ich lachte ein bißchen zu laut, so als ob ich überspielen wollte, daß ich mehr gesagt hatte, als ich wollte. Und dann beschloß ich, das Thema zu wechseln. »Wollen wir wirklich den ganzen Abend über Robert Miller reden? Er ist zwar der Grund, warum wir beide hier sind, aber immerhin hat er uns versetzt.« Ich nahm die Flasche und schenkte mir nach.

 »Mich interessiert viel mehr, warum eine so bezaubernde Frau wie Sie noch nicht verheiratet ist. Haben Sie so viele Laster?«

Aurélie errötete. »Haha«, sagte sie. »Und selbst?«

»Sie meinen, warum so ein bezaubernder Mann wie ich noch nicht verheiratet ist? Oder welche Laster ich habe?«

Aurélie trank einen Schluck Rotwein, und ein Lächeln huschte über ihr Gesicht. Sie stützte ihre Ellbogen auf den Tisch und sah mich über ihre zusammengefalteten Hände hinweg an. »Die Laster«, sagte sie.

»Hm«, entgegnete ich. »Das habe ich befürchtet. Lassen Sie mich überlegen.« Ich nahm ihre Hand und zählte an den Fingern ab. »Essen, trinken, rauchen, schöne Frauen vom rechten Weg abbringen ... reicht das für den Anfang?«

Sie entwand mir ihre Hand und lachte amüsiert, während sie nickte, und ich sah auf ihren Mund und überlegte, wie es wohl wäre, ihn zu küssen.

Und dann redeten wir endlich nicht mehr über Robert Miller, sondern über uns, und aus dem komplizenhaften Stelldichein wurde beinahe so etwas wie ein echtes Rendezvous. Als der Kellner mit der Frage »Noch einen Wunsch?« an unseren Tisch trat, bestellte ich noch eine Flasche Wein. Ich wähnte mich schon im siebten Himmel, als etwas passierte, was nicht auf meiner romantischen Menukarte vorgesehen war.

Noch heute frage ich mich manchmal, ob der geheimnisvolle Autor nicht in völlige Bedeutungslosigkeit versunken wäre und ich seinen Platz hätte einnehmen können, wenn nicht diese skurrile alte Dame plötzlich an unserem Tisch gesessen hätte.

»Un, deux, trois – ça c'est Paris!« Ein Dutzend gutgelaunter Kellner hatte sich an einer Seite des Saals in einem Halbkreis versammelt. Aus vollem Halse schmetterten sie diesen Satz, der wie ein Schlachtruf klang und den man in der *Coupole* an jedem Abend (manchmal mehrere Male) hören kann. Denn unter den zahlreichen Gästen ist immer einer, der Geburtstag hat.

Der halbe Saal schaute auf, als die Kellner jetzt im Gänsemarsch und mit einer riesigen Torte, auf der zahlreiche Wunderkerzen ihr Licht versprühten wie ein kleines Feuerwerk, zu dem Tisch gingen, an dem das Geburtstagskind saß. Es war ein Tisch, der sich zwei Reihen hinter uns befand, und Aurélie Bredin, die den Blick in diese Richtung hatte, reckte den Hals, um besser sehen zu können.

Und dann stand sie plötzlich auf und winkte.

Ich drehte mich erstaunt um und sah eine vergnügte alte Dame in einem schillernden lilafarbenen Kleid, die allein an einem der Tische saß – mit einem riesigen Gestell Austern vor sich – und allen Kellnern die Hand schüttelte. Dann blickte sie in unsere Richtung und winkte entzückt zurück.

»Kennen Sie diese Dame?« fragte ich Aurélie Bredin.

»Ja, natürlich!« rief sie begeistert und winkte wieder. »Das ist Mrs. Dinsmore. Wir sind uns gestern auf dem Friedhof begegnet – ist das nicht *furchtbar* komisch?«

Ich nickte und lächelte. Ich fand es nicht so furchtbar komisch. Es war halb elf, und ich hatte das ungute (aber richtige) Gefühl, daß es mit der schönen Zweisamkeit an unserem Tisch nun vorbei war.

Wenige Minuten später machte ich die Bekanntschaft von Mrs. Dinsmore, einer fünfundachtzigjährigen Amerikanerin, die in einer Wolke von *Opium* zu uns herüberschwebte. Sie war die Witwe eines Dirigenten, die Mutter eines Brücken bauenden Sohnes in Südamerika, Großmutter von drei blondgelockten Enkelkindern und Muse zahlreicher Künstler, die alle eines gemeinsam hatten: Sie hatten alle mit Mrs. Dinsmore in der *Coupole* rauschende Feste gefeiert. Und sie waren alle schon unter der Erde.

Es gibt Menschen, die setzen sich an einen Tisch und übernehmen sofort das Gespräch. Nach und nach verstummt die Konversation, jedes andere Thema verflackert wie ein zu kleines Feuer, und spätestens nach fünf Minuten lauschen alle gebannt den Erzählungen und Anekdoten dieser mitreißenden, mit großen Gesten operierenden Persönlichkeiten, die unbestreitbar von großem Unterhaltungswert sind, aber kaum zu stoppen.

Ich fürchte, Mrs. Dinsmore *war* eine solche Person.

Seit die Fünfundachtzigjährige mit den silbergrauen Löckchen und dem rot geschminkten Mund mit dem Ausruf »Was für eine herrliche Überraschung, Kindchen – darauf trinken wir jetzt einen Bollinger!« in unserer Mitte Platz genommen hatte, gab es für mich nicht die geringste Möglichkeit mehr, Aurélie Bredins Aufmerksamkeit auf mich zu lenken.

Der Champagner wurde sogleich in einem silbernen Kübel, in dem die Eisstückchen schwammen, an unseren Tisch gebracht, und es war kaum zu übersehen, daß Mrs. Dinsmore der absolute Liebling von Alain, Pierre, Michel, Igor und wie die Kellner sonst noch alle hießen war. Plötzlich war unser Tisch der von den Angestellten des *Coupole* meistbeachtete. Und mit der Ruhe war es vorbei.

Nach zwei Gläsern Champagner ergab ich mich dem Charisma der unentwegt redenden alten Dame und betrachtete fasziniert die Feder auf ihrer kleinen lilafarbenen Kappe, die bei jeder ihrer Bewegungen auf- und abwippte. Aurélie Bredin, die an Mrs. Dinsmores Lippen hing und sich außerordentlich zu amüsieren schien, warf mir immer dann einen Blick zu, wenn wir gemeinsam über die komischen Erlebnisse der bemerkenswerten Lady in Gelächter ausbrachen. Je mehr wir tranken, desto lustiger wurde es, und nach einer Weile amüsierte ich mich genau so sehr wie alle anderen.

Bisweilen unterbrach Mrs. Dinsmore ihre kurzweiligen Monologe, um uns auf andere Gäste im Saal aufmerksam zu machen (für eine alte Dame sah sie erstaunlich gut) und uns zu fragen, ob wir unseren Geburtstag auch schon einmal in der *Coupole* gefeiert hätten (»Das sollten Sie aber unbedingt mal tun, es ist immer ein großer Spaß!«). Dann wollte sie unsere Geburtstage wissen (auf diese Weise erfuhr ich immerhin, daß Aurélie Bredin in ungefähr zwei Wochen Geburtstag hatte, nämlich am sechzehnten Dezember) und klatschte entzückt in ihre kleinen Hände.

»Zweiter April und sechzehnter Dezember«, wiederholte sie. »Ein Widder und ein Schütze. Zwei Feuerzeichen – das paßt hervorragend zusammen!«

Ich kannte mich mit Astrologie nicht besonders aus, aber in diesem Punkt gab ich ihr natürlich gerne recht. Mrs. Dinsmore selbst war am letzten Tag des Sternzeichens Skorpion geboren, wie sie uns einen Augenblick später wissen ließ. Und Skorpionfrauen waren gleichermaßen geistreich und gefährlich.

Das *Coupole* leerte sich allmählich, nur an unserem kleinen Tisch wurde immer noch gefeiert, getrunken und gelacht, und Mrs. Dinsmore hatte ganz offensichtlich eine ihrer Sternstunden.

»Genau an diesem Tisch hier – oder war es der da drüben? – na, ist ja auch egal, habe ich mit Eugène gesessen und meinen Geburtstag gefeiert«, schwärmte Mrs. Dinsmore gerade, als einer der Kellner uns Champagner nachschenkte.

»Eugène wer?« fragte ich nach.

»Ionesco natürlich, wer sonst«, erwiderte sie ungeduldig. »Ach, er war wirklich unbeschreiblich komisch manchmal – nicht nur in seinen Stücken! Und nun liegt er auf dem Montparnasse, der Ärmste! Aber ich besuche ihn ab und zu.« Sie kicherte versonnen. »Ich erinnere mich noch genau – an diesem Abend, leider habe ich vergessen, der wievielte Geburtstag es war, passierte es zwei Mal – können Sie sich das vorstellen? *Zwei Mal …!*« Sie sah uns aus ihren kleinen dunklen Äuglein an, die wie zwei Knöpfe glänzten, »… daß ein ungeschickter Kellner Rotwein über das hellgraue Jackett von Eugène schüttete. Und wissen Sie, was er sagte? Er sagte: ›Das macht gar nichts. Wenn ich es recht bedenke, hat mir die Farbe von diesem Anzug noch nie so richtig gefallen!‹« Mrs. Dinsmore warf ihren Kopf zurück und lachte in den höchsten Tönen, und die kleine Feder auf ihrem Kopf wippte, als ob sie gleich davonfliegen würde.

Nach diesem kleinen Ausflug in das private Leben von Eugène Ionesco, der so sicherlich in keiner Biographie zu finden war, wandte Mrs. Dinsmore sich wieder mir zu.

»Und Sie, junger Mann? Was schreiben Sie? Aurélie sagte mir, Sie seien *Schriftsteller!* Ein wunderbarer Beruf«, fügte sie hinzu, ohne meine Antwort abzuwarten. »Ich muß sagen, Schriftsteller fand ich immer noch eine *Spur* interessanter als Schauspieler oder Maler.« Dann beugte sie sich zu Aurélie herüber, und ihr roter Mund war ganz nah an Mademoiselle Bredins niedlichem Ohr, das, wie ich erst jetzt bemerkte, ein kleines bißchen abstand, und sagte: »Kindchen, der ist genau der Richtige.«

Aurélie schlug sich vor Lachen die Hand vor den Mund, und ihr plötzlicher Heiterkeitsausbruch verwirrte mich ebenso wie der Umstand, daß die alte Dame mich für einen Schriftsteller hielt, aber – verdammt, ich *war* ja Schriftsteller, wenn auch kein großer Literat, und außerdem war ich vor allem der Richtige. Und so stimmte ich befreit in das Gelächter der beiden Damen ein.

Mrs. Dinsmore hob ihr Glas. »Wissen Sie was? Sie sind mir sehr sympathisch, mein Junge«, erklärte sie großzügig und klopfte mir mit ihren Händen, an denen sie Ringe mit auffallend großen Steinen trug, auf mein Hosenbein. »Sagen Sie einfach Liz zu mir.«

Und als »Liz«, Mademoiselle Bredin und ich eine halbe Stunde später als die letzten Gäste und unter mehrfacher herzlicher Verabschiedung der Kellner die *Coupole* verließen, um uns ein Taxi zu teilen, das – so bestimmte es

Mrs. Dinsmore (»Ich habe Geburtstag und ich zahle das Taxi, das wäre ja noch schöner!«) – zunächst Mademoiselle Bredin, die, wie auch Mrs. Dinsmore, während der Fahrt neben mir saß (ich wurde zwischen die Damen platziert) und ab und zu ihren Kopf mit den duftenden Haaren gegen meine Schulter fallen ließ, dann mich und als letztes das Geburtstagskind, das irgendwo im Marais wohnte, absetzte, mußte ich zugeben, daß dieser Abend anders ausgegangen war, als ich es mir erhofft hatte.

Doch es war ohne Frage einer der lustigsten Abende gewesen, die ich jemals erlebt hatte.

Eine Woche später saß ich am Sonntag nachmittags mit Adam Goldberg in den roten Ledersesseln des *Café des Éditeurs* und erzählte ihm von Aurélie Bredin und all den sonderbaren Verwicklungen, die mein Leben in den letzten Wochen genommen hatte.

Eigentlich warteten wir auf Sam, der zusammen mit Adam angereist war, doch der Zahnarzt war noch zum Champ de Mars gefahren, um dort beleuchte Miniaturausgaben des Eiffelturms für seine Kinder zu ergattern.

»*Oh boy*«, sagte Adam, als ich ihm von meinem Abend in der *Coupole* und den fingierten Anrufen von Silvestro berichtet hatte. »Du bewegst dich auf dünnem Eis, das ist dir hoffentlich klar. Kannst du nicht ein bißchen weniger lügen?«

»Sagt wer?« entgegnete ich. »Wenn ich dich noch einmal daran erinnern darf – diese ganze Sache mit dem Pseudonym und dem Autorenphoto war deine Idee!« Es

war ungewohnt für mich, meinen sonst so unerschütter-
lichen Freund beunruhigt zu sehen.

»Hey, Adam, was ist los?« fragte ich. »Sonst sagst du
mir bei jeder Gelegenheit, daß ich mir nicht ins Hemd
machen soll, und jetzt spielst du den Moralapostel.«

Adam hob beschwichtigend die Hand. »Schon gut,
schon gut. Aber vorher war es etwas Professionelles. Jetzt
bekommt die ganze Sache einen so persönlichen Touch.
Das gefällt mir nicht.« Er trommelte mit den Fingern
auf seiner Armlehne herum. »Ich halte das für gefährlich,
mein Lieber, ehrlich. Ich meine, sie ist eine *Frau*, André.
Sie hat *Gefühle*. Was meinst du, was passiert, wenn sie
herauskriegt, daß du sie an der Nase herumgeführt hast?
Sie *bewußt* getäuscht hast. Nachher macht das Mädchen
einen Riesenwirbel, kommt in den Verlag und heult bei
Monsieur Monsignac rum oder so – und dann kannst
du echt einpacken.«

Ich schüttelte den Kopf. »Mein Plan ist absolut was-
serdicht«, sagte ich. »Aurélie wird niemals die Wahrheit
erfahren, es sei denn, du sagst ihr was.«

Ich hatte seit meinem Abend in der *Coupole* genug Zeit
gehabt, um zu überlegen, wie ich weiter vorgehen würde. Und ich hatte beschlossen, Mademoiselle Bredin in
absehbarer Zeit einen weiteren Brief von Robert Miller
zukommen zu lassen, in dem dieser einen Termin für das
gemeinsame Abendessen im *Temps des Cerises* vorschla-
gen würde. Ich wußte auch schon genau, wann dieser
Termin sein würde: an Aurélie Bredins Geburtstag.

Doch diesmal mußte der Brief direkt aus England kommen. Und deswegen hatte ich Adam gebeten, ihn auf die Lesung mitzunehmen und in London in einen Briefkasten zu werfen. Warum Robert Miller dann letztlich doch wieder nicht kommen würde, darüber hatte ich mir noch keine Gedanken gemacht. Ich wußte nur, daß ich an diesem Abend aus irgendeinem noch zu erfindenden Grund zur Stelle sein würde. Und auf jeden Fall war mir klar, daß die neuerliche Absage, die sehr kurzfristig erfolgen würde, dieses Mal nicht von mir übermittelt werden konnte.

Das wäre dann doch zu auffällig gewesen.

Als ich jetzt mit Robert Millers englischem Agenten in dem Café-Restaurant saß, wo sich Lektoren und Verleger gerne trafen, um vor den Bücherregalen an den Wänden über hohe und weniger hohe Literatur zu sprechen, schoß mir eine Idee durch den Kopf, die mir immer besser gefiel. Doch sie mußte erst noch etwas ausgefeilt werden, damit Adam Goldberg mitspielte. Also hielt ich den Mund und hörte mir die Bedenken meines Freundes an.

»Was ist, wenn die Kleine von der Lesung erfährt und hinkommt? Wir können meinen Bruder jetzt nicht auch noch in deine amourösen Lügengespinste einweihen, das wird zu kompliziert. Sam hatte schon ein Problem damit, seiner Frau den wahren Grund für seine Parisreise nicht doch zu erzählen.« Er sah mich an. »Und bevor du jetzt fragst – nein, er hat sich den Bart nicht abgenommen. Meine Schwägerin findet den Bart nämlich ganz toll. Nachher denkt sie noch, er hätte eine Geliebte, und das wollte Sam nicht riskieren.«

Ich nickte. »Okay, geschenkt. Im Grunde ist ja auch nichts dabei, wenn ein Autor sich einen Bart wachsen läßt, oder? Aber er darf sich nicht verplappern. Er hat keine Frau. Er lebt nämlich alleine mit seinem kleinen Hund Rocky – du erinnerst dich? – in seinem blöden Cottage.«

(Auf die Erfindung von »Rocky« war Adam besonders stolz gewesen, als wir damals die Autorenvita verfaßten. »So ein süßer kleiner Hund zieht immer«, hatte er gesagt. »Darauf fliegen die Frauen!«)

»Das kannst du ihm gleich alles selbst noch mal erzählen«, gab Adam zurück und sah auf die Uhr. »Wo bleibt er überhaupt?«

Wir sahen beide automatisch zur Tür, aber Sam Goldberg ließ sich Zeit. Adam nahm einen Schluck von seinem Scotch und lehnte sich in den roten Lederpolstern zurück.

»Scheiße aber auch, daß man hier nirgends mehr rauchen darf«, sagte er. »Von euch Franzosen hätte ich das nicht erwartet, daß ihr so einknickt. *Liberté toujours*, was?«

»Tja, Pech«, entgegnete ich. »Kennt dein Bruder den Inhalt des Romans?«

Adam nickte. »Also«, kam er noch einmal auf seine Befürchtungen zu sprechen, »was machst du, wenn Mademoiselle Bredin von der Lesung Wind bekommt?«

Ich lachte gönnerhaft. »Adam«, sagte ich. »Sie ist *Köchin*. Sie hat einmal ein Buch gelesen, und das war zufälligerweise *mein* Buch. Sie ist nicht eine, die normalerweise zu Lesungen geht, *tu vois*? Außerdem findet die ganze Chose in einer kleinen Buchhandlung auf der Île Saint-Louis statt. Das ist überhaupt nicht ihr Einzugsgebiet. Und selbst wenn sie das Interview im *Figaro* liest – das erscheint frühestens einen Tag später und dann – simsalabim – ist alles schon gelaufen.«

Zum erstenmal in meiner Verlagskarriere war ich froh, daß das Marketing in diesem Falle »suboptimal« gelaufen war, wie sich Michelle Auteuil ausgedrückt hatte. »Aber die besser gelegenen Buchhandlungen waren schon alle ausgebucht, und Robert Miller ist zwar nicht gänzlich unbekannt, aber er ist jetzt nicht ein Publikumsmagnet, um den sich die Buchhandlungen reißen, jedenfalls *noch* nicht.« Sie hatte bedauernd durch ihre schwarze Brille geguckt. »Unter diesen Umständen können wir mit der *Librairie Capricorne* sehr zufrieden sein. Der Buchhändler ist ein entzückender alter Herr, der den Roman partienweise nachbestellt, und er hat seine Stammkundschaft. Da wird die Buchhandlung schon voll.«

Ich fand auch, daß wir sehr zufrieden sein konnten.

Adam war nicht ganz überzeugt. »Simsalabim«, wiederholte er, und mit seinem englischen Akzent hörte sich das sehr komisch an. »Dein Wort in Gottes Ohr, Andy. Trotzdem frage ich mich, ob es nicht besser wäre, die ganze Geschichte mit dieser Mademoiselle Bredin einschlafen zu lassen. Die scheint mir eh etwas überspannt, von dem, was du mir erzählt hast. Ziemlich *strange*, die Kleine. Kannst du nicht einfach die Finger von ihr lassen?«

»*Non*«, sagte ich.

»Okay«, sagte Adam.

Dann schwiegen wir eine Weile.

»Versteh doch, Adam«, sagte ich schließlich. »Sie ist nicht irgendeine Frau. Sie ist *die* Frau! *The one and only.* Und sie ist kein bißchen *strange* – sie hat einfach nur viel Phantasie und sie glaubt an höhere Mächte. Kismet.« Ich rührte drei Löffel Zucker in meinen Espresso und trank einen Schluck von dem heißen süßen Gebräu.

»Kismet«, wiederholte Adam und seufzte.

» Ja, was soll daran so verkehrt sein? Im übrigen werde ich Robert Miller sowieso bald sterben lassen. Sobald das Essen im *Temps des Cerises* gelaufen ist, wird der gute alte Miller von der Bühne abtreten.«

»Heißt das, du schreibst nicht mehr weiter?« Adam setzte sich alarmiert auf.

»Ja«, sagte ich, »das heißt es wohl. Das ist mir alles viel zu stressig mit diesem Doppelleben. Ich bin schließlich nicht James Bond.«

»Spinnst du?« sagte Adam aufgeregt. »Jetzt, wo der Roman gerade abgeht, willst du das Handtuch schmeißen? Wieviel habt ihr bisher verkauft? Fünfzigtausend? Jetzt denk mal logisch. Du kannst gut schreiben, und du wärst ein Dummkopf, wenn du da nicht noch was nachschiebst. Das hat Potential. Außerdem wachen die Ausländer auch allmählich auf. Bei mir auf dem Schreibtisch liegen erste Angebote aus Deutschland, Holland und Spanien. Glaub mir, da ist noch eine Menge Musik drin. Und den zweiten Roman hängen wir gleich ein bißchen höher. Da machen wir einen Bestseller draus.«

»Um Gottes willen«, sagte ich. »Du klingst wie Monsignac.«

»Willst du keinen Bestseller?« fragte Adam erstaunt.

»Nicht unter diesen Umständen«, gab ich zurück. »Ich will meine Ruhe. Eben noch sagst du mir, das ganze Lügenspiel sei so gefährlich, und jetzt willst du munter weitermachen?«

Adam lächelte fein. »Ich bin eben professionell«, sagte er, ganz der englische Gentleman.

»Du bist größenwahnsinnig«, sagte ich. »Und wie stellst du dir das in Zukunft vor? Schreibt der Autor seine Romane irgendwo am Ende der Welt? In Neuseeland oder am Nordpol? Oder lassen wir deinen Bruder jedesmal einfliegen?«

»Läuft es super, kann man auch irgendwann die Wahrheit sagen.« Adam lehnte sich entspannt zurück. »Wenn die Zeit reif ist, machen wir eine tolle Geschichte daraus. Du mußt endlich mal kapieren, wie die Branche tickt, André: Der Erfolg gibt dir immer recht. Also ich finde, Robert Miller sollte unbedingt weiterschreiben.«

»Nur über meine Leiche«, entgegnete ich. »Ich finde, nur ein toter Autor ist ein guter Autor.«

»*Hi, fellows*«, sagte Samuel Goldberg. »Sprekt ihr etwa uber mich?«

Sam Goldberg war unbemerkt zur Tür hereingekommen und hatte den letzten Teil unserer hitzigen Diskussion wohl noch gehört. Da stand nun also mein *Alter ego* in einem dunkelblauen Dufflecoat und einer Kappe im

Schottenkaro und war beladen mit kleinen Plastiktüten mit Eiffeltürmen und pastellfarbenen Schachteln aus der Confiserie *Ladurée*.

Ich musterte ihn neugierig. Er hatte kurze blonde Haare und blaue Augen wie sein Bruder. Leider sah er wirklich so gut aus wie auf dem Photo. Und obwohl er um die Vierzig sein mußte, hatte er diese jungenhafte Ausstrahlung, die manche Männer nie verlieren, egal wie alt sie werden. Daran änderte auch der Bart nichts – vor allem, wenn er wie jetzt dieses verschmitzte Brad-Pitt-Lächeln aufsetzte.

»Hi, Sam, wo steckst du denn die ganze Zeit?« Adam war aufgestanden und begrüßte seinen Bruder mit einem freundschaftlichen Schlag auf die Schulter. »Wir dachten schon, du hättest dich verlaufen.«

Sam grinste und eine Reihe blendend weißer Zähne wurde sichtbar. In seinem Beruf wirkte er sicher sehr glaubwürdig, ich konnte nur hoffen, daß er auch als Autor überzeugend war.

»Shopping«, erklärte er und mir fiel auf, daß seine Stimme ganz ähnlich klang wie die seines Bruders. »Ich müsste versprekken, die Familie etwas mitzubringen. *Oh dear*, und die Schlange bei diesem *Ladurée* war *so long*! Ich fuhlte mir schon ganz zu Hause.« Er lachte. »So viele *Japanese people* und alle wollen Tortchen kaufen und diese bunte Dinger.« Er wies auf die Schachteln mit den Macarons. »Sind die wirklich so lecker?«

»Das ist André«, stellte Adam mich vor, und Sam schüttelte mir die Hand. »Schon Sie zu sehen«, sagte er und strahlte mich an. »Ich habe schon *so* viel von Sie gehört.« Er hatte einen kräftigen Händedruck.

»Ich hoffe, nur Gutes«, entgegnete ich etwas verkrampft. Die alten Floskeln. »Vielen Dank, daß Sie nach Paris gekommen sind, Sam. Sie helfen uns wirklich aus der Patsche.«

»*Oh, yes!*« Er schmunzelte und nickte. »Aus der Pätsche«, wiederholte er. »Ja, ja. Adam hat mir alles gesprochen. Ihr beiden habt da eine tolle Ding gedreht, was? Ich müss sagen, ich war sehr überrascht, daß ich eine Büch geschrieben hätte.« Er zwinkerte mir zu. »Glucklicherweise habe ich eine gute Humor.«

Ich nickte erleichtert. Adam hatte offenbar gute Arbeit geleistet. Wenn sich sein Bruder zunächst auch aufgeregt haben mochte, als dieses unerwartete Projekt an ihn herangetragen wurde – jetzt wirkte er jedenfalls ganz entspannt.

»Wir sind ja jetzt so was wie … wie sagt man? … Brüder in die Geiste?« fuhr er fort. »*Well*, ich hoffe, daß alles gut fonktionieren wird mit unsere kleine Kompott.«

Wir lachten alle drei. Dann setzten wir uns, und mein Bruder im Geiste bestellte sich einen Tee mit Milch und eine Apfeltarte und sah sich im Café *Les Éditeurs* um. »*Lovely place*«, meinte er anerkennend.

In den nächsten zwei Stunden, die wir damit verbrachten, Sam Goldberg auf seine neue Identität einzuschwören, stellte sich heraus, daß Adams Bruder ein wahrer Gemütsmensch war, dessen affirmativer Grundcharakter vor allem in zwei Wörtern seinen Ausdruck fand: *lovely* und *sexy*.

Lovely waren die Stadt Paris, die beleuchteten goldenen Eiffeltürme aus Plastik für seine Kinder, die *tarte aux pommes*, die er zum Tee aß und in zierliche Stücke zerlegte, und mein Buch, von dem er zwar nur das erste Kapitel gelesen hatte, dessen Inhalt ihm aber von Adam *en détail* erzählt worden war.

Sexy waren die Kellnerinnen im *Les Éditeurs*, die Bücherregale an der Wand, Adams Vorschlag, ihm abends das *Moulin Rouge* zu zeigen, das alte schwarze Telefon aus Bakelit, das an der Rezeption seines Hotels stand, und erstaunlicherweise auch meine uralte Rolex-Uhr (sie stammte von meinem Vater und aus einer Zeit, als Rolex-Uhren noch Lederarmbänder hatten und im Design deutlich zurückhaltender waren als heute).

Erleichtert nahm ich zur Kenntnis, daß Sams Französisch besser war, als ich es erwartet hatte. In der Regel spricht ein Engländer nämlich Englisch und sonst nichts, aber da die beiden Goldberg-Brüder als Kinder ihre Sommerferien oft bei einem Onkel in Kanada verbracht hatten, war ihnen diese Sprache vertraut. Adam sprach von Berufs wegen fließend Französisch, während sein Bruder eher etwas radebrechte, aber sein Wortschatz war doch beachtlich, und es machte ihm offenbar nichts aus, vor Publikum zu sprechen. Immerhin hatte er ja auch schon auf Zahnarztkongressen Vorträge zur Prophylaxe und Behandlung von Parodontose gehalten.

Wir sprachen das Interview mit dem *Figaro* durch, das am nächsten Morgen stattfinden sollte, dann die wenigen Passagen, die am Abend in der Buchhandlung zu lesen waren. Ich erklärte ihm den Ablauf der Lesung und riet ihm dringend, seine neue Unterschrift als »Robert Miller« noch ein paarmal zu üben, damit er sich beim Signieren der Bücher nicht verschrieb.

»Ich müß das gleich proubieren!« rief er, nahm einen Stift und ein Blatt Papier zur Hand und malte in schwungvoller runder Schrift seinen neuen Namen.

»Robert Miller«, sagte er und blickte zufrieden auf die Signatur. »Das sieht wirklich sexy aus, findet ihr nicht?«

Nach der Lesung, die um acht Uhr beginnen sollte und maximal eineinhalb Stunden dauern würde, war noch ein Abendessen im kleinen Kreis vorgesehen (»Ganz gemütlich!« hatte Monsieur Monsignac betont), an dem natürlich der Autor, der Buchhändler (der das Buch mit Sicherheit gelesen hatte), Jean-Paul Monsigniac (der von dem Buch nur Anfang, Mitte und Schluß kannte), Michelle Auteuil (die das Buch überflogen hatte, als es noch im Fahnenstadium war), Adam Goldberg (der das ganze Buch kannte) und meine Wenigkeit teilnehmen sollten. Ich muß sagen, daß mir vor diesem kleinen *gemütlichen* Abendessen ein wenig graute.

Die Lesung in einer Buchhandlung läuft doch immer irgendwie gleich ab: Begrüßung durch den Buchhändler, Begrüßung durch den Verlag (in diesem Fall sollte ich diesen Job übernehmen, da ich die ganze Sache moderieren würde), der Autor spricht ein paar Worte, daß er sich freut, hier zu sein und so weiter und so fort, und liest ein paar Abschnitte. Dann Applaus, hat noch jemand eine Frage an den Autor? Immer dieselben Fragen: Wie sind Sie dazu gekommen, dieses Buch zu schreiben? In Ihrem Buch gibt es einen kleinen Jungen, der ohne Vater aufwächst – sind Sie dieser Junge? Wollten Sie immer schon Schriftsteller werden? Schreiben Sie an einem neuen Buch? Wovon handelt es? Spielt es wieder in Paris? Und manchmal, eher selten, kommen Fragen wie: Wann schreiben Sie (morgens, mittags, abends, nachts), Wo schreiben Sie (mit Blick ins Grüne, nur vor einer weißen Wand, im Café, im Kloster), und natürlich auch gerne: Woher nehmen Sie eigentlich Ihre Ideen?

Aber oft sind die Menschen auch gar nicht mal so wißbegierig oder vielleicht auch zu schüchtern, um etwas zu fragen, und in diesem Fall sagt der Buchhändler, Lektor, Moderator dann so etwas wie: Dann hätte ich noch eine Frage, um die ganze Sache ein wenig abzurunden. Oder aber er sagt: Wenn keiner mehr eine Frage hat, dann danke ich Ihnen, daß Sie gekommen sind, und einen großen Dank natürlich an unseren Autor, der jetzt gerne Ihre Bücher signieren wird. Neuerlicher Applaus. Und dann kommen die Leute, um das Buch zu kaufen und es sich signieren zu lassen. Und am Ende werden ein paar Photos gemacht.

Eine Autorenlesung ist eine schöne übersichtliche Angelegenheit, wenn Sie mich fragen.

Bei einem Abendessen im kleinen Kreis gab es größere Unwägbarkeiten, vor allem, wenn man etwas zu verbergen hatte. So groß war mein Antizipationsvermögen nicht, daß ich alle möglichen und unmöglichen Themen, die bei einem solchen Essen zur Sprache kommen konnten, vorwegnehmen konnte. Ich sah Monsieur Monsignac schon vor mir, wie er den angeblich so frankophilen Engländer plötzlich fragte: »Essen Sie gerne Schnecken?« und dieser angewidert das Gesicht verzog. Ich hoffte, daß man nicht zuviel über Bücher sprechen würde, denn Sam Goldberg war nicht firm in der Bestsellerliste und es war nicht auszuschließen, daß er Marc Levy für einen Schauspieler oder Anna Gavalda für eine Opernsängerin hielt.

Andererseits würde Sam Goldberg von Adam und mir flankiert werden wie von zwei Bodyguards. Und mit ein bißchen Geistesgegenwart seitens des Zahnarztes würde der Abend schon ganz passabel verlaufen.

Ich riet Sam, sich bei heiklen Fragen aus dem Publikum oder beim Essen auf seine nicht ausreichenden Sprachkenntnisse zurückzuziehen. »*Oh, sorry*, das habe ich nikt ganz verstanden, wie meinen Sie das?«, sollte er treuherzig fragen, und dann würde schon einer von uns einspringen.

Wichtig war, daß er die folgenden Punkte beherzigte, die wir immer wieder durchkauten: Er lebte *allein* in seinem Cottage. Als Ort hatten wir uns auf das malerische Tunbridge Wells verständigt. (»*Lovely place*«, sagte Sam und: »Wie traurig, daß ich keine *family* haben darf.«)

Sein Hund Rocky war ein Yorkshire-Terrier und kein Golden Retriever, wie Sam zunächst fälschlicherweise sagte, und Rocky war jetzt in der Obhut eines netten Nachbarn.

Auf die Frage, ob sein Buch autobiographische Bezüge hätte, sollte er antworten: »Ach, wissen Sie, jedes

Buch ist irgendwo autobiographisch. Natürlich gibt es Dinge darin, die ich selbst erlebt habe, andere habe ich auch nur gehört oder sie sind frei erfunden.«

Nach Paris war er früher sehr oft gekommen, als er noch für die Autofirma gearbeitet hatte, aber im Moment brauchte er viel Ruhe und Natur, und er schätzte sein abgelegenes Cottage.

Eine Journalistenreise zu seinem Domizil war für ihn der größte Horror. (Dies zur Vorsicht, falls er in die Hände von Michelle Auteuil fiel.)

Er war kein Partylöwe.

Er liebte die französische Küche.

Ein zweiter Paris-Roman sei angedacht, aber das würde noch eine ganze Weile dauern (keine (!) konkreten Angaben zum Inhalt).

Sein Hobby waren alte Autos.

Die Gefahr, daß ein Schriftsteller in Frankreich in ein Gespräch über Autos verwickelt würde, hielt ich für relativ gering, dennoch drückte ich Sam einen Bildband über Oldtimer in die Hand, als wir uns voneinander verabschiedeten.

»Wir sehen uns dann morgen abend«, sagte ich, als wir alle drei draußen vor dem Café standen und Sam Goldberg unternehmungslustig seine Tüten schwenkte.

Die beiden Brüder wollten in ihr Hotel, bevor sie am Abend Paris unsicher machen würden, und ich wollte einfach nur nach Hause. »Es wäre gut, wenn ihr eine halbe Stunde vorher da sein könntet.« Ich holte tief Luft. »Wird schon schiefgehen, was?«

»Alles wird gut«, sagte Adam. »Wir werden ganz pünktlich sein.«

»*Yes*, wir werden der Baby schon schütteln«, sagte Sam.

Und dann trennten sich unsere Wege.

Größere Katastrophen haben immer ihre Vorboten. Doch oft genug übersieht man sie. Als ich am nächsten Morgen im Bad stand und mich rasierte, hörte ich plötzlich ein lautes Krachen. Ich lief auf nackten Füßen in den dunklen Flur und trat in eine Scherbe, noch bevor ich sah, was passiert war.

Der schwere alte Spiegel, der neben dem Garderobenständer hing, war heruntergefallen, der dunkle Wurzelholzrahmen war gebrochen, und überall lagen Glasscherben und Splitter. Fluchend zog ich die Scherbe aus meinem blutenden Fuß und humpelte in die Küche, um ein Pflaster zu holen.

»Hält bombenfest«, hatte mein Freund Michel gesagt, als er mir den Spiegel anbrachte, den ich vor ein paar Wochen erst mit der Metro vom Marché aux Puces, dem Flohmarkt an der Porte de Clignancourt, in die Stadt transportiert und dann in meine Wohnung geschleppt hatte.

Abergläubische Menschen sagen, daß ein Spiegel, der von der Wand fällt, Unglück bringt. Aber ich bin Gott sei Dank nicht abergläubisch, und so begnügte ich mich damit, unter allerlei Verwünschungen die Scherben zusammenzufegen, und machte mich dann auf den Weg in den Verlag.

Mittags traf ich mich mit Hélène Bonvin, der Autorin mit der Schreibblockade. Wir saßen im ersten Stock des *Café Flore*, aßen das *Assortiment de fromage*, und nachdem ich sie endlich davon überzeugt hatte, daß ich das, was sie bisher geschrieben hatte, gut fand (»Sie sagen das jetzt aber nicht, um mich zu beruhigen, oder, Monsieur Chabanais?«), und ihr noch ein paar Ideen für den Rest des Romans mit auf den Weg gegeben hatte, eilte ich wieder an meinen Verlagsschreibtisch zurück.

Sekunden später war Madame Petit in meinem Zimmer, um mir zu sagen, daß meine Mutter angerufen hatte und dringend um Rückruf bat.

»Es klang *wirklich* dringend«, beteuerte Madame Petit, als ich sie mit hochgezogenen Augenbrauen ansah, und ich sagte: »Ach ja? Bei meiner Mutter ist es *immer* dringend, wahrscheinlich ist wieder mal ein Nachbar von der Leiter gefallen. Ich habe heute abend eine Lesung, Madame Petit, es geht jetzt nicht«.

Ein halbe Stunde später saß ich im Taxi und war auf dem Weg ins Krankenhaus. Diesmal war es nicht ein Nachbar gewesen.

Maman hatte sich an diesem Montag spontan entschieden, einen kleinen Ausflug nach Paris zu machen, und war mit sämtlichen Einkaufstüten in den *Galeries Lafayette* die Rolltreppe hinuntergestürzt.

Nun wartete sie mit gebrochenem Bein auf Station IV und lächelte mich über ihr geschientes Bein hinweg zaghaft an. Sie sah sehr klein aus, wie sie da unter der

Bettdecke lag, und mir zog sich für einen Moment das Herz zusammen.

»*Maman*, was machst denn du für Geschichten?« fragte ich und gab ihr einen Kuß.

»Ach, *mon petit boubou*«, seufzte sie. »Ich wußte, daß du sofort kommen würdest.«

Ich nickte beschämt. Als *Maman* nach einer Stunde zum zweitenmal angerufen hatte, um die Adresse des Krankenhauses durchzugeben, hatte Madame Petit freundlicherweise so getan, als sei ich gerade in diesem Augenblick zur Tür hereingekommen. Dann hatte sie mich vorwurfsvoll angeblickt und gesagt: »Ich habe es Ihnen gesagt, Monsieur Chabanais, jetzt aber schnell!«

Ich nahm *Mamans* Hand und schwor mir, sie ab jetzt immer zurückzurufen, wenn auch nur kurz. Ich blickte auf ihr geschientes Bein, das dick verbunden auf der Bettdecke ruhte. »Hast du Schmerzen?«

Sie schüttelte den Kopf. »Es geht schon wieder. Ich habe ein Schmerzmittel bekommen, aber ich bin ganz schläfrig davon.«

»Wie ist das denn nur passiert?« fragte ich.

»Ach, weißt du, im Dezember ist das *Lafayette* doch immer so wunderschön geschmückt.« Sie sah mich mit leuchtenden Augen an. »Und da dachte ich mir, ich schau mir das alles an, nehme noch einen kleinen Imbiß zu mir und mache schon mal ein paar Weihnachtseinkäufe. Und dann hab ich mich irgendwie mit all den Tüten auf der Rolltreppe verheddert und bin nach hinten rübergefallen. Ging alles ganz schnell.«

»Meine Güte«, sagte ich. »Da hätte ja wer weiß was passieren können!«

Sie nickte. »Ich habe eben einen guten Schutzengel gehabt.«

Mein Blick fiel auf ein Paar braune Spangenschuhe mit einem zierlichen und nicht gerade flachen Absatz, das vor dem schmalen Einbauschrank an der Seite des Bettes stand. »Hattest du etwa *diese* Schuhe an?« fragte ich.

Maman schwieg.

»*Maman*, es ist Winter, jeder vernünftige Mensch zieht sich *feste* Schuhe an, und du machst Weihnachtseinkäufe in *Stöckelschuhen*? Auf der Rolltreppe?!«

Sie guckte schuldbewußt unter ihrer Decke hervor. Die Diskussion über das feste und, wie ich immer sagte, *altersgemäße* Schuhwerk hatten wir schon öfter geführt, aber sie wollte nichts davon hören.

»Meine Güte, *Maman*, du bist eine alte Dame. Du mußt ein bißchen vorsichtig sein, weißt du?«

»Ich mag diese Oma-Schuhe nun mal nicht«, murrte sie. »Ich bin vielleicht alt, aber ich habe immer noch sehr schöne Beine, oder etwa nicht?«

Ich lächelte und schüttelte den Kopf. *Maman* war immer unglaublich stolz auf ihre wohlgeformten Beine gewesen. Und sie war mit ihren vierundsiebzig Jahren immer noch ziemlich eitel.

»Ja, natürlich hast du die«, sagte ich. »Aber wenn sie gebrochen sind, nützen sie dir auch nichts.«

Ich blieb zwei Stunden bei *Maman*, kaufte ihr noch Obst, Säfte, ein paar Illustrierte und eine kleine Notausstattung fürs Bad, und dann fuhr ich wieder in die Éditions Opale zurück, um meine Unterlagen zu holen.

Es war bereits halb sechs und es lohnte sich nicht mehr, nach Hause zu gehen. So beschloß ich, direkt vom Verlag aus in die Buchhandlung zu fahren. Madame Petit war bereits gegangen, als ich zurückkam, doch im letzten Moment, als ich eigentlich schon das Licht ausmachen wollte, entdeckte ich noch einen kleinen Zettel von ihr, den sie an meine Lampe geheftet hatte.

»Wie geht es Ihrer Mutter?« stand auf dem Zettel. Und darunter: »Eine Amélie Bredin bittet um Rückruf.«

Heute frage ich mich, ob nicht spätestens in diesem Moment alle Alarmglocken bei mir hätten klingeln müssen. Aber ich sah die Zeichen nicht.

Die kleine Buchhandlung in der Rue Saint-Louis war bis auf den letzten Platz ausverkauft. Ich stand mit Pascal Fermier, dem grauhaarigen Besitzer der *Librairie Capricorne,* in einer Art Teeküche und spähte durch den dunkelgrauen Vorhang, der das Hinterzimmer vom Rest der Buchhandlung abtrennte. Neben mir stapelten sich auf dem Boden die Kataloge aller möglichen Verlage, ein paar Kaffeebecher und Teller standen in einem Regal, das über der Spüle angebracht war. Kartons türmten sich bis unter die Decke auf, daneben brummte ein Kühlschrank.

Robert Miller alias Sam Goldberg stand neben mir und hielt sich an einem Glas Weißwein fest.

»*How lovely!*« hatte er ausgerufen, als er vor einer Stunde die verwunschene Buchhandlung des Monsieur Fermier betreten hatte. Doch nun war er doch ein bißchen aufgeregt und redete fast überhaupt nichts mehr. Immer wieder schlug er das Buch an den Stellen auf, die ich ihm mit kleinen roten Zetteln markiert hatte.

»Kompliment.« Ich wandte mich zu dem alten Buchhändler. »Die Buchhandlung ist ja voll!«

Fermier nickte, und sein gütiges Gesicht leuchtete. »Ich habe Monsieur Millers Buch die ganze Zeit sehr gut verkauft«, sagte er. »Und als ich dann letzte Woche das Lesungsplakat ins Schaufenster hängte, haben viele Leute aus unserem Viertel Interesse gezeigt und schon eine Karte gekauft. Aber daß so viele Menschen kommen würden, habe ich auch nicht erwartet.«

Er wandte sich an Sam, der hochkonzentriert vor sich hin starrte. »Sie haben offenbar viele Fans, Mr. Miller«, sagte er. »Wirklich schön, daß Sie kommen konnten.«

Er trat vor den Vorhang, lächelte in die besetzten Stuhlreihen und ging zu einem kleinen Holztisch, der etwas erhöht auf einer zweiten Ebene an der Rückseite des Raumes stand. Auf dem Tisch befand sich ein Mikrophon, daneben ein Glas und eine Karaffe mit Wasser. Dahinter ein Stuhl.

»Es geht los«, sagte ich zu Sam. »Keine Panik, ich sitze gleich in der Nähe.« Ich deutete auf einen zweiten Stuhl, der an der Seite auf der Empore stand.

Sam räusperte sich. »Ich hoffe, ich makke nix verkehrt.«

»Wird schon«, sagte ich, während Pascal Fermier gegen das Mikrophon klopfte, und drückte kurz seinen Arm. »Und nochmals danke!«

Dann trat auch ich hinter dem Vorhang hervor und stellte mich neben Monsieur Fermier, der jetzt zum Mikrophon griff. Der Buchhändler wartete, bis das Getuschel und das Gescharre der Stühle erstarb, und dann hieß er die Anwesenden in schlichten Worten herzlich willkommen und gab das Mikrophon an mich weiter. Ich bedankte mich und sah ins Publikum.

In der ersten Reihe saß der halbe Verlag, das komplette Lektorat war anwesend, sogar Madame Petit thronte in einem dunkelroten Kaftan unübersehbar auf ihrem Stuhl und sagte gerade etwas zu Adam Goldberg. Jean-Paul Monsignac, diesmal mit Fliege, hatte sich neben Florence Mirabeau niedergelassen, die mindestens so aufgeregt schien wie Sam Goldberg. Es war wohl das erste Mal, daß sie zu einer Lesung mitging.

Und ganz außen saß wie eine Königin eine äußerst zufriedene Michelle Auteuil, wie immer in Schwarz, neben dem Photographen. »Der ist ja total süß, Ihr Miller, hat hervorragend geklappt mit den Journalisten«, hatte sie mir noch rasch gesagt, als ich in die Buchhandlung gekommen war.

»Meine Damen und Herren«, begann ich, »ich möchte Ihnen heute einen Autor vorstellen, der unsere schöne Stadt zum Schauplatz seines wunderbaren Romans gemacht hat. Eigentlich könnte er jetzt gemütlich in seinem englischen Cottage am Kamin sitzen, aber er hat keine Mühe gescheut, um heute abend bei uns zu sein und für uns zu lesen. Sein Roman heißt *Das Lächeln der Frauen*. Er könnte aber auch *Ein Engländer in Paris* heißen, denn es geht darum, was passiert, wenn ein Engländer in Paris eine beliebte englische Automarke etablieren soll, und mehr noch darum, was passiert, wenn ein Engländer sich in eine französische Frau verliebt. Begrüßen Sie mit mir – Robert Miller!«

Das Publikum klatschte und sah erwartungsvoll auf den schlanken, wendigen Mann in Hemd und Weste, der sich kurz verbeugte und dann hinter dem Tisch Platz nahm.

»Also«, sagte Robert Miller und lehnte sich lächelnd in seinem Stuhl zurück. »In mein Cottage ist es schön, aber ich müss schon sagen, ich finde es hier auch sehr gemütlik.« Das waren seine ersten Worte.

Aus den Reihen waren ein paar wohlwollende Lacher zu hören.

»Doch wirklich«, fuhr Robert Miller ermutigt fort. »Diese Bookhandlung ist wie meine … äh … Wohnzimmer, nur daß ich nicht habe solchen viele Bücher.« Er blickte sich um. »Wow«, sagte er. »Das ist wirklich sexy.«

Ich wußte nicht, was man an einer Buchhandlung sexy finden konnte – war das englischer Humor? –, beim Publikum jedenfalls kam es gut an.

»*Anyway*. Ich möchte Sie danken, daß Sie gekommen sind. Leider spreke ich nicht so gut Französisch wie Sie, aber doch nikt so schlecht für eine Ingländer.«

Neuerliches Gelächter.

»Also«, sagte Robert Miller und schlug mein Buch auf. »Dann fangen wir an.«

Es wurde eine sehr kurzweilige Lesung. Adams Bruder lief, befeuert von der Reaktion seiner Fans, zur Hochform auf. Er las, er versprach sich auf amüsante Weise, er riß seine kleinen Witzchen, und die Zuhörer waren begeistert. Ich muß zugeben, daß ich es selbst nicht besser hätte machen können.

Am Ende gab es einen Riesenapplaus, ich blickte zu Adam, der mir komplizenhaft zunickte und seinen Daumen in die Höhe reckte. Monsieur Monsignac klatschte mit freudiger Miene und sagte dann etwas zu Mademoiselle Mirabeau, die während der ganzen Lesung an den Lippen des Autors gehangen hatte. Dann kamen die ersten Fragen aus dem Publikum, die unser Autor mit Bravour meisterte. Als er von einer attraktiven Blondine aus der fünften Reihe nach seinem neuen Roman gefragt wurde, wich er allerdings von unserem Plan ab.

»Oh ja! *Naturlich* wird es eine neue Roman geben, er ist schon so gut wie fertig«, sagte er selbstverliebt und vergaß wohl für einen Moment, daß er gar kein wirklicher Autor war.

»Wovon handelt Ihr neuer Roman, Monsieur Miller? Spielt er wieder in Paris?«

Der Autor nickte. »Ja, selbstverständlich! Ich liebe diese schöne Stadt. Und diese Mal ist meine Held ein inglischer Zahnarzt, der sich auf eine Kongreß verliebt in eine französische Tänzerin aus dem Moulin Rouge«, fabulierte er.

Ich räusperte mich warnend. Wahrscheinlich hatte ihm sein gestriger Ausflug ins Pariser Nachtleben neue Inspiration gegeben.

Miller sah zu mir herüber. »Well, ich darf noch nikt alles verraten, sonst schimpft mein *editor* mit mir und keiner kauft mehr meine neue Büch«, sagte er geistesgegenwärtig.

Monsieur Monsignac lachte laut und mit ihm viele andere. Ich rutschte auf meinem Stuhl herum und versuchte auch zu lächeln. Bisher war alles gut gelaufen, aber allmählich war es an der Zeit, daß der Zahnarzt zum Schluß kam. Ich stand auf.

»Wieso haben Sie sich einen Bart wachsen lassen, Mr. Miller? Haben Sie etwas zu verbergen?« rief da ein vorwitziges Mädchen mit hochgebundenem Pferdeschwanz von ganz hinten und kicherte dann zusammen mit ihren Freundinnen.

Miller strich sich über seinen dichten blonden Vollbart. »Nun, Sie sind noch sehr jong, Mademoiselle«, entgegnete er. »Sonst wußten Sie, daß kein Mann läßt sich gerne schauen in die Karten. Aber …«, er machte eine kleine Kunstpause, »…wenn Sie meinen, ob ich bin beim *Secret Service*, müss ich Sie leider enttäuschen. Die Sache ist viel einfacher … Ich habe eine wunderbare …«, er stockte, und ich hielt den Atem an. Er würde doch jetzt nicht von seiner Frau sprechen? »… eine wunderbare Rasierapparat«, fuhr er fort, und ich atmete erleichtert weiter. »Und der war eines Tages kapütt.«

Alles lachte, und ich ging zu Miller hinüber und schüttelte ihm die Hand.

»Das war ganz großartig, vielen Dank, Robert Miller«, sagte ich laut und wandte mich zum Publikum, das frenetisch applaudierte. »Wenn keiner mehr eine Frage hat, wird der Autor nun gerne signieren.«

Der Applaus verebbte, und die ersten Gäste erhoben sich von ihren Stühlen, um nach vorne zu kommen, als sich plötzlich eine helle, etwas atemlose Stimme über die Stuhlreihen hinweg erhob.

»Ich habe noch eine Frage, bitte«, sagte die Stimme, und mein Herz hörte einen Moment auf zu schlagen.

Links an der Seite, gleich in der Nähe des Eingangs stand Mademoiselle Aurélie Bredin.

Ich habe in meinem Leben schon viele Lesungen moderiert – in viel größeren und bedeutenderen Buchhandlungen und mit viel berühmteren Autoren als Robert Miller.

Aber bei keiner habe ich am Ende so Blut und Wasser geschwitzt wie an diesem Montagabend in der kleinen *Librairie Capricorne*.

Aurélie Bredin stand da, wie aus dem Boden gewachsen, und das Verhängnis kam in einem dunkelroten Samtkleid und aufgesteckten Haaren unaufhaltsam näher.

»Mr. Miller, haben Sie sich wirklich in eine Pariserin verliebt – wie der Held in Ihrem Roman?« fragte sie und ihr Mund verzog sich zu einem feinen Lächeln.

Robert Miller sah mich einen Augenblick verunsichert an, und ich schloß ergeben die Augen und gab mich in Gottes Hand.

»Nun … äh …« Ich spürte, wie der Zahnarzt ins Schwimmen geriet, als er jetzt wieder zu der Frau im roten Samtkleid hinüberblickte. »Wie soll ich sagen … die Frauen in Paris sind einfach … so … unglaublich … reizfull … und da ist es sehr schwer zu widerstehen …« Er hatte sich offenbar wieder gefangen und setzte sein Ich-bin-ein-kleiner-Junge-ich-kann-nichts-dafür-Lächeln auf, bevor er seinen Satz beendete: »Aber ich furchte, ich muß daruber schweigen – ich bin Gentleman, *you know?*«

Er deutete eine kleine Verbeugung an, und die Leute brachen erneut in Applaus aus, während Monsieur Monsignac nach vorne sprang, um Robert Miller zu gratulieren und sich dann mit seinem Autor photographieren zu lassen.

»Kommen Sie her, André«, rief er mir zu und winkte. »Sie sollen auch mit aufs Photo!«

Ich taumelte an die Seite meines glücklichen Verlegers, der jetzt seine Arme um Robert Miller und mich legte und mir zuraunte: »*Il est ravissant, cet Anglais!* Dieser Engländer ist umwerfend.«

Ich nickte und rang mir ein Lächeln für das Photo ab, während ich ängstlich beobachtete, wie die Leute sich zu einer Schlange formierten, um sich ihre Bücher signieren zu lassen. Und am Ende dieser Schlange reihte sich die Frau im roten Samtkleid ein.

Robert Miller setzte sich wieder und begann zu signieren, und ich zog Adam zur Seite. »*Mayday, Mayday*«, flüsterte ich aufgeregt.

Er sah mich erstaunt an. »Hat doch alles toll geklappt.«

»Adam, das meine ich nicht: Sie ist hier«, sagte ich leise und hörte, wie meine Stimme überzuschnappen drohte. »*Sie!*«

Adam schaltete sofort. »Gütiger Himmel«, entfuhr es ihm. »Etwa *the one and only*?«

»Ja, genau die«, sagte ich und umklammerte seinen Arm. »Es ist die Frau in dem roten Samtkleid, sie steht hinten in der Reihe, da … siehst du? Und sie wird sich gleich ihr Buch signieren lassen. Adam, sie darf unter keinen Umständen die Gelegenheit bekommen, mit deinem Bruder zu sprechen, hörst du! Wir müssen das verhindern.«

»Okay«, sagte Adam. »Dann laß uns mal auf unseren Posten gehen.«

Als Aurélie Bredin schließlich als letzte in der Reihe vortrat und ihr Buch auf den Tisch legte, hinter dem – flankiert von Adam und mir – Robert Miller saß, bekam ich Herzrasen.

Sie wandte ihren Kopf für einen Moment zur Seite und sah mich mit hochgezogenen Augenbrauen und kühlem Blick an. Ich murmelte ein »Bonsoir«, aber sie würdigte mich keines Wortes. Sie war ohne jeden Zweifel böse auf mich, und ihre kleinen tropfenförmigen Perlenohringe schaukelten angriffslustig an ihren Ohrläppchen, als sie sich wieder wegdrehte. Dann beugte sie sich zu Robert Miller herab und ihre Miene hellte sich auf.

»Ich bin Aurélie Bredin«, sagte sie, und ich stöhnte leise.

Der Zahnarzt lächelte sie freundlich an, ohne zu verstehen.

»Haben Sie einen besonderen Wunsch?« fragte er wie ein alter Hase.

»Nein.« Sie schüttelte den Kopf und lächelte. Dann sah sie ihn bedeutungsvoll an.

Robert Miller alias Sam Goldberg lächelte auch, er freute sich augenscheinlich über die Aufmerksamkeit, die ihm durch die schöne Frau mit dem aufgesteckten Haar zuteil wurde. Er zog das aufgeschlagene Buch zu sich heran und überlegte einen Moment.

»Na, dann schreiben wir doch ›Für Aurélie Bredin mit sehr herzlichen Grüßen von Robert Miller‹ – gut so?« Er beugte sich vor und widmete sich ganz seiner Signatur. »Bitte sehr«, sagte er dann und blickte auf.

Aurélie Bredin lächelte wieder und klappte das Buch zu, ohne hineinzuschauen.

Sams Blick verweilte ein paar Sekunden auf ihrem Mund, dann sagte er: »Darf ich Ihnen ein Kompliment machen, Mademoiselle? Sie haben wirklich *wundervolle* Zähne.« Er nickte anerkennend.

Sie wurde rot und lachte. »So ein Kompliment habe ich noch nie bekommen«, sagte sie verwundert. Und dann sagte sie etwas, das mir das Herz in die Hose rutschen ließ.

»Wie schade, daß Sie nicht in die *Coupole* kommen konnten, ich war nämlich auch da.«

Nun war es an Sam Goldberg, verwundert zu sein. Man konnte richtig sehen, wie es in seinem Hirn arbeitete. Ich bin mir nicht ganz sicher, ob unser Zahnarzt die *Coupole* im ersten Moment vielleicht für eine Art Etablissement hielt, in dem langbeinige Tänzerinnen mit Federbüschen am Popo auftraten, jedenfalls starrte er Aurélie Bredin mit glasigem Blick an, als ob er versuchte, sich an etwas zu erinnern, und sagte dann vorsichtig:

»Oh, ja. Die *Coupole*! Da müss ich unbedingt hin. *Lovely place, very lovely!*«

Aurélie Bredin war sichtlich irritiert, das Rosarot ihrer Wangen wurde noch eine Spur dunkler, aber sie machte noch einen Vorstoß.

»Ich habe letzte Woche Ihren Brief bekommen, Mr. Miller«, sagte sie leise und biß sich auf die Unterlippe. »Ich habe mich so gefreut, daß Sie mir zurückgeschrieben haben.« Sie sah ihn erwartungsvoll an.

Das stand nicht in unserem Drehbuch. Sam Goldberg bekam rote Flecken auf der Stirn, und mir brach der Schweiß aus. Ich war unfähig, einen Satz herauszubringen, und hörte hilflos zu, wie der Zahnarzt verlegen stotterte:

»*Well* ... das ... das habe ich sehr gerne gemacht ... sehr gerne ... wissen Sie ... ich ... ich ...« Er suchte nach Worten, die ihm gar nicht einfallen konnten.

Ich warf Adam einen flehenden Blick zu. Adam sah auf die Uhr und beugte sich zu seinem Bruder. »*Sorry*,

Mr. Miller, aber wir müssen jetzt wirklich los«, sagte er. »Wir haben ja noch das Essen.«

»Ja«, fiel ich ein, und meine Erstarrung wich dem panischen Wunsch, den Zahnarzt von Aurélie Bredin loszueisen. »Wir sind *wirklich* schon spät dran.«

Ich packte Sam Goldberg am Arm und zog ihn förmlich von seinem Sitz. »Tut mir leid, wir müssen aufbrechen.« Ich nickte Aurélie Bredin entschuldigend zu. »Es warten schon alle.«

»Ach, Monsieur Chabanais«, sagte sie, als ob sie mich erst in diesem Augenblick bemerkte. »Haben Sie vielen Dank für die Einladung zur Lesung.« Ihre grünen Augen funkelten, als sie jetzt einen Schritt zurücktrat, um uns vorbeizulassen.

»Es war schön, Sie zu sehen, Mr. Miller«, sagte sie und reichte dem verwirrten Sam die Hand. »Ich hoffe, Sie vergessen unsere Verabredung nicht.«

Sie lächelte wieder und strich eine dunkelblonde Haarsträhne zurück, die sich aus ihrer Spange gelöst hatte. Sam sah sie sprachlos an. »*Au revoir*, Mademoiselle«, sagte er dann, und bevor er noch etwas von sich geben konnte, schoben wir ihn durch die Menge der Besucher, die sich ihre Mäntel überzogen und redeten.

»Wer … wer *ist* diese Frau«, fragte er leise und verdrehte immer wieder den Kopf nach Aurélie Bredin, die mit ihrem Buch vor dem Pult stand und ihm nachsah, bis wir die Buchhandlung verlassen hatten.

11

Es war weit nach Mitternacht, als ich Bernadette bat, mir ein Taxi zu rufen. Nach der denkwürdigen Lesung in der *Librairie Capricorne* waren wir noch auf ein Glas Wein zu ihr nach Hause gegangen. Und das konnte ich auch gebrauchen.

Ich muß zugeben, daß meine Verwirrung ziemlich groß war, als ich Robert Miller nachsah, der immer wieder über die Schulter zurückblickte, bevor er zusammen mit André Chabanais und einem anderen Herrn in einem hellbraunen Anzug aus der Buchhandlung stolperte.

»Weißt du, was ich nicht verstehe?« hatte Bernadette zu mir gesagt, als wir die Schuhe abgestreift hatten und uns dann auf ihrem großen Sofa gegenübersaßen. »Du hast einen Brief geschrieben, er hat einen Brief geschrieben, und dann starrt er dich an wie eine Erscheinung, reagiert gar nicht und tut so, als ob er deinen Namen noch nie gehört hat. Das finde ich ziemlich merkwürdig.«

Ich nickte. »Ich kann mir das auch nicht so recht erklären«, entgegnete ich und versuchte mir noch einmal alle Einzelheiten meines kurzen Gesprächs mit Robert Miller in Erinnerung zu rufen. »Weißt du, er wirkte so

… so verdutzt. Fast schon weggetreten. So als ob er gar nichts verstehen würde. Vielleicht hat er einfach nicht damit gerechnet, daß ich zu seiner Lesung komme.«

Bernadette trank an ihrem Wein und griff in eine Schale mit Makadamianüssen.

»Hm«, sagte sie und kaute nachdenklich. »Aber er war ja schließlich nicht betrunken, oder? Und warum sollte er verdutzt sein? Mal ehrlich: Er ist schließlich Autor, da kann er doch nicht völlig platt sein, wenn eine Frau, die sein Buch so großartig findet, daß sie ihn sogar zum Essen einladen will, zu seiner Lesung kommt.«

Ich schwieg und ergänzte im stillen: Jemand, der ihm auch noch ein Photo von sich geschickt hat. Doch davon wußte Bernadette nichts, und ich hatte auch nicht vor, es ihr zu erzählen.

»Als ich unsere Verabredung erwähnt habe, hat er auch nur so seltsam geguckt.« Plötzlich kam mir ein Gedanke. »Oder meinst du, er war irgendwie verlegen, weil die anderen aus dem Verlag dabeistanden?«

»Halte ich für unwahrscheinlich … der war doch vorher auch nicht gerade schüchtern. Überleg mal, wie er die Fragen pariert hat!«

Bernadette zog die Spange aus ihrem Haar und schüttelte es auf. Die hellen blonden Strähnen leuchteten im Licht der Stehlampe, die neben dem Sofa stand. Ich betrachtete sie, wie sie sich mit den Händen durch die Haare fuhr.

»Findest du, daß ich sehr verändert aussehe, wenn ich meine Haare aufgesteckt habe?« fragte ich.

Bernadette sah mich an. »Also, *ich* würde dich immer erkennen.« Sie lachte. »Warum fragst du? Weil die Frau aus dem Buch, die dir ähnlich sieht, ihre Haare offen trägt?« Sie zuckte die Achseln und lehnte sich zurück. »Hat er diese Lesung denn in seinem Brief erwähnt?« fragte sie.

Ich schüttelte den Kopf. »Nein, aber das kann sich auch überschnitten haben. Wahrscheinlich wußte er, als er mir den Brief schrieb, noch nichts Genaues, das ist ja möglich.« Ich fischte mir ebenfalls eine Handvoll Nüsse aus der Schale. »Was ich allerdings wirklich ein starkes Stück finde, ist, daß dieser Chabanais mir kein Wort davon erzählt hat.« Ich zerbiß eine Nuß. »Er hat auch ganz schuldbewußt geguckt, als ich plötzlich auftauchte.«

»Vielleicht hat er es einfach vergessen.«

»Ach, vergessen!« gab ich ärgerlich zurück. »Und das nach diesem total verrückten Abend, den wir zusammen in der *Coupole* hatten? Wo er mich *extra* wegen Miller hinbestellt hat? Ich meine, er *wußte* doch, daß es mir wichtig ist.«

Ich lehnte mich mit dem Rücken gegen die Armlehne des Sofas. Wenn Bernadette nicht gewesen wäre, hätte ich überhaupt nichts davon erfahren, daß Robert Miller in Paris war. Da meine Freundin aber auf der Île Saint-Louis wohnte, kaufte sie oft Bücher bei dem netten Monsieur Chagall, der in Wirklichkeit Pascal Fermier hieß, und so hatte sie morgens zufällig das Plakat in seinem Schaufenster gesehen.

Wir hatten uns an diesem kalten sonnigen Montagvormittag zu einem Spaziergang in den Tuilerien verabredt, und das erste, was Bernadette mich fragte, war, ob ich abends zu der Lesung von Robert Miller gehen würde und ob sie mitkommen könnte.

»Schließlich will ich den Wunderautor auch mal sehen«, hatte sie gesagt und sich bei mir untergehakt. Und ich hatte ausgerufen: »Das gibt's doch nicht! Warum hat mir dieser Blödmann aus dem Verlag nichts gesagt?«

Und dann war ich am Nachmittag zur *Librairie Capricorne* gefahren, um zwei Karten für die Lesung zu kaufen. Ein Glück nur, daß heute das Restaurant geschlossen hat, dachte ich, als ich die Treppen der Metrostation hinaufging.

Wenige Minuten später stieß ich die Tür zu der kleinen Buchhandlung auf, die ich vor ein paar Wochen auf der Flucht vor einem besorgten Polizisten zum erstenmal betreten hatte.

»So sieht man sich wieder«, sagte Monsieur Chagall, als ich zu ihm an die Kasse trat. Er immerhin hatte mich sofort wiedererkannt.

»Ja«, hatte ich geantwortet. »Dieser Roman hat mir sehr gut gefallen.«

Ich hatte es als ein gutes Zeichen angesehen, daß Robert Miller ausgerechnet in der Buchhandlung lesen würde, wo ich sein Buch gefunden hatte.

»Geht es Ihnen wieder besser?« hatte der alte Buchhändler gefragt. »Sie sahen damals so verloren aus.«

»Das war ich auch«, hatte ich geantwortet. »Aber in der Zwischenzeit ist viel passiert. Viel Schönes«, hatte ich hinzugesetzt. »Und alles hat mit diesem Buch angefangen.«

Ich betrachtete nachdenklich den Rotwein, der in meinem Glas schaukelte. »Weißt du, Bernadette, ich glaube, dieser Chabanais ist einfach total launisch«, sagte ich. »Manchmal kann er ganz charmant sein, dann überschlägt er sich geradezu – du hättest ihn mal erleben sollen in der *Coupole* –, und dann ist er wieder unfreundlich und griesgrämig. Oder er läßt sich verleugnen.«

Am Nachmittag hatte ich im Verlag angerufen, um mich bei André Chabanais zu beschweren und ihm mitzuteilen, daß ich mir meine Karten jetzt schon selbst gekauft hätte, aber leider war nur diese Sekretärin am Telefon gewesen, die mich abwimmelte und mir auf die Frage, wann der Cheflektor wieder zurückkäme, unwirsch erklärte, Monsieur Chabanais habe heute überhaupt keine Zeit mehr.

»Er sieht jedenfalls sehr sympathisch aus«, bemerkte Bernadette.

»Ja, das stimmt«, sagte ich und sah wieder die hellen blauen Augen des Engländers vor mir, der mich so ratlos angesehen hatte, als ich den verpatzten Termin in der *Coupole* ansprach. »Obwohl er jetzt einen Bart hat.«

Bernadette lachte auf. »Ich meinte eigentlich diesen Chabanais.« Ich warf ein Kissen nach ihr, und sie duckte sich schnell. »Aber der Engländer sieht auch ganz nett aus. Und ich fand ihn äußerst witzig, das muß ich schon sagen.«

»Ja, nicht wahr?« Ich setzte mich auf. »Die Lesung war sehr lustig. Aber er macht eigenartige Komplimente.« Ich kuschelte mich in die Sofakissen. »›Sie haben wundervolle Zähne‹, hat er gesagt, wie findest du das? Wenn er jetzt ›Augen‹ gesagt hätte oder ›Sie haben einen wunderschönen Mund‹.« Ich schüttelte den Kopf. »Man sagt doch einer Frau nicht, daß sie wundervolle *Zähne* hat.«

»Vielleicht sind englische Männer anders«, entgegnete Bernadette. »Jedenfalls finde ich sein Verhalten dir gegenüber merkwürdig. Entweder hat dieser Mann ein Gedächtnis wie ein Sieb, oder – ich weiß nicht – seine Frau war in der Nähe und er hat was zu verbergen.«

»Er lebt allein, du hast es doch gehört«, sagte ich. »Außerdem hat Chabanais mir erzählt, seine Frau habe ihn verlassen.«

Bernadette sah mich mit ihren großen dunkelblauen Augen an und runzelte die Stirn. »Irgendwas an dieser Sache stimmt nicht «, sagte sie. »Vielleicht gibt es ja eine ganz einfache Erklärung.«

Ich seufzte.

»Denk noch mal nach, Aurélie. Was *genau* hat dieser Miller am Ende gesagt?« fragte Bernadette.

»Na ja, am Schluß ging alles rasend schnell, weil Chabanais und dieser andere Typ so zum Aufbruch drängten. Die haben ihn ja abgeschirmt wie einen Politiker.« Ich überlegte. »Er hat irgendwie rumgestottert, daß er mir gerne den Brief geschrieben hätte, und dann sagte er: *Au revoir.* Auf Wiedersehen.«

»Na, immerhin«, meinte Bernadette und trank ihren Rotwein aus.

Als ich kurze Zeit später im Taxi saß und den erleuchteten Boulevard Saint-Germain entlangfuhr, schlug ich noch einmal das Buch auf, in das Miller mir seine Widmung geschrieben hatte:

Für Aurélie Bredin mit sehr herzlichen Grüßen von Robert Miller

Ich strich über die Signatur und starrte lange auf die großzügigen runden Buchstaben, als seien sie der Schlüssel zu Millers Geheimnis.

Und das waren sie auch. Nur daß ich in diesem Moment nicht erkannte, wieso.

12

Schon immer hat mich eine Szene aus dem alten Schwarzweiß-Film *Kinder des Olymp* besonders beeindruckt: Es ist
die letzte Einstellung, in welcher der verzweifelte Baptiste seiner großen Liebe Garance nachläuft und sie im
Gewühl des Straßenkarnevals schließlich verliert. Er geht
unter, kommt nicht durch, er wird umringt und geschubst
von der lachenden, tanzenden Menge, durch die er sich
taumelnd bewegt. Ein unglücklicher, verwirrter Mann in-
mitten fröhlicher Menschen, die ausgelassen feiern – das
ist ein Bild, das man nicht so leicht vergißt und das mir
wieder in den Sinn kam, als ich nach der Lesung mit Sam
Goldberg und den anderen in einem elsässischen Restaurant saß, das sich in der Nähe der Buchhandlung befand.

Der dicke Wirt plazierte uns an einen großen Tisch
an der Rückwand des Lokals und knallte vergnügt Besteck und Gläser vor uns hin. Alle schienen guter Dinge
und bestens gelaunt, es wurde getrunken, gescherzt und
gefeiert, der Zahnarzt gerierte sich als *Everybody's Dar-
ling*, und am Ende waren dann alle glücklich im Wein
vereint – nur ich war der unglückselige Baptiste, der wie
ein Außerirdischer dazwischensaß, weil für ihn die Dinge nicht ganz so wunderbar gelaufen waren.

»Mann, war die sauer«, hatte Adam mir zugeraunt, als wir die *Librairie Capricorne* verließen und sein Bruder uns immer wieder fragte, wer die schöne Frau im roten Kleid gewesen war.

Adam hatte ihm erklärt, daß es bei Lesungen durchaus vorkommen konnte, daß begeisterte Fans einem Autor schöne Augen machten.

»*Wow!*« hatte der Zahnarzt ausgerufen und dann hinzugefügt, daß es ihm immer besser gefalle, ein Autor zu sein. »Vielleicht sollte ich wirklich eine Büch schreiben, was meint ihr?«

»Um Gottes willen, untersteh dich!« hatte Adam gesagt.

Ich blieb stumm und wurde im Laufe des Abends immer stummer.

Mit Aurélie Bredin hatte ich es mir jedenfalls verscherzt – als der nette Cheflektor André Chabanais, der immer hilfreich zur Stelle war. Und nun hatte sich auch noch der fabelhafte Robert Miller gründlich blamiert.

Nach dem peinlichen Auftritt, den unser Eigentlich-Nicht-Autor an den Tag gelegt hatte, war ich mir nicht mehr sicher, ob die Attraktivität des Engländers nicht doch erheblich gelitten hatte. »Oh ja, die *Coupole. Lovely place, very lovely!*« Sie mußte ihn ja für schwachsinnig halten. Und dann die Sache mit den Zähnen! Man konnte nur hoffen, daß Aurélie nicht davon Abstand nahm, Robert Miller in ihr Restaurant einzuladen. Dann hatte ich nämlich gar keine Chance mehr.

Ich starrte auf meinen Teller und hörte die anderen wie aus weiter Ferne.

Irgendwann fiel es sogar Jean-Paul Monsignac auf, der sich mit unserem Autor prächtig amüsierte. Er prostete mir zu und fragte: »Was ist los, André? Sie sagen ja gar nichts!«

Ich entschuldigte mich mit Kopfschmerzen.

Am liebsten wäre ich sofort nach Hause gegangen, aber ich hatte das Gefühl, Robert Miller im Auge behalten zu müssen.

Adam, der einzige, mit dem ich hätte reden wollen, saß am anderen Ende des Tisches. Ab und zu warf er mir einen aufmunternden Blick zu, und als wir Stunden später endlich aufbrachen, versprach er, am nächsten Morgen, vor seiner Abreise nach London, noch kurz bei mir vorbeizukommen.

»Aber allein«, sagte ich. »Wir müssen reden.«

Ich war gerade dabei, meinen neuen Brief von Robert Miller an Aurélie Bredin zu zerreißen, als es schellte. Ich warf den Umschlag in den Papierkorb und drückte auf den Türöffner. Eigentlich hatte ich diesen Brief, der eine konkrete Zusage für das Essen im *Temps des Cerises* enthielt, Adam mitgeben wollen, doch nach den gestrigen Ereignissen hatte sich der Inhalt überholt. Ich hatte die halbe Nacht wachgelegen und darüber nachgedacht, was nun zu tun war. Und ich hatte eine Idee.

Als Adam hereinkam, warf er einen Blick auf das Chaos im Flur, wo immer noch der zerbrochene Spiegel lag und der Scherbenhaufen, den ich am Vortag eilig zusammengekehrt hatte.

»Oh, was ist denn hier passiert?« sagte er. »Hattest du einen Wutanfall?«

»Nein. Der Spiegel ist gestern morgen runtergekommen – auch noch!« erklärte ich.

»Sieben Jahre Unglück«, meinte Adam und grinste.

Ich nahm meinen Wintermantel vom Haken und machte die Tür auf.

»Das will ich nicht hoffen«, sagte ich. »Komm, laß uns irgendwo frühstücken gehen, ich hab nichts im Haus.«

Wir gingen die paar Schritte bis ins *Vieux Colombier* und gingen an der Theke vorbei ganz nach hinten durch, wo die Holzbänke und die großen Tische stehen. Wie oft hatte ich hier schon mit Adam gesessen, und wir hatten über Buchprojekte gesprochen und über die Veränderungen in unserem Leben.

»Adam, du bist mein Freund«, sagte ich, als der Kellner unser Frühstück brachte.

»Okay«, sagte Adam. »Sag schon, was du willst. Geht es um den Brief an Mademoiselle Bredin, den ich einwerfen soll? Das ist kein Problem. Nachdem ich die Kleine jetzt gesehen habe, kann ich zumindest verstehen, warum du so auf sie abfährst.«

»Nein«, sagte ich. »Das mit dem Brief ist keine gute Idee, nicht nach gestern abend. Außerdem dauert mir das alles viel zu lange. Ich will jetzt Nägel mit Köpfen machen.«

»Aha«, sagte Adam und biß in sein Schinkenbaguette. »Und was kann ich dazu beitragen?« fragte er kauend.

»Du mußt bei ihr anrufen«, sagte ich. »Als Robert Miller.«

Adam verschluckte sich fast. »*You are crazy, man*«, sagte er dann.

»Nein, ich bin nicht verrückt.« Ich schüttelte den Kopf. »Du und Sam, ihr habt doch fast die gleiche Stimme, und du kannst einfach ein bißchen radebrechen, das ist doch nun wirklich nicht schwer. Bitte, Adam, du mußt mir diesen Gefallen tun.«

Und dann erklärte ich ihm meinen neuen Plan. Adam sollte abends von England aus im *Temps des Cerises* anrufen. Er sollte sich bei Aurélie Bredin entschuldigen und sagen, er wäre einfach völlig überwältigt gewesen, als er sie gesehen hätte, und dann hätten so viele Leute um ihn herumgestanden, und er habe nichts Falsches sagen wollen.

»Erzähl ihr irgend so einen Schmu, umgarne sie mit deinem Gentleman-Charme und sorge einfach dafür, daß Robert Miller wieder rehabilitiert ist. Du machst das schon.« Ich trank meinen Espresso. »Wichtig ist, daß du den Termin festklopfst. Sag ihr, daß du dich auf ein Essen zu zweit freust. Schlag ihr den sechzehnten Dezember vor, weil du da in Paris zu tun hast und den ganzen Abend Zeit für sie hast.«

Der sechzehnte Dezember war in zweierlei Hinsicht perfekt. Zum einen hatte Aurélie Bredin an diesem Tag Geburtstag, zum anderen hatte ich herausgefunden, daß das Restaurant wie an jedem Montag auch an diesem Tag geschlossen hatte. *Normalerweise* geschlossen hatte.

Das vergrößerte die Wahrscheinlichkeit, daß ich mich mit Aurélie Bredin allein im *Temps des Cerises* wiederfinden würde.

»Ach, und noch etwas, Adam. Laß durchblicken, daß sie den Termin für sich behalten soll. Sag, daß dieser Lektor sich sonst möglicherweise auch noch dranhängt, wenn er erfährt, daß sein Autor in der Stadt ist. Das macht die ganze Sache am Ende noch glaubwürdiger.«

Falls es nämlich zu einem Treffen am sechzehnten Dezember kam (wovon ich optimistischerweise einfach mal ausging), würde Adam abends noch einmal anrufen.

Dieses Mal allerdings als Adam Goldberg, der im Auftrag von Miller absagte.

Der Grund für diese Absage war genial – ich beglückwünschte mich selbst zu meinem Einfall, den ich nachts um halb drei gehabt hatte –, denn er würde Aurélie Bredins Stolz treffen und ihr die Möglichkeit nehmen, noch einmal mit Robert Miller in Kontakt zu treten. Was aber nicht weiter schlimm war, denn der Retter, der sie trösten würde in Einsamkeit und Schmerz, stand ja schon in den Startlöchern, beziehungsweise vor dem Restaurant.

»*Mon ami*, da hast du dir aber eine Menge vorgenommen, das klingt wie eine schlechte amerikanische Filmklamotte. Du weißt aber schon, daß solche Rechnungen nie aufgehen, oder?« Adam lachte.

Ich beugte mich vor und sah ihn eindringlich an. »Adam, mir ist es wirklich ernst. Wenn ich etwas will im Leben, dann ist es diese Frau. Alles, was ich brauche, ist ein ungestörter Abend mit ihr. Ich brauche eine *echte* Chance, verstehst du? Und wenn ich dafür ein bißchen an der Wahrheit drehen muß, dann tue ich das. Was interessieren mich ein paar verschnarchte Amerikaner, wir Franzosen nennen das *corriger la fortune*.«

Ich lehnte mich zurück und sah durch die dunkelgrünen Eisenverstrebungen des Cafés hinaus in den Pariser Morgen. »Manchmal muß man dem Glück eben einen kleinen Schubs in die richtige Richtung geben.«

13

»Mademoiselle Bredin, Mademoiselle Bredin«, rief jemand hinter mir, als ich aus dem Haus trat und den steinernen Durchgang betrat, der auf den Boulevard Saint-Germain führte. Ich drehte mich um und sah einen großen Mann mit dunklem Wintermantel und rotem Schal aus der Dunkelheit auftauchen.

Es war später Nachmittag und ich war auf dem Weg ins Restaurant. Und der Mann war André Chabanais.

»Was machen Sie denn hier«, fragte ich erstaunt.

»Wie der Zufall so spielt – ich komme gerade von einem Termin.« Er zeigte auf das *Procope* und lächelte. »Mein Büro ist allmählich so vollgestopft mit Manuskripten und Büchern, daß ich dort nicht mehr als eine Person empfangen kann.« Er schwenkte seine lederne Manuskripttasche. »Na, das ist ja eine freudige Überraschung.« Dann sah er sich um. »Sie wohnen wirklich in einer schönen Gegend.«

Ich nickte und marschierte unbeeindruckt weiter. Meine Freude, den Cheflektor zu sehen, hielt sich in Grenzen.

Er ging neben mir her. »Darf ich Sie ein Stück begleiten?«

»Das tun Sie ja bereits«, erwiderte ich gereizt und beschleunigte meine Schritte.

»Oh je, Sie sind mir immer noch böse wegen gestern abend, was?« fragte er.

»Bisher habe ich noch keine Entschuldigung gehört«, sagte ich und bog auf den Boulevard ein. »Erst laden Sie mich in die *Coupole* ein. Dann informieren Sie mich nicht einmal, wenn Miller eine Lesung hat. Was soll das für ein Spiel sein, Monsieur Chabanais?«

Schweigend gingen wir nebeneinander die Straße entlang.

»Hören Sie, Mademoiselle Bredin, es tut mir wirklich leid. Das kam sehr überraschend mit der Lesung, und natürlich *wollte* ich Ihnen Bescheid geben … Aber dann ist immer wieder etwas dazwischengekommen, und am Ende habe ich es schlicht vergessen.«

»Sie wollen mir erzählen, daß Sie nicht die dreißig Sekunden gehabt haben, die es braucht, um zu sagen: ›Mademoiselle Bredin, die Lesung mit Miller ist am Montag um zwanzig Uhr‹? Und am Ende haben Sie es *vergessen*? Was soll das für eine Entschuldigung sein? Dinge, die einem wichtig sind, vergißt man nicht.« Ich ging ärgerlich weiter. »Und dann haben Sie sich noch verleugnen lassen, als ich im Verlag angerufen habe.«

Er griff nach meinem Arm. »Nein, das ist nicht wahr! Man hat mir ausgerichtet, daß Sie angerufen haben, aber ich war wirklich nicht da.«

Ich schüttelte seine Hand ab. »Ich glaube Ihnen kein Wort, Monsieur Chabanais. Sie haben mir doch selbst in der *Coupole* erzählt, wie Sie Ihre Sekretärin immer die lästigen Anrufer abwimmeln lassen, wie Sie da stehen und ihr Zeichen machen ... Und das bin ich doch für Sie, nicht wahr – ein lästiger Anrufer!« Ich weiß selbst nicht, warum ich mich eigentlich so aufregte. Vielleicht lag es daran, daß die Lesung gestern abend mit einer Enttäuschung geendet hatte und ich dem Cheflektor die Schuld daran gab, obwohl er strenggenommen auch nichts dafür konnte.

»Meine Mutter hatte gestern einen Unfall, und ich war den ganzen Nachmittag im Krankenhaus«, sagte André Chabanais. »Das ist die Wahrheit, und Sie sind alles andere für mich als ein lästiger Anrufer, Mademoiselle Bredin.«

Ich blieb stehen. »Ach du meine Güte«, sagte ich betroffen. »Das ... das tut mir sehr leid.«

»Glauben Sie mir jetzt?« fragte er und sah mir direkt in die Augen.

»Ja.« Ich nickte und wandte schließlich verlegen den Blick ab. »Ich hoffe, es ist alles in Ordnung ... mit Ihrer Mutter«, sagte ich.

»Es geht schon wieder. Sie ist von der Rolltreppe gestürzt und hat sich das Bein gebrochen.« Er schüttelte den Kopf. »Gestern war nicht gerade mein Glückstag, wissen Sie?«

»Da sind wir ja schon zwei«, sagte ich.

Er lächelte. »Es ist natürlich trotzdem unverzeihlich, daß ich Ihnen nicht Bescheid gesagt habe.« Wir setzten unseren Weg fort, an den beleuchteten Schaufenstern des Boulevards vorbei, und wichen einer Gruppe von Japanern aus, die von einer Reiseleiterin mit einem roten Regenschirm durch die Stadt geführt wurde. »Wie haben Sie eigentlich von der Lesung erfahren?«

»Eine Freundin von mir wohnt auf der Île Saint-Louis«, sagte ich. »Sie hat das Plakat gesehen. Und glücklicherweise habe ich montags meinen freien Tag.«

»Na, Gott sei Dank«, sagte er.

Ich blieb an einer Ampel stehen. »So«, sagte ich. »Hier trennen sich unsere Wege.« Ich zeigte in Richtung Rue Bonaparte. »Ich muß jetzt hier rüber.«

»Gehen Sie ins Restaurant?« André Chabanais blieb auch stehen.

»Sie haben es erraten.«

»Irgendwann komme ich auch mal ins *Temps des Cerises*«, sagte er. »Das ist wirklich ein sehr romantisches Plätzchen.«

»Tun Sie das«, entgegnete ich. »Vielleicht mit Ihrer Mutter, wenn sie wieder aus dem Krankenhaus heraus ist.«

Er zog ein Gesicht. »Sie gönnen mir auch gar keinen Spaß, was?«

Ich grinste und die Ampel wurde grün. »Ich muß los, Monsieur Chabanais«, sagte ich und wandte mich zum Gehen.

»Warten Sie, sagen Sie mir noch, ob es irgend etwas gibt, womit ich mein Versäumnis wieder gut machen kann«, rief er, als ich den Zebrastreifen betrat.

»Lassen Sie sich etwas einfallen!« rief ich zurück. Dann lief ich über die Straße und winkte ihm noch einmal zu, bevor ich den Weg zur Rue Princesse einschlug.

»Was machst du eigentlich an Weihnachten«, fragte Jacquie, als ich ihm in der Küche bei der Zubereitung des *Bœuf Bourguignon* half, das heute auf dem Menu stand. Paul, der Sous-Chef, war zwar wieder gesund, aber er kam heute etwas später.

Wir hatten das Fleisch portionsweise in zwei Pfannen angebraten, damit es schön bräunte, und jetzt tat ich es in den großen Bräter und stäubte etwas Mehl darüber.

»Keine Ahnung«, sagte ich. Erst in diesem Moment wurde mir bewußt, daß es das erste Weihnachten sein würde, an dem ich wirklich allein war. Eine seltsame Vorstellung. Auch das Restaurant hatte ab dem dreiundzwanzigsten Dezember geschlossen und machte erst wieder in der zweiten Januarwoche auf. Ich rührte mit einem Holzlöffel in dem Topf und wartete, bis sich das Mehl mit dem Fett verband. Dann goß ich den Burgunder darüber. Der Wein zischte kurz auf, der Geruch des kräftigen Rotweins schlug mir angenehm entgegen, dann köchelten die Fleischstücke in der dunklen Sauce.

Jacquie kam mit den geschnittenen Karotten und den Pilzen zu mir und strich das Gemüse von dem großen Holzbrett.

»Du könntest mit in die Normandie kommen«, sagte er. »Ich bin bei meiner Schwester, die hat eine große Familie, und an Weihnachten geht es immer sehr turbulent zu, es kommen gute Freunde vorbei, Nachbarn …«

»Das ist sehr lieb von dir, Jacquie, aber ich weiß nicht … Ich habe mir eigentlich noch gar keine Gedanken gemacht. Dieses Jahr ist sowieso alles anders …«

Ich merkte, wie ich plötzlich einen Kloß im Hals hatte, und räusperte mich. Jetzt nur nicht sentimental werden, das führt zu gar nichts, befahl ich mir streng. »Ich mach's mir schon irgendwie gemütlich. Ich bin ja schließlich kein kleines Mädchen mehr«, sagte ich und sah mich im Geiste schon einsam vor meiner *Bûche de Noël* sitzen, dieser köstlichen Schokoladen-Biskuitrolle, die an Weihnachten gerne zum Nachtisch gereicht wird und die Papa immer mit großem Trara auf den Tisch brachte, wenn alle bereits sagten, sie würden gleich platzen vom großen Weihnachtsschmaus.

»Für mich wirst du immer das kleine Mädchen bleiben«, sagte Jacquie und legte seinen schweren Arm um meine Schultern. »Mir wäre es irgendwie wohler ums Herz, wenn du mit ans Meer kommst, Aurélie. Was willst du hier allein in Paris, wo es immer nur regnet? An Weihnachten ist es nicht schön, allein zu sein.«

Er schüttelte besorgt den Kopf, und seine weiße Kochmütze wackelte bedrohlich. »Ein paar Tage diese herrlich klare Luft und ein paar Spaziergänge am Strand würden dir gut tun. Außerdem habe ich versprochen zu kochen, und da könnte ich deine Hilfe gut gebrauchen.« Er sah mich an. »Versprich mir, daß du es dir überlegst, Aurélie … ja?«

Ich nickte gerührt. »Versprochen«, entgegnete ich mit belegter Stimme. Der gute alte Jacquie!

»Und weißt du, was das Beste ist, da unten?« fragte er und ich fiel lächelnd in seine nächsten Worte ein: »Man kann ganz weit gucken!«

Ich schmeckte die Sauce mit einem großen Holzlöffel ab. »Da kann ruhig noch Rotwein rein«, sagte ich und goß etwas von dem Burgunder nach. »So, ab damit in den Ofen!« Ich sah auf die Uhr. »Oh, ich muß eindecken.« Ich band mir die Schürze ab, löste das Kopftuch und schüttelte meine Haare auf. Dann ging ich zu dem kleinen Wandspiegel neben der Küchentür und zog mir die Lippen nach.

»Schöner wirst du nicht«, sagte Jacquie, und ich ging ins Restaurant. Wenige Minuten später kam Suzette, und gemeinsam deckten wir die Tische ein, stellten Wein- und Wassergläser auf den Tisch und falteten die weißen Stoffservietten. Ich warf einen Blick in das Reservierungsbuch. In den nächsten Wochen würde eine Menge Arbeit auf uns zukommen, und ich mußte dringend noch eine Kraft im Service anheuern.

Im Dezember ging es Schlag auf Schlag, und eigentlich war das kleine Restaurant fast jeden Abend ausgebucht.

»Heute haben wir eine Weihnachtsfeier, sechzehn Personen«, sagte ich zu Suzette, »ist aber unproblematisch, die nehmen alle das Menu.«

Suzette nickte und schob die Tische an der Wand zusammen.

»Beim Nachtisch müssen wir darauf achten, daß alle gleichzeitig ihre *Crêpes Suzette* bekommen. Jacquie kommt aus der Küche und flambiert am Wagen.«

Wenn der Küchenchef persönlich in Erscheinung trat, um am Tisch die *Crêpes Suzette* in einer Kupferpfanne vor den Augen der Gäste zu flambieren, und mit großer Geste die Orangen filetierte und in Scheiben schnitt, um sie dann mit Mandeln zu bestreuen und mit Grand Marnier zu übergießen, war das immer eine besondere Attraktion, und das halbe Restaurant schaute zu, wie die bläulichen Flammen für ein paar Sekunden hochzüngelten.

Ich überprüfte gerade das Besteck, als das Telefon klingelte. »Geh du dran, Suzette«, sagte ich. »Für heute abend keine Reservierungen mehr annehmen.«

Suzette ging zum Telefon, das an der Rückseite des Restaurants neben der Kasse stand. »*Le Temps des Cerises, bonsoir*«, zwitscherte sie ins Telefon und dehnte ihr *bonsoir* zu einer Frage. »*Oui, Monsieur*, einen Moment, bitte«, sagte sie dann und winkte mir zu. »Für dich, Aurélie.« Sie hielt mir den Hörer entgegen.

»Ja, bitte?« sagte ich ahnungslos.

»Äh … Bong soir – sprekke ich da mit Mademoiselle Aurélie Bredin«, sagte eine Stimme mit unverkennbar englischem Akzent.

»Ja.« Ich merkte, wie mir das Blut in den Kopf schoß. »Ja, hier ist Aurélie Bredin.« Ich drehte mich zu der Holztheke, auf der das Reservierungsbuch aufgeschlagen lag.

»Oh, Mademoiselle Bredin, ich bin so glucklich, daß ich Ihnen erreiche, hier ist Robert Miller, ich hatte nur die Nümmer herausgefunden von der Restaurant. Store ich Ihnen gerade sehr?«

»Nein«, sagte ich und mein Herz klopfte mir bis zum Hals. »Nein, nein, Sie stören überhaupt nicht, das Restaurant öffnet erst in einer halben Stunde. Sind Sie ... sind Sie noch in Paris?«

»Oh, nein, leider nicht«, entgegnete er. »Ich mußte gleich fruh am Morgen zuruck nach Ingland. Hören Sie, Mademoiselle Bredin ...«

»Ja?« stieß ich hervor und hielt den Hörer fest an mein Ohr gedrückt.

»Es tut mir so wahnsinnig leid wegen gestern abend«, sagte er. »Ich ... meine Gute! ... ich war wie von der Donner geruhrt, als Sie plötzlich vor mich standen wie vom Himmel gefallt. Ich konnte Sie immer nur anschauen, Sie waren so wunderschön in Ihre rote Kleid – wie von eine andere Galaxie ...«

Ich atmete tief durch und biß mir auf die Lippe. »Und ich habe schon gedacht, Sie würden sich gar nicht mehr an mich erinnern«, sagte ich erleichtert.

»Nein, nein«, rief er aus. »Bitte, das durfen Sie nikt denken! Ich erinnere alles – Ihre schone Brief, das Bild! Ich konnte in der ersten Moment nur nikt glauben, daß Sie es *wirklich* sind, Aurélie. Und ich war so ganz verwirrt von all diese viele Menschen, die alle wollten was von mich, und meine Lektor und die Agent, sie haben immer so geguckt und alles zugehort, was wir sprachen.

Und ich war plötzlich ganz unsicher, was ich sagen könnte.« Er seufzte. »Und jetzt habe ich solche Ongst, daß Sie mir halten für eine große Idiot ...«

»Aber nein«, erwiderte ich mit heißen Ohren. »Es ist alles gut.«

»Mein Gute, bin ich beklopft gewesen. Bitte, Sie mussen mir entschuldigen. Ich bin nicht so gut mit viele Leute, wissen Sie«, sagte er zerknirscht. »Seien Sie nikt böse mit mich.«

Mon Dieu, war der süß! »Natürlich bin ich Ihnen nicht böse, Mr. Miller«, beeilte ich mich zu sagen.

Ich hörte hinter mir ein Geräusch und sah Suzette, die unser Gespräch mit wachsendem Interesse verfolgte. Ich beschloß, sie zu ignorieren, und beugte mich über das Reservierungsbuch.

Robert Miller gab einen erleichterten Laut von sich. »Das ist *so* nett von Ihnen, Aurélie – kenn ich Aurélie sagen?«

»Ja, natürlich.« Ich nickte und hätte immer so weiter telefonieren können.

»Aurélie ... darf ich denn überhaupt noch hoffen auf eine Essen mit Sie? Oder wollen Sie mir jetzt nicht mehr einladen in Ihre süße kleine Restaurant?«

»Doch, natürlich will ich das, ich will!« rief ich aus und sah direkt das Fragezeichen in den Augen von Suzette, die sich noch immer hinter mir zu schaffen machte. »Sie müssen einfach sagen, wann Sie können.«

Robert Miller schwieg einen Moment, und ich hörte Papier rascheln. »Geht es an der sechzehnte Dezember?«

sagte er dann. »Da habe ich tagsüber in der Nähe von Paris zu tun, aber der Abend gehört Ihnen.«

Ich schloß die Augen und lächelte. Am sechzehnten Dezember war mein Geburtstag. Und es war ein Montag. Wie es aussah, passierten im Moment alle wichtigen Dinge in meinem Leben an einem Montag.

An einem Montag hatte ich Millers Buch in der kleinen Buchhandlung gefunden. An einem Montag war ich im *La Palette* dem ungetreuen Claude mit seiner schwangeren Freundin begegnet. An einem Montag hatte ich auf einer Lesung, von der ich noch rechtzeitig erfahren hatte, Robert Miller zum erstenmal gesehen. An einem Montag, der auch noch mein Geburtstag war, würde ein kleines privates Essen mit einem höchst interessanten Autor stattfinden. Wenn das so weiterging, würde ich auch noch an einem Montag heiraten und an einem Montag sterben, und Mrs. Dinsmore würde mein Grab mit ihrer Gießkanne begießen.

Ich lächelte.

»Hello, Mademoiselle Aurélie? Sind Sie noch dran?« Millers Stimme klang beunruhigt. »Wenn der Montag kein guter Tag für Sie ist, dann suchen wir einen anderen Termin. Aber das Essen müss stattfinden, da besteh ich drauf.«

»Das Essen *findet* statt.« Ich lachte glücklich. »Am Montag, den sechzehnten Dezember, um acht Uhr. Ich freue mich auf Sie, Monsieur Miller!«

»So sehr wie ich mir freue, konnen Sie sich gar nicht freuen«, sagte er.

Dann setzte er zögernd hinzu: »Darf ich Sie noch um eine kleine Gefallen bitten, Mademoiselle Aurélie? Sagen Sie André Chabanais bitte nikts von unsere Verabredung. Er ist sehr nett, aber er ist manche Mal so ... wie sagt man ... okkupativ. Wenn er weiß, daß ich in Paris bin, will er mir auch sehen und dann haben wir nachher nikt genug Zeit für uns ...«

»Seien Sie unbesorgt, Mr. Miller. Ich werde schweigen wie ein Grab.«

Als ich auflegte, sah mich Suzette mit großen Augen an.

»*Mon Dieu*, wer *war* dieser Mann«, fragte sie. »Hat er dir einen Antrag gemacht, oder was?«

Ich lächelte. »Das war der Mann, der am sechzehnten Dezember hier mein Gast ist«, sagte ich. »Und zwar mein *einziger* Gast!«

Und mit diesen kryptischen Worten ließ ich die erstaunte Suzette stehen und schloß die Restauranttür auf.

Das Treffen mit Robert Miller würde mein kleines Geheimnis bleiben.

Nicht ohne Grund wird Paris auch die Stadt des Lichts genannt. Und ich finde, besonders im Dezember trägt Paris diesen Namen zu Recht.

So grau der November auch gewesen war mit seinem vielen Regen und jenen Tagen, an denen man das Gefühl hatte, daß es gar nicht mehr richtig hell wurde – im Dezember verwandelte sich Paris wie jedes Jahr in ein einziges funkelndes Lichtermeer. Man hatte geradezu den Eindruck, daß eine Fee durch die Straßen geflogen war und die Häuser der Stadt mit Sternenstaub überschüttet hatte. Und wenn man am Nachmittag oder Abend durch Paris fuhr, erstrahlte die weihnachtlich dekorierte Stadt in der Dunkelheit wie ein einziges Märchen in Silber und Weiß.

Die knorrigen Bäume der Champs-Élysées waren mit Tausenden von kleinen Lichtern geschmückt; Kinder und auch Erwachsene standen staunend vor den Schaufenstern der *Galeries Lafayette*, des *Printemps* oder des kleinen, aber feinen Kaufhauses *Bon Marché* und bestaunten die glitzernden Dekorationen; auf den kleinen Straßen und den großen Boulevards sah man die Menschen mit ihren mit Schleifen und Bändchen versehenen Papiertüten, in denen die Weihnachtsgeschenke verpackt worden waren; vor den Museen standen keine langen Schlangen mehr – selbst im Louvre konnte man an jenen letzten Wochenenden vor Weihnachten mühelos zur *Mona Lisa* vordringen und ihr unergründliches Lächeln bestaunen. Und über allem erstrahlte der Eiffelturm – dieses mächtige und doch filigrane Wahrzeichen der Stadt, Fluchtpunkt aller Liebenden, die zum erstenmal nach Paris kommen.

Ich war zweimal mit der kleinen Marie dorthin zum Schlittschuhlaufen gegangen. *Patiner sur La Tour Eiffel* verkündete das himmelblaue Plakat, das einen gemalten weißen Eiffelturm und davor ein altmodisches Schlittschuhläuferpaar zeigte. Marie hatte darauf bestanden, die Eisenstufen bis zur ersten Ebene zu Fuß hinaufzugehen. Ich war seit Jahren nicht mehr auf dem Eiffelturm gewesen und hielt bei unserem Aufstieg immer wieder inne, um durch die Eisenverstrebungen hinunterzu- schauen, die aus nächster Nähe riesenhaft wirken. Die kalte Luft und der Aufstieg nahmen mir den Atem, aber dann waren wir oben und drehten auf dem Eis unsere Runden, flogen mit geröteten Wangen und glänzenden Augen über der funkelnden, glitzernden Stadt dahin, und ich hatte für Momente das Gefühl, selbst wieder ein Kind zu sein.

Irgend etwas ist an diesem Weihnachten, das uns im- mer wieder auf uns selbst zurückwirft, auf unsere Er- innerungen und Wünsche, auf unsere kindliche Seele, die noch immer staunend und mit großen Augen vor dieser geheimnisvollen Türe steht, hinter der das Wun- der wartet.

Raschelndes Papier, geflüsterte Worte, brennende Kerzen, geschmückte Fenster, der Geruch nach Zimt und Nelken, Wünsche, die auf Zettel geschrieben oder in den Himmel gesprochen werden und sich vielleicht erfüllen – Weihnachten weckt, ob man es will oder nicht, diesen ewigen Wunsch nach dem Wunderbaren. Und dieses Wunderbare ist nichts, was man besitzen oder festhalten kann, es *gehört* einem nicht und ist doch immer wieder da, wie etwas, das einem geschenkt wird.

Ich lehnte meinen Kopf versonnen gegen die Fen- sterscheibe des Taxis, das gerade die Seine überquerte, und blickte auf den Fluß, der in der Sonne glitzerte. Auf meinem Schoß lag, in Seidenpapier eingewickelt, der rote Mantel. Bernadette, bei der ich am Morgen zum Frühstück eingeladen gewesen war, hatte ihn mir zum Geburtstag geschenkt.

Alles in allem hatte dieser sechzehnte Dezember sehr verheißungsvoll begonnen – er begann eigentlich schon am Abend zuvor, als wir, nachdem die letzten Gäste gegen halb eins das Restaurant verlassen hatten, mit einem Champagner alle auf meinen dreiunddreißigsten Geburtstag angestoßen hatten: Jacquie, Paul, Claude, Marie und Pierre, unser neuer Küchenjunge, mit sechzehn der Jüngste von uns allen, Suzette, die den ganzen Abend über schon Andeutungen gemacht hatte, daß es noch eine Überraschung für mich geben würde, und Juliette Meunier, die seit der zweiten Dezemberwoche fast jeden Abend beim Bedienen half.

Jacquie hatte eine köstliche Schokoladentorte mit Himbeeren zubereitet, von der wir noch ein Stück aßen; er war es auch, der mir im Namen von allen einen großen Strauß Blumen überreichte. Es hatte bunt eingewickelte Päckchen für mich gegeben – ein dicker Schal mit dazu passenden Strickhandschuhen von Suzette, ein kleines Notizbuch mit orientalischem Muster von Paul, und von Jacquie ein Samtsäckchen mit Muscheln, in dem sich eine Zugfahrkarte befand.

Es war ein schöner, nahezu familiärer Moment gewesen, als wir alle in dem leeren Restaurant standen und mit Champagner mein neues Lebensjahr einläuteten. Und als ich gegen zwei Uhr die Bettdecke über mich zog, schlief ich mit dem Gedanken ein, daß ich am

Abend ein aufregendes Rendezvous mit einem gutaussehenden Schriftsteller haben würde, den ich eigentlich nicht kannte, aber doch zu kennen glaubte.

Der Taxifahrer fuhr über eine Bodenschwelle, und das Papier, in das der Mantel eingewickelt war, raschelte.

»Du bist verrückt«, hatte ich ausgerufen, als ich das große Päckchen auspackte, das auf dem Frühstückstisch gelegen hatte. »Der rote Mantel! Du bist wirklich verrückt, Bernadette, das ist doch viel zu teuer!«

»Er soll dir Glück bringen«, hatte Bernadette geantwortet, als ich sie fest und mit Tränen in den Augen umarmte. »Heute abend ... und immer, wenn du ihn trägst.«

Und so kam es, daß ich am frühen Nachmittag des sechzehnten Dezembers in einem karmesinroten Mantel vor dem *Temps des Cerises* stand, das montags eigentlich geschlossen hatte – eine Abenteurerin, eingehüllt in den Duft von *Heliotrop* und die Farbe des Glücks.

Eine halbe Stunde später stand ich in der Küche und bereitete das Essen zu. Es war mein Geburtstagsessen, aber mehr noch war es das Menu, mit dem ich mich dafür bedanken wollte, daß ein schrecklich unglücklicher Novembertag mit einem versonnenen Lächeln geendet hatte – einem Lächeln, das den Weg für etwas Neues bereiten würde.

Und nicht zuletzt war es natürlich auch das erste Essen mit Robert Miller.

Ich hatte lange überlegt, mit welchen kulinarischen Genüssen ich den englischen Schriftsteller beeindrukken wollte – und war am Ende doch bei dem *Menu d'amour* gelandet, das mein Vater mir hinterlassen hatte.

Dieses Menu war sicherlich nicht das Raffinierteste, was die französische Küche zu bieten hatte, aber es hatte zwei unschlagbare Vorzüge: Es war leicht, und ich konnte es perfekt vorbereiten, so daß ich während des Essens meine ungeteilte Aufmerksamkeit jenem Mann zuteil werden lassen konnte, dessen Ankunft ich – ich gebe es zu – mit Spannung erwartete.

Ich band mir die weiße Schürze um und packte die Tüten aus, die ich mittags auf dem Markt gefüllt hatte: frischer Feldsalat, zwei Selleriestangen, Orangen, Makadamianüsse, kleine weiße Champignons, ein Bund Möhren, rote Zwiebeln, glänzende, fast schwarze Auberginen und zwei leuchtendrote Granatäpfel, Lammfleisch und Schinkenspeck. Kartoffeln, Sahne, Tomaten, Gewürze und Baguette gab es im Vorrat der Küche immer, und das etwas herbe Blutorangenparfait mit Zimt, das zusammen mit den *Gâteaux au chocolat* den krönenden Abschluß des *Menu d'amour* bildete, hatte ich schon am Abend vorher zubereitet.

Als Vorspeise würde es Feldsalat mit frischen Champignons, Avocados, Makadamianüssen und kleinen scharf angebratenen Schinkenspeckwürfelchen geben. Und darüber kam – und das war das Besondere – Papas köstliche Kartoffelvinaigrette.

Zunächst aber mußte ich mich um das Lammragout kümmern, denn je länger es im Ofen bei schwacher Hitze schmorte, desto zarter wurde das Fleisch.

Ich wusch das rosafarbene Lammfleisch und tupfte es behutsam mit einem Geschirrhandtuch trocken, bevor ich es würfelte, in Olivenöl anbriet und zur Seite stellte. Dann blanchierte ich die Tomaten in kochendem Wasser, zog die Haut ab und entkernte das Fruchtfleisch.

Die Tomaten würden erst ganz am Schluß zusammen mit dem Weißwein in den Schmortopf kommen, damit ihr starkes Aroma das übrige Gemüse nicht zu stark dominierte. Ich holte mir ein Glas und goß mir etwas von dem Pinot Blanc ein, den ich auch zum Kochen nehmen würde.

Leise summend schnitt ich die Granatäpfel auf und holte die Kerne mit einer Gabel heraus. Sie rollten mir entgegen wie schimmernde rote Süßwasserperlen. Ich war es gewohnt, schnell zu kochen, doch wenn ich mir wie an diesem Tag viel Zeit für die Zubereitung der Speisen nahm, wurde das Kochen eine nahezu poetische Angelegenheit, in der ich mich völlig verlieren konnte. Meine anfängliche Aufregung legte sich mit jedem Handgriff mehr und mehr, und hatte ich mir anfangs noch ausgemalt, wie der Abend mit Robert Miller wohl verlaufen würde, und mir überlegt, was ich ihn fragen wollte, so fand ich mich nach einer Weile mit erhitzten Wangen und in gelöster Stimmung wieder.

Der köstliche Duft des Lammragouts erfüllte die Küche. Es roch nach Thymian und Knoblauch. Die kleinen Blättchen des Feldsalats lagen gewaschen und geputzt in einem großen Edelstahlsieb, die Champignons waren in hauchdünne Scheiben geschnitten, die Avocados gewürfelt. Ich schmeckte die Kartoffelvinaigrette ab und stellte die kleinen *Gâteaux au chocolat*, die darauf warteten, zu Ende gebacken zu werden, auf die Metallanrichte. Dann band ich mir die Schürze ab und hängte sie an den Haken. Es war kurz nach halb sieben, und alles war bereitet. Die Flasche Champagner lag schon seit Stunden im Kühlschrank. Nun brauchte ich nur noch zu warten.

Ich ging ins Restaurant hinüber, wo ich einen Tisch in einer Nische am Fenster gedeckt hatte. Das untere Drittel des Fensters war mit einer durchbrochenen weißen Baumwollgardine verhängt, um meinen Gast und mich vor neugierigen Blicken von draußen zu schützen. Ein Silberleuchter mit einer Kerze stand auf dem Tisch, und in der Musikanlage lag eine CD mit französischen Chansons.

Ich nahm die Flasche mit dem Pinot Blanc und goß mir noch etwas von dem Wein ein. Dann trat ich mit meinem Glas an den Tisch und blickte in die Nacht hinaus.

Die Straße lag einsam und dunkel da. Die wenigen kleinen Läden, die sich hier befanden, waren schon geschlossen. In der Scheibe erblickte ich mein Spiegelbild. Ich sah eine erwartungsfrohe junge Frau in einem ärmellosen grünen Seidenkleid, die jetzt langsam einen Arm hob, um das Band zu lösen, das ihre Haare zusammengehalten hatte. Ich lächelte, und die Frau in der Scheibe lächelte auch. Mag sein, daß es kindisch gewesen war, wieder dieses Seidenkleid anzuziehen, aber ich hatte das Gefühl gehabt, daß es an diesem Abend das einzige Kleid war, das ich tragen wollte.

Ich hob das Glas und prostete der Frau mit dem schimmernden Haar im Fenster zu.

»Alles Gute zum Geburtstag, Aurélie«, sagte ich leise. »Auf daß dieser Tag ein ganz besonderer wird!« Und ich ertappte mich plötzlich bei dem Gedanken, daß ich mich fragte, wie weit dieser Abend wohl gehen würde.

Eine halbe Stunde später – ich stand gerade mit zwei riesigen Handschuhen vor dem Backofen und schob den heißen Rost mit dem Lammragout-Topf wieder zurück – hörte ich, wie jemand laut gegen die Fensterscheibe des Restaurants klopfte. Überrascht streifte ich die Handschuhe ab und verließ die Küche. Konnte es sein, daß Robert Miller eine Stunde zu früh zu unserer Verabredung kam?

Im ersten Augenblick nahm ich nur den riesigen Strauß champagnerfarbener Rosen wahr, der vor der Scheibe auftauchte. Dann sah ich den Mann dahinter, der mir fröhlich zuwinkte. Doch dieser Mann war nicht Robert Miller.

14

Seitdem Aurélie Bredin vor zwei Wochen winkend über den Zebrastreifen lief und wenige Sekunden später in der dahinter liegenden Straße verschwunden war, hatte ich diesen Moment herbeigesehnt und zugleich gefürchtet. Ich weiß nicht, wie oft ich den Abend des sechzehnten Dezembers vor meinem geistigen Auge hatte ablaufen lassen.

Ich hatte an diesen Abend gedacht, wenn ich *Maman* im Krankenhaus besuchte; ich hatte daran gedacht, als ich in der Verlagskonferenz saß und kleine Strichmännchen auf meinen Notizblock malte; ich hatte daran gedacht, wenn ich in der Metro unter der Stadt hersauste, als ich in meiner Lieblingsbuchhandlung *Assouline* in den wunderbaren Bildbänden stöberte, als ich mich mit meinen Freunden im *La Palette* traf. Und wenn ich abends in meinem Bett lag, dachte ich sowieso daran.

Wo ich auch war, wohin ich auch ging, der Gedanke an diesen Tag begleitete mich, und ich nahm ihn vorweg wie ein Schauspieler die Premiere seines Theaterstücks.

Mehr als einmal hatte ich den Telefonhörer in der Hand gehabt, um Aurélie Bredins Stimme zu hören und sie ganz beiläufig auf einen Kaffee einzuladen, aber ich hatte immer wieder aufgelegt, weil ich die Befürchtung hatte, einen Korb zu bekommen. Sie hatte sich jedenfalls nicht mehr bei mir gemeldet seit dem Tag, als ich sie »zufällig« vor ihrem Haus traf und später mein Freund Adam als Mr. Robert Miller in ihrem Restaurant angerufen hatte, um sich mit ihr zu verabreden.

Als ich mich mit meinem Blumenstrauß und einer Flasche *Crémant* auf den Weg ins *Temps des Cerises* machte, war ich aufgeregt wie selten zuvor. Und nun stand ich vor der Fensterscheibe und bemühte mich um einen ungezwungenen und nicht zu feierlichen Gesichtsausdruck. Meine Idee, ganz spontan nach der Arbeit im Restaurant vorbeizukommen, um Aurélie Bredin (kurz) zum Geburtstag zu gratulieren (an den ich mich zufällig erinnert hatte), sollte ja möglichst natürlich wirken.

Ich klopfte also ziemlich laut gegen die Scheibe, wohl wissend, daß ich die schöne Köchin allein im Restaurant antreffen würde, und mein Herz klopfte mindestens ebenso laut.

Ich sah ihr überraschtes Gesicht, und wenige Sekunden später öffnete sich die Tür des *Temps des Cerises* und Aurélie Bredin sah mich fragend an. »Monsieur Chabanais, was machen *Sie* denn hier?«

»Ihnen zum Geburtstag gratulieren«, sagte ich und hielt ihr den Blumenstrauß entgegen. »Alles Liebe und Gute für Sie – auf daß alle Ihre Wünsche in Erfüllung gehen.«

»Oh ja, vielen Dank, das ist wirklich sehr aufmerksam von Ihnen, Monsieur Chabanais.« Sie nahm die Blumen mit beiden Händen, und ich nutzte die Gelegenheit, um mich an ihr vorbei ins Restaurant zu schieben.

»Darf ich einen Moment hereinkommen?« Mit einem Blick sah ich den einen Tisch, der hinten in der Nische am Fenster eingedeckt war, und setzte mich auf einen der Holzstühle am Eingang. »Wissen Sie, als ich heute in den Kalender sah, dachte ich plötzlich … sechzehnter Dezember, da war doch was, da war doch was. Und dann fiel es mir wieder ein. Und da dachte ich, Sie würden sich vielleicht freuen, wenn ich Ihnen einen Strauß Blumen vorbeibringe.« Ich lächelte gewinnend und stellte die Flasche *Crémant* auf den Tisch neben mir. »Ich habe Ihnen ja angedroht, daß ich eines Tages mal in Ihr Restaurant kommen würde, wissen Sie noch?« Ich breitete die Arme aus. »*Et voilà* – da bin ich.«

»Ja … da sind Sie.« Es war ihr anzusehen, daß sie sich nicht so wahnsinnig über mein plötzliches Auftauchen freute. Sie blickte verlegen auf die dicken Rosen und schnupperte daran. »Das ist … ein wunderbarer Strauß, Monsieur Chabanais … nur … also eigentlich ist das Restaurant heute geschlossen.«

Ich schug mir mit der Hand vor die Stirn. »So was, das hatte ich jetzt ganz vergessen. Dann ist es ja ein Glück, daß ich Sie überhaupt hier antreffe.« Ich setzte mich auf. »Aber was machen *Sie* überhaupt hier? An Ihrem Geburtstag? Sie arbeiten doch wohl nicht heimlich, oder?« Ich lachte.

Sie drehte sich um und holte eine große Glasvase unter der Theke hervor.

»Nein, natürlich nicht.« Ich bemerkte, wie sich ihr Gesicht mit einem zarten Rosaton überzog, als sie jetzt in die Küche ging, um die Vase mit Wasser zu füllen. Sie kam zurück und stellte die Rosen auf die Holztheke, wo auch die Kasse stand und das Telefon.

»Tja, also dann … vielen Dank, Monsieur Chabanais«, sagte sie.

Ich stand auf. »Heißt das, Sie werfen mich raus, ohne daß ich wenigstens die Gelegenheit bekomme, mit Ihnen auf Ihr Wohl anzustoßen? Das ist bitter.«

Sie lächelte. »Ich fürchte fast, dafür reicht die Zeit nicht mehr. Sie kommen wirklich etwas ungelegen, Monsieur Chabanais. Tut mir leid«, setzte sie noch einmal mit bedauernder Miene hinzu und faltete ihre Hände.

Ich gab vor, erst jetzt den eingedeckten Tisch zu bemerken, der einsam vor dem Fenster stand. »Oh«, sagte ich. »*Oh là là!* Sie *erwarten* noch jemanden. Das sieht ja sehr nach einem romantischen Abend aus.«

Ich sah sie an. Ihre dunkelgrünen Augen glänzten.

»Na, wer immer es auch ist, er kann sich glücklich preisen. Sie sehen heute abend besonders hübsch aus, Aurélie.« Ich strich über die Flasche, die noch immer auf dem Tisch stand. »Wann kommt denn Ihr Gast?«

»Um acht Uhr«, sagte sie und schob sich die Haare nach hinten.

Ich sah auf die Uhr. Viertel nach sieben. In wenigen Minuten würde Adam anrufen. »Ach, kommen Sie, Mademoiselle Bredin, ein Glas im Stehen auf Ihr Wohl!« bat ich. »Es ist doch erst Viertel nach sieben. In zehn

Minuten bin ich wieder verschwunden. Ich mache auch die Flasche auf.«

Sie lächelte, und ich wußte, daß sie nicht nein sagen würde.

»Also gut«, seufzte sie. »Zehn Minuten.«

Ich kramte in meiner Hosentasche nach einem Flaschenöffner. »Sehen Sie«, sagte ich. »Ich hab sogar das Werkzeug mitgebracht.« Ich zog an dem Korken, und er glitt mit einem sanften Plopp aus dem Flaschenhals.

Ich füllte den Schaumwein in zwei Gläser, die Aurélie aus der Vitrine geholt hatte. »Dann nochmals alles Gute! Es ist mir eine Ehre«, sagte ich, und wir stießen an. Ich trank den *Crémant* in großen Schlucken und versuchte, ruhig zu bleiben, obwohl mein Herz so hämmerte, daß ich Angst hatte, man könnte es hören. Der Countdown lief. Gleich würde das Telefon klingeln, und dann würde man sehen, ob ich wirklich dazu verdammt war, zu gehen. Ich sah angelegentlich in mein Glas, dann wieder in das schöne Gesicht von Aurélie. Um etwas zu sagen, sagte ich: »Sie kann man aber auch keine zwei Wochen aus den Augen lassen, was? Man dreht sich einmal um – und schon haben Sie einen neuen Verehrer.«

Sie wurde rot und schüttelte den Kopf.

»Wie?« sagte ich. »Kenne ich ihn etwa?«

»Nein«, sagte sie.

Und dann klingelte das Telefon. Wir sahen beide zur Theke, aber Aurélie Bredin machte keine Anstalten, an den Apparat zu gehen.

»Wahrscheinlich jemand, der reservieren will«, sagte sie. »Da geh ich jetzt nicht dran, der Anrufbeantworter ist eingeschaltet.«

Man hörte ein Klicken, dann die Ansage des Restaurants. Und dann erklang Adams Stimme.

»Ja, guten Abend, hier spricht Adam Goldberg, dies ist eine Nachricht für Aurélie Bredin«, sagte er ohne Umschweife. »Ich bin der Agent von Robert Miller und rufe in seinem Auftrag an«, fuhr Adam fort, und ich sah, wie Aurélie Bredin blass wurde. »Ich hätte es Ihnen lieber persönlich gesagt, aber Miller hat mich gebeten, Ihnen für heute abend abzusagen. Es tut ihm sehr leid, soll ich Ihnen sagen.« Adams Worte fielen wie Steine in den Raum. »Er ... wie soll ich sagen ... er ist völlig durch den Wind. Gestern abend ist seine Frau überraschend aufgetaucht und ... na ja ... sie ist immer noch da und wie es aussieht, wird sie wohl auch bleiben. Die beiden haben viel zu besprechen, denke ich.« Adam schwieg einen Moment. »Es ist mir sehr unangenehm, daß ich Sie mit diesen privaten Dingen behelligen muß, aber Robert Miller war es wichtig, daß Sie wissen, daß er ... nun ja ... daß er aus einem schwerwiegenden Grund absagt. Er läßt Ihnen ausrichten, daß es ihm sehr leid tut und daß er um Verständnis bittet.« Adam lauschte noch ein paar Sekunden in den Hörer, dann verabschiedete er sich und legte auf.

Ich sah Aurélie Bredin an, die wie erfroren dastand und ihr Sektglas so fest umfaßte, daß ich befürchete, es würde zerspringen.

Sie starrte mich an, und ich starrte sie an, und eine ganze Weile sagte keiner von uns ein Wort.

Dann öffnete sie den Mund, als ob sie etwas sagen wollte, aber sie sagte nichts. Statt dessen trank sie das Glas in einem Zug aus und drückte es gegen ihre Brust. Sie blickte zu Boden. »Tja …«, sagte sie und ihre Stimme zitterte verdächtig.

Ich stellte mein Glas ab und kam mir in diesem Moment vor wie ein Schuft. Aber dann dachte ich *Le roi est mort, vive le roi* und beschloß, zu handeln.

»Sie wollten sich mit *Miller* treffen?« fragte ich fassungslos. »Allein in Ihrem Restaurant? An Ihrem *Geburtstag*?« Ich schwieg einen Moment. »War das nicht ein bißchen viel der Ehre? Ich meine, Sie *kennen* ihn doch überhaupt nicht.«

Sie blickte mich stumm an, und ich sah, wie Tränen in ihren Augen aufstiegen. Dann drehte sie sich rasch von mir weg und starrte aus dem Fenster.

»Du meine Güte, Aurélie, ich … ich weiß gar nicht, was ich sagen soll. Das ist einfach … furchtbar, ganz furchtbar.« Ich trat hinter sie. Sie weinte leise. Ich legte ganz vorsichtig meine Hände auf ihre bebenden Schultern.

»Das tut mir leid. Mein Gott, das tut mir *so* leid, Aurélie«, sagte ich und merkte überrascht, daß es wirklich stimmte. Ihr Haare dufteten ganz leicht nach Vanille, und ich hätte sie am liebsten sanft zur Seite geschoben und ihren Nacken geküßt. Statt dessen streichelte ich beruhigend ihre Schultern. »Bitte, Aurélie, weinen Sie doch nicht«, sagte ich leise. »Ja, ich weiß, ich weiß … es tut weh, wenn man so versetzt wird … ist ja gut … ist ja schon gut …«

»Miller hat mich doch angerufen. Er wollte mich unbedingt sehen und hat so nette Sachen gesagt am Telefon …« Sie schluchzte auf. »Und ich … bereite hier alles vor, halte mir den Abend frei … Nach dem Brief habe ich gedacht, ich sei … ich sei etwas Besonderes für ihn … er hat so Andeutungen gemacht, verstehen Sie?« Sie drehte sich plötzlich zu mir um und sah mich aus tränenverschmierten Augen an. »Und jetzt kommt plötzlich seine *Frau* zurück, und ich fühle mich … ich fühle mich … ich fühle mich *schrecklich*!«

Sie schlug die Hände vors Gesicht, und ich zog sie in meine Arme.

Es dauerte eine Weile, bis sich Aurélie wieder beruhigt hatte. Ich blieb so gerne bei ihr, um sie zu trösten, reichte ihr Taschentuch um Taschentuch und hoffte inständig, daß sie niemals erfahren würde, warum ich gerade in dem Augenblick zugegen war, als der Anrufbeantworter im *Temps des Cerises* erklang und Robert Miller in unerreichbare Fernen katapultierte.

Irgendwann – wir saßen uns inzwischen gegenüber – sah sie mich an und meinte: »Haben Sie eine Zigarette für mich? Ich glaube, ich könnte jetzt eine gebrauchen.«

»Ja, natürlich.« Ich zog ein Päckchen Gauloises hervor, und sie nahm sich eine Zigarette und sah sie nachdenklich an. »Die letzte Gauloise habe ich zusammen mit Mrs. Dinsmore geraucht – auf dem *Friedhof*!« Sie lächelte und sagte, mehr zu sich selbst: »Ob ich wohl noch jemals erfahren werde, was es mit diesem Roman eigentlich auf sich hat?«

Ich hielt ihr ein brennendes Streichholz hin. »Schon möglich«, entgegnete ich vage und sah auf ihren Mund, der für Sekunden ganz nah vor meinem Gesicht auftauchte. »Aber nicht mehr heute abend.«

Sie lehnte sich zurück und blies den Rauch in die Luft. »Nein«, sagte sie. »Und das Abendessen mit dem Autor kann ich wohl auch vergessen.«

Ich nickte mitfühlend und dachte, daß die Chancen recht gut standen für ein Abendessen mit dem Autor – auch wenn er nicht Miller hieß. »Wissen Sie was, Mademoiselle Bredin? Jetzt vergessen Sie einfach mal diesen Miller, der offensichtlich nicht so recht weiß, was er will. Sehen Sie es mal so: Das Buch ist doch das, was eigentlich wichtig ist. Dieser Roman hat Ihnen geholfen, Ihren Kummer zu vergessen – er fiel sozusagen vom Himmel, um Sie zu retten. Also, ich finde das großartig.«

Sie lächelte zaghaft. »Ja, vielleicht haben Sie recht.« Dann setzte sie sich auf und sah mich lange schweigend an. »Irgendwie bin ich sehr froh, daß Sie jetzt hier sind, Monsieur Chabanais«, sagte sie dann.

Ich nahm ihre Hand. »Meine liebe Aurélie, Sie können sich gar nicht vorstellen, wie froh *ich* bin, daß ich jetzt hier bin«, erwiderte ich mit belegter Stimme. Dann stand ich auf. »Und jetzt feiern wir Ihren Geburtstag«, sagte ich. »Das kommt gar nicht in die Tüte, daß Sie

286

hier sitzen und Trübsal blasen. Nicht solange ich es verhindern kann.« Ich goß uns noch den Rest von dem
Crémant ein, und Aurélie trank ihr Glas in einem Zug
aus und stellte es entschlossen ab.

»So ist es recht«, sagte ich und zog sie vom Stuhl
hoch. »Darf ich Sie an unseren Tisch geleiten, Mademoiselle Bredin? Wenn Sie mir verraten, wo Sie Ihre
Köstlichkeiten aufbewahren, hole ich auch die Getränke
und das Essen.«

Natürlich ließ es sich Aurélie nicht nehmen, selbst
letzte Hand an ihre Speisen zu legen, immerhin durfte
ich mit in die Küche kommen, und sie wies mich an, den
Rotwein zu öffnen und den Salat in eine große Stein-
gutschüssel zu tun, während sie die Schinkenwürfel in
einer kleinen Pfanne anbriet. Ich war noch nie in einer
Restaurantküche gewesen und bestaunte den achtflam-
migen Gasherd und die vielen Töpfe, Pfannen und Kel-
len, die alle in greifbarer Nähe standen oder hingen.

Den ersten Rotwein tranken wir schon in der Küche,
das zweite Glas am Tisch.

»Es schmeckt köstlich!« rief ich immer wieder aus
und tauchte meine Gabel in die zarten Blätter, die unter den Schinkenwürfeln glänzten, und als Aurélie dann
gleich die ganze Casserolle mit dem duftenden Lammragout aus der Küche holte, um sie auf unseren Tisch zu
stellen, ging ich zu der kleinen Anlage hinüber, die unter
der Holztheke stand, und machte die Musik an.

Georges Brassens sang mit einschmeichelnder Stimme *Je m'suis fait tout petit*, und ich dachte, daß jeder Mann

in seinem Leben einmal auf eine Frau trifft, von der er sich gern zähmen läßt.

Das Lamm zerging auf der Zunge, und ich sagte »Pure Poesie!«, und Aurélie erzählte mir, daß das Rezept und überhaupt das ganze Menu des heutigen Abends von ihrem Vater sei, der im Oktober verstorben war, viel zu früh.

»Er hat es zum erstenmal gekocht, als er meine … als er …«, sie verhaspelte sich und errötete plötzlich, ich weiß nicht, warum, »na, jedenfalls vor vielen, vielen Jahren«, beendete sie den Satz und griff nach ihrem Rotweinglas.

Während wir das Lammragout aßen, erzählte sie mir von Claude, der sie so unglaublich belogen hatte, und von der Geschichte des roten Mantels, den sie zum Geburtstag von ihrer besten Freundin Bernadette bekommen hatte, »die blonde Frau, die auch auf der Lesung dabei gewesen ist, erinnern Sie sich, Monsieur Chabanais?«

Ich sah in ihre grünen Augen und erinnerte mich an gar nichts mehr, aber ich nickte eifrig und sagte: »Es muß schön sein, so eine gute Freundin zu haben. Trinken wir ein Glas auf Bernadette!«

Also tranken wir ein Glas auf Bernadette, und dann tranken wir auf meinen Wunsch noch ein Glas auf Aurélies schöne Augen.

Sie kicherte und sagte: »Jetzt werden Sie albern, Monsieur Chabanais.«

»Nein, durchaus nicht«, entgegnete ich. »Ich habe noch nie solche Augen gesehen, wissen Sie? Denn sie sind nicht einfach nur grün, sie sind wie … wie zwei kostbare Opale, und jetzt im Schein der Kerze kann ich in Ihren Augen das sanfte Schimmern eines weiten Meeres sehen …«

»Meine Güte«, sagte sie beeindruckt. »Das ist das Schönste, das ich jemals über meine Augen gehört habe.« Und dann erzählte sie mir von Jacquie, dem polternden Chefkoch mit dem goldenen Herzen, der das weite Meer der Normandie vermißte.

»Ich habe auch ein goldenes Herz«, warf ich ein, nahm ihre Hand und legte sie an meine Brust. »Spüren Sie es?«

Sie lächelte. »Ja, Monsieur Chabanais, ich glaube, das haben Sie wirklich«, sagte sie ernsthaft und ließ ihre Hand für einen Moment an meinem klopfenden Herzen. Dann sprang sie auf und schüttelte ihre Haare zurück. »Und nun, *mon cher ami*, holen wir die *Gâteaux au chocolat*. Das ist meine Spezialität. Und Jacquie sagt immer, ein *Gâteau au chocolat* ist süß wie die Liebe.« Sie lief lachend in die Küche.

»Das glaube ich ihm aufs Wort.« Ich nahm die schwere Casserolle und trug sie hinter ihr her. Ich war berauscht vom Wein, von Aurélies Gegenwart, von diesem ganzen wundervollen Abend, von dem ich mir wünschte, er würde niemals enden.

Aurélie stellte die Teller auf der Anrichte ab und öffnete den riesigen Edelstahlkühlschrank, um das Blutorangenparfait herauszuholen, von dem sie mir versicherte, es sei einfach genial zu den kleinen warmen Schokoladenkuchen (*C'est tout à fait génial!*, sagte sie) –

diese unwiderstehliche Mischung aus süßer Schokolade und dem zart bitteren Geschmack der Blutorange. Ich lauschte andächtig ihren Ausführungen und war verzückt vom Klang ihrer Stimme. Sie hatte sicherlich recht mit dem, was sie sagte, aber ich glaube, ich fand einfach *alles* unwiderstehlich in diesem Moment.

Aus dem Restaurant klang *La fée clochette* zu mir herüber, ein Lied, das ich sehr mochte, und ich summte leise mit, als der Sänger sich jetzt darüber ausließ, wieviele Whiskeys er trinken und wieviele Zigaretten er rauchen würde, um dieses wunderbare Mädchen, nach dem er immer noch suchte, in sein Bett zu bekommen.

Je ferai cent mille guinguettes, je boirai cent mille whiskies
Je fumerai cent mille cigarettes pour la ramener dans mon lit
Mais j'ai bien peur que cette chérie n'existe juste que dans
ma tête
Mon paradis, ma fabulette, mon Saint-Esprit
Ma fée clochette!

Ich hatte meine *Fée clochette* gefunden! Sie stand eine Handbreit von mir entfernt und redete mit Inbrunst über kleine Schokoladenkuchen.

Aurélie schloß die Kühlschranktür und drehte sich zu mir um. Ich stand so dicht hinter ihr, daß wir gegeneinanderstießen.

»Hoppla«, sagte sie. Und dann sah sie mir direkt in die Augen. »Darf ich Sie etwas fragen, Monsieur Chabanais?« fragte sie verschwörerisch.

»Sie dürfen mich alles fragen«, entgegnete ich und flüsterte auch.

»Wenn ich nachts eine Treppe hinuntergehe, drehe ich mich niemals um, weil ich Angst habe, daß da irgend etwas hinter mir ist.« Ihre Augen waren ganz weit geöffnet, und ich stürzte kopfüber in dieses sanfte grüne Meer. »Finden Sie das komisch?« fragte sie.

»Nein«, murmelte ich leise und beugte meinen Kopf zu ihr hinunter. »Nein, das finde ich überhaupt nicht komisch. Das weiß doch jeder, daß man sich im Dunkeln auf der Treppe nicht umdrehen soll.«

Und dann küßte ich sie.

Es wurde ein sehr langer Kuß. Irgendwann, als sich unsere Lippen für einen kurzen Moment voneinander lösten, sagte Aurélie leise: »Ich fürchte, das Blutorangenparfait schmilzt.«

Ich küßte sie auf die Schulter, auf den Hals, ich biß sie zärtlich in ihre Ohrläppchen, bis sie leise aufseufzte, und bevor ich mich wieder ihrem Mund zuwandte, flüsterte ich: »Ich fürchte, damit müssen wir jetzt leben.«

Und dann sagten wir beide eine lange, *lange* Zeit gar nichts mehr.

15

Mein Geburtstag endete in einer *nuit blanche*, einer weißen Nacht, einer Nacht, die nicht enden wollte.

Mitternacht war schon lange vorbei, als André mir in meinen roten Mantel half und wir engumschlungen und traumwandlerisch unseren Weg durch die stillen Straßen fanden. Alle paar Meter blieben wir stehen, um uns zu küssen, und wir brauchten unendlich lange, bis wir schließlich vor meiner Wohnungstür standen. Aber die Zeit hatte in dieser Nacht, die weder Tag noch Stunde kannte, keine Bedeutung.

Als ich mich vorbeugte, um die Tür aufzuschließen, küßte mich André in den Nacken. Als ich ihn an der Hand durch den Flur zog, legte er von hinten seinen Arm um mich und faßte nach meiner Brust. Als wir im Schlafzimmer standen, streifte André mir die Träger meines Kleides von den Schultern und nahm dann mit einer unendlich zärtlichen Geste meinen Kopf in seine Hände. »Aurélie«, sagte er und küßte mich plötzlich so heftig, daß mir ganz schwindlig wurde. »Meine schöne, schöne Fee.«

Es gab keinen Augenblick in dieser Nacht, in dem wir uns wirklich losgelassen hätten. Alles war Berührung, alles wollte entdeckt werden. Gab es eine Stelle unserer Körper, die übersehen, die nicht mit Zärtlichkeiten bedacht, die nicht mit Lust erobert wurde? Ich glaube nicht.

Unsere Kleider fielen leise raschelnd auf den Parkettboden, und als wir auf mein Bett sanken und uns dort für Stunden verloren, war mein letzter Gedanke, daß André Chabanais der richtige Falsche war.

Als ich aufwachte, lag er neben mir, den Kopf auf seine Hand gestützt, und lächelte mich an.

»Du siehst so schön aus, wenn du schläfst«, sagte er.

Ich sah ihn an und versuchte mir das Bild dieses Morgens einzuprägen, an dem wir zum erstenmal nebeneinander wach wurden. Sein breites Lächeln, die braunen Augen mit den schwarzen Wimpern, die dunklen, leicht gewellten Haare, die völlig in Unordnung geraten waren, der Bart, der noch viel von seinem Gesicht erkennen ließ und viel weicher gewesen war, als ich dachte, die helle Narbe über der rechten Augenbraue, wo er als kleiner Junge in einen Stacheldrahtzaun geraten war – und hinter ihm die Balkontür mit den halb zugezogenen Vorhängen, ein stiller Morgen im Hof, die Äste der großen Kastanie, ein Stück Himmel. Ich lächelte und schloß für einen Moment die Augen.

Er strich mir zärtlich mit dem Finger über den Mund. »Was denkst du?« fragte er.

»Ich dachte gerade, daß ich diesen Moment gern festhalten würde«, sagte ich und hielt seinen Finger für ein paar Küsse mit den Lippen fest. Dann ließ ich mich mit einem Seufzer in mein Kissen fallen. »Ich bin gerade so glücklich«, sagte ich. »So ganz und gar glücklich.«

»Wie schön«, sagte er und nahm mich in den Arm. »Ich bin es nämlich auch, Aurélie. Meine Aurélie.« Er küßte mich, und wir lagen eine Weile still da und schmiegten uns aneinander. »Ich stehe nie mehr auf«, murmelte André und strich mir über den Rücken. »Wir bleiben einfach im Bett, ja?«

Ich lächelte. »Mußt du denn nicht in den Verlag?« fragte ich.

»Welcher Verlag?« murmelte er, und seine Hand glitt zwischen meine Beine. Ich kicherte. »Du solltest wenigstens Bescheid sagen, daß du für den Rest deiner Tage hier im Bett bleiben willst.« Mein Blick fiel auf die kleine Uhr, die auf meinem Nachttisch stand. »Es ist schon kurz vor elf.«

Er seufzte und zog bedauernd seine Hand zurück. »Sie sind eine kleine Spielverderberin, Mademoiselle Bredin, das habe ich immer schon geahnt«, sagte er und zupfte an meiner Nasenspitze. »Also gut, dann werde ich jetzt bei Madame Petit anrufen und sagen, daß es später wird. Oder nein, noch besser – ich werde sagen, daß ich heute leider gar nicht kommen kann. Und dann machen wir uns einen wunderwunderschönen Tag, was hältst du davon?«

»Ich finde, das ist eine ausgezeichnete Idee«, sagte ich. »Du regelst deine Geschäfte, und ich mache uns inzwischen einen Kaffee.«

»So machen wir es. Aber ich weiche nicht gern von deiner Seite …«

»Es ist ja nicht für lange«, erwiderte ich und wickelte mich in meinen kurzen dunkelblauen Morgenmantel ein, um in die Küche zu gehen.

»Den ziehst du gleich aber sofort wieder aus«, rief André, und ich lachte.

»Du kannst wohl nicht genug bekommen!«

»Nein«, entgegnete er. »Ich kann nicht genug bekommen von dir!«

Und ich nicht von dir, dachte ich.

Ich fühlte mich so sicher in diesem Augenblick, ach, so sicher!

Ich bereitete zwei große Tassen *Café crème* zu, während André telefonierte und dann im Bad verschwand. Vorsichtig trug ich sie ins Schlafzimmer zurück. Ich schob das Buch von Robert Miller zur Seite, das immer noch auf meinem Nachttisch lag, und stellte die Tassen ab.

War es möglich, daß das *Menu d'amour* seine Wirkung gezeitigt hatte? Statt mit einem englischen Schriftsteller hatte ich es mit einem französischen Lektor gegessen, und mit einemmal sahen wir uns mit anderen Augen an – fast wie Tristan und Isolde, die versehentlich zusammen den Liebestrank getrunken hatten und nicht mehr ohne einander sein konnten. Ich erinnerte mich noch gut, wie beeindruckt ich als Kind von der Oper war, in die Papa mich mitgenommen hatte. Und die Sache mit dem Zaubertrank hatte ich besonders aufregend gefunden.

Lächelnd hob ich die Kleidungsstücke auf, die überall im Zimmer verstreut lagen, und legte sie über den Stuhl, der an einer Seite des Bettes stand. Als ich Andrés Anzugjacke hochhob, fiel etwas zu Boden. Es war seine Brieftasche. Sie hatte sich geöffnet, und ein paar Papiere waren herausgerutscht. Geldmünzen rollten über das Parkett.

Ich kniete mich auf den Boden, um die Münzen aufzusammeln, und hörte, wie André gut gelaunt im Bad sang. Lächelnd steckte ich die Münzen in das vordere Fach zurück und wollte gerade die Papiere, die hinten aus der Brieftasche herausragten, wieder zurückschieben, als ich das Photo bemerkte. Ich dachte erst, es sei ein Photo von André, und zog es neugierig heraus. Und dann blieb mein Herz für einen schrecklichen Augenblick stehen.

Ich kannte das Bild. Es zeigte eine Frau in einem grünen Kleid, die in die Kamera lächelte. Es zeigte mich.

Ich starrte einige Sekunden verständnislos auf das Photo in meiner Hand, und dann stürzten die Gedanken kaskadengleich ineinander, und Hunderte kleiner Momentaufnahmen fügten sich zu einem großen Ganzen.

Dieses Bild hatte ich meinem Brief an Robert Miller beigelegt. Es befand sich in Andrés Brieftasche. André, der mich auf dem Verlagsflur abgefertigt hatte. André, der den Antwortbrief von Robert Miller bei mir zu Hause in den Briefkasten geworfen hatte, weil dieser angeblich meine Adresse verloren hatte. André, der lachend und scherzend in der *Coupole* saß und genau wußte, daß Robert Miller dort niemals auftauchen würde. André, der mir kein Wort von der Lesung gesagt hatte – dem einzigen Termin, an dem Miller wirklich in Paris gewesen war – und der nicht schnell genug den sichtlich verwirrten Autor von mir wegzerren konnte. André, der mit einem Blumenstrauß im *Temps des Cerises* auftauchte, just in dem Moment, als Miller seinen Agenten damit beauftragt hatte, abzusagen.

Miller?! Ha!

Wer weiß, wer der Mann war, der im Auftrag von Monsieur Chabanais bei mir angerufen hatte. Und der Brief von Robert Miller? Wie hatte mir der Autor antworten können, wenn er meinen Brief niemals erhalten hatte?

Und plötzlich erinnerte ich mich an etwas. Etwas, das ich bereits nach der Lesung bemerkt hatte, ohne es wirklich einordnen zu können.

Ich ließ das Photo fallen und stürzte zum Nachttisch. Dort lag *Das Lächeln der Frauen*, und in dem Buch steckte der Brief von Miller. Mit zitternden Händen zog ich die handbeschriebenen Seiten hervor.

»Sehr ergeben, Ihr Robert Miller.« Ich flüsterte die Schlußworte des Briefes leise vor mich hin, als ich jetzt hastig das Buch aufschlug und auf die Widmung starrte. »Für Aurélie Bredin mit sehr herzlichen Grüßen von Robert Miller«. Robert Miller hatte zweimal unterschrieben. Doch die Signatur der Widmung war eine völlig andere als die Unterschrift des Briefes. Ich drehte den Umschlag um, auf dem noch der kleine gelbe Post-it-Zettel von André Chabanais klebte, und stöhnte auf. Es war André, der den Miller-Brief geschrieben hatte, und ich war die ganze Zeit über belogen worden!

Benommen setzte ich mich aufs Bett. Ich dachte daran, wie André mich mit seinen braunen Augen so treuherzig angeschaut hatte, gestern abend im Restaurant, wie er gesagt hatte »Es tut mir *so* leid, Aurélie«, und eine kalte Wut stieg in mir auf. Dieser Mann hatte meine Gutgläubigkeit ausgenutzt, er hatte sich einen Spaß daraus gemacht, mich an der Nase herumzuführen, er hatte sein Spiel mit mir getrieben, um mich ins Bett zu bekommen, und ich war darauf hereingefallen.

Ich sah aus dem Fenster, wo die Sonne immer noch in den Hof schien, doch das schöne Bild eines glücklichen Morgens war zerstört.

André Chabanais hatte mich belogen, genauso wie mich Claude belogen hatte, aber ich würde mich nicht mehr belügen lassen, nie mehr! Ich ballte meine Hände zu Fäusten und atmete in kurzen schnellen Zügen ein und aus.

»So, mein Herzchen, der ganze Tag gehört uns.«

André war ins Zimmer getreten, er hatte sich ein großes dunkelgraues Badetuch umgeschlungen und aus seinen braunen Haaren tropfte das Wasser.

Ich starrte zu Boden.

»Aurélie?« Er trat näher, stellte sich vor mich und legte die Hände auf meine Schultern. »Meine Güte, du bist ja ganz blaß im Gesicht. Geht's dir nicht gut?«

Ich nahm seine Hände von meinen Schultern und stand langsam auf.

»Nein«, sagte ich und meine Stimme zitterte. »Mir geht es nicht gut. Mir geht es überhaupt nicht gut.«

Er sah mich verwirrt an. »Was hast du? Aurélie … Liebes … kann ich irgend etwas für dich tun?« Er strich mir eine Haarsträhne aus dem Gesicht.

Ich fegte seine Hand weg. »Ja«, sagte ich drohend. »Faß mich nie wieder an, hörst du, *nie* wieder!« Er wich erschrocken zurück.

»Aber, Aurélie, was ist denn nur los?« rief er aus.

Ich merkte, wie eine Welle der Wut in mir aufstieg. »Was los ist?« fragte ich gefährlich leise. »Du willst wissen, was los ist?«

Ich ging zu der Stelle, an der ich das Photo hatte fallen lassen, und fischte es mit einer einzigen Bewegung auf. Ich hielt ihm das Photo hin.

»*Das* ist los!«schrie ich und stürzte an meinen Nachttisch. »Und *das* ist los!« Ich griff nach dem gefälschten Brief und warf ihn André vor die Füße.

Ich sah, wie sich sein Gesicht rot verfärbte.

»Aurélie … bitte … Aurélie«, stammelte er.

»Was?!« schrie ich. »Willst du mir jetzt *noch* eine Lüge auftischen? Oder reicht es?« Ich nahm das Buch von Robert Miller und hätte es ihm am liebsten um die Ohren gehauen. »Das einzige, was an dieser ganzen verlogenen Geschichte stimmt, ist dieses Buch. Und du, André, Cheflektor der Éditions Opale, du bist das letzte für mich. Du bist noch schlimmer als Claude. Der hatte ja wenigstens einen Grund, mich zu belügen, aber du … du … du hast dir einen Spaß daraus gemacht …«

»Nein, Aurélie, es war ganz *anders* … bitte …«, rief er verzweifelt.

»Ja«, sagte ich. »Das war es in der Tat. Du hast meinen Brief geöffnet, anstatt ihn weiterzuleiten. Du hast mir einen gefälschten Brief zukommen lassen, und dann hast du dich wahrscheinlich totgelacht, in der *Coupole*, als ich dir nichts von dem Brief erzählen wollte. Alles sehr schlau eingefädelt, Kompliment!« Ich machte einen Schritt auf ihn zu und blickte ihn voller Verachtung an. »In meinem ganzen Leben habe ich noch keinen Menschen kennengelernt, der sich so scheinheilig am Unglück anderer weidet.« Ich sah, wie er zusammenzuckte. »Nur eines mußt du mir noch erklären – es interessiert mich nämlich wirklich, wie du das eingefädelt hast. Wer hat gestern abend im Restaurant angerufen? Wer?«

»Das war wirklich Adam Goldberg. Er ist ein Freund von mir«, sagte er zerknirscht.

»Ach, er ist ein Freund? Na, das ist ja großartig! Wieviele Freunde dieser Sorte gibt's denn noch, na? Wieviele lachen denn jetzt schon über die dumme naive Kleine, *hein*, willst du es mir nicht verraten?« Ich geriet immer mehr in Rage.

André hob abwehrend die Hände und ließ sie dann schnell wieder sinken, als sein Handtuch rutschte. »Keiner lacht über dich, Aurélie. Bitte denke nicht schlecht über mich … ja, ich weiß, ich *habe* dich angelogen, ich habe dich *furchtbar* angelogen, aber … es ging gar nicht anders, das *mußt* du mir glauben! Ich … ich war in einer schrecklichen Zwickmühle. Bitte! Ich kann es dir erklären …«

Ich schnitt ihm das Wort ab. »Weißt du was, André Chabanais? Ich verzichte auf deine Erklärungen. Du wolltest von Anfang nicht, daß ich mit Robert Miller zusammenkomme, du hast dich immer dazwischengestellt und schwierig gemacht, aber dann … dann ist dir was viel Besseres eingefallen, nicht wahr?« Ich schüttelte den Kopf. »Wie kann man sich etwas so Perfides ausdenken?«

»Aurélie, ich habe mich in dich verliebt – und das ist die Wahrheit«, sagte er.

»Nein«, entgegnete ich. »So behandelt man keine Frau, die man liebt.« Ich nahm seine Sachen vom Stuhl und warf sie ihm ins Gesicht. »Hier«, sagte ich. »Zieh dich einfach an und geh!«

Er hob die Kleidungsstücke auf und sah mich unglücklich an. »Bitte gib mir eine Chance, Aurélie.« Vorsichtig machte er einen Schritt auf mich zu und versuchte den Arm um mich zu legen. Ich drehte mich weg und verschränkte die Arme.

»Gestern … das … war das Schönste, was ich jemals erlebt habe …«, sagte er mit einschmeichelnder Stimme.

Ich spürte, wie mir Tränen in die Augen stiegen. »*C'est fini!*« stieß ich zornig hervor. »Es ist aus! Es ist aus, bevor es noch richtig angefangen hat. Und das ist gut so. Ich lebe nämlich nicht gern mit einem Lügner!«

»Ich habe nicht wirklich gelogen«, sagte er da.

»Wie kann man nicht *wirklich* lügen? Das ist ja lächerlich!« erwiderte ich aufgebracht. Offenbar hatte er sich jetzt eine neue Taktik überlegt.

André stellte sich in seinem grauen Frotteebadehandtuch vor mich hin.

»Ich bin Robert Miller«, sagte er verzweifelt.

Ich lachte auf, und selbst in meinen Ohren klang meine Stimme schrill. Dann musterte ich ihn von oben bis unten, bevor ich sagte:

»Für wie blöd hältst du mich eigentlich? *Du* bist Robert Miller? Ich habe ja schon viel gehört, aber diese freche Lüge ist wirklich die Krönung. Das wird ja immer absurder.« Ich stemmte meine Hände in die Hüften. »Pech für dich, aber ich habe Robert Miller gesehen, den *echten* Robert Miller, auf der Lesung! Ich habe sein Interview im *Figaro* gelesen. Aber *du* bist Robert Miller, alles klar!« Meine Stimme überschlug sich. »Weißt du, was du bist, André Chabanais? Du bist einfach nur *lächerlich*! Du kannst diesem Miller nicht das Wasser reichen – das ist die Wahrheit. Und jetzt geh einfach, geh! Ich will nichts mehr hören, du machst alles nur noch schlimmer!«

»Aber versteh doch – Robert Miller *ist* nicht Robert Miller!« rief er aus. »Das war … das war … ein Zahnarzt!«

»Raus!« schrie ich und hielt mir die Ohren zu. »Verschwinde aus meinem Leben, André Chabanais, ich hasse dich!«

Als André ohne ein weiteres Wort und mit hochrotem Gesicht die Wohnung verlassen hatte, brach ich schluchzend auf dem Bett zusammen. Vor einer Stunde noch war ich der glücklichste Mensch von Paris gewesen, vor einer Stunde noch hatte ich gedacht, ich stünde am Anfang von etwas ganz Wunderbarem – und nun hatte alles eine katastrophale Wendung genommen.

Ich sah die beiden noch vollen Kaffeetassen auf meinem Nachttisch und brach erneut in Tränen aus. War es denn mein Schicksal, betrogen zu werden? Mußte mein Glück immer in einer Lüge enden?

Ich starrte hinaus in den Hof. Mein Bedarf an Männern, die mich belogen, war jedenfalls gedeckt. Ich seufzte tief. Ein langes ödes Leben tat sich vor mir auf. Wenn das so weiterging, würde ich als verbitterte Alte enden, die auf Friedhöfen herumspazierte und auf Gräbern Blumen pflanzte. Nur daß ich nicht so vergnügt wäre wie Mrs. Dinsmore.

Plötzlich sah ich uns alle wieder in der *Coupole* sitzen, an Mrs. Dinsmores Geburtstag, und hörte sie vergnügt ausrufen: »Kindchen, der ist genau der Richtige!«

Ich ließ mich kopfüber ins Kissen fallen und schluchzte weiter. Ein unglücklicher Gedanke gebiert den nächsten, und ich mußte daran denken, daß bald Weihnachten war. Es würde das traurigste Weihnachten meines Lebens werden. Der Zeigefinger der kleinen Uhr auf meinem Nachttisch rückte vor, und mein Herz fühlte sich mit einemmal ganz alt an.

Irgendwann stand ich auf und brachte die Tassen in die Küche. Ich streifte die Zettel an der Gedankenwand, und ein Gedanke segelte zu Boden.

»Kummer ist ein Land, wo es regnet und regnet und doch nichts wächst«, stand auf dem Zettel. Das war unbestreitbar richtig. All meine Tränen würden die Dinge nicht ungeschehen machen. Ich nahm das Stück Papier und heftete es behutsam wieder an die Wand.

Und dann rief ich Jacquie an, um ihm zu sagen, daß ein Attentat auf mein Herz verübt worden war und daß ich in den Weihnachtsferien mit ans Meer fahren würde.

16

Als es zaghaft an der Tür klopfte und Mademoiselle Mirabeau hereinkam, saß ich wie fast immer in den letzten Tagen über meinen Schreibtisch gebeugt und hatte meinen Kopf schwer in die Hände gestützt.

Seit meinem unrühmlichen Abgang bei Aurélie Bredin war ich wie vor den Kopf geschlagen. Ich war nach Hause getaumelt, ich hatte mich vor den Badezimmerspiegel gestellt und mich selbst beschimpft als riesengroßen Idioten, der alles verdorben hatte. Ich hatte abends viel zu viel getrunken und nachts kaum geschlafen. Ich hatte wiederholt versucht, bei Aurélie anzurufen, aber bei ihr zu Hause lief permanent der Anrufbeantworter und im Restaurant ging immer eine andere Dame ans Telefon, die mir stereotyp mitteilte, Mademoiselle Bredin wünsche mich nicht zu sprechen.

Einmal nahm ein Mann ab (ich glaube, daß es dieser rüpelhafte Koch war), und er brüllte in den Hörer, wenn ich nicht aufhören würde, Mademoiselle Aurélie zu belästigen, würde er im Verlag vorbeikommen und mir mit großem Vergnügen persönlich eins in die Fresse hauen.

Dreimal hatte ich Aurélie eine Mail geschickt, dann bekam ich eine knappe Antwort, in der sie sagte, ich könne mir die Mühe sparen, weitere Mails zu schreiben, da sie jede meiner Mails ungelesen löschen würde.

Ich war in diesen letzten Tagen vor Weihnachten so verzweifelt, wie ein Mann es nur sein kann. Wie es aussah, hatte ich Aurélie unwideruflich verloren, nicht einmal ihr Photo war mir geblieben, und der letzte Blick den sie mir zugeworfen hatte, war so voller Verachtung gewesen, daß es mir kalt über den Rücken lief, wenn ich nur daran dachte.

»Monsieur Chabanais?«

Ich hob müde den Kopf und schaute in Mademoiselle Mirabeaus Richtung.

»Ich hole mir jetzt ein Sandwich – soll ich Ihnen etwas mitbringen?« fragte sie.

»Nein, ich habe keinen Hunger«, sagte ich.

Florence Mirabeau trat vorsichtig näher. »Monsieur Chabanais?«

»Ja, was ist denn?«

Sie sah mich mit ihrem kleinen Mimosengesicht an.

»Sie sehen schrecklich aus, Monsieur Chabanais«, sagte sie und fügte schnell hinzu: »Bitte verzeihen Sie, wenn ich das sage. Ach, essen Sie doch ein Sandwich … mir zuliebe.«

Ich seufzte schwer. »Schon gut, schon gut«, sagte ich.

»Hühnchen, Schinken oder Thunfisch?«

»Egal. Bringen Sie mir irgend etwas mit.«

Eine halbe Stunde später tauchte sie mit einem Thunfischbaguette und einem frischgepreßten *Jus d'orange* auf und stellte beides stumm auf meinen Schreibtisch.

»Kommen Sie heute abend denn zur Weihnachtsfeier?« fragte sie dann.

Es war Freitag, der Heiligabend fiel auf den nächsten Dienstag, und die Éditions Opale hatten bereits ab der nächsten Woche und dann bis Neujahr geschlossen. In den letzten Jahren hatte es sich eingebürgert, daß der Verlag am letzten Arbeitstag abends in die *Brasserie Lipp* ging, um das Jahr gebührend ausklingen zu lassen. Das war stets eine sehr muntere Veranstaltung, bei der viel gegessen, gelacht und geredet wurde. So viel guter Laune sah ich mich nicht gewachsen.

Ich schüttelte den Kopf. »Tut mir leid, ich komme nicht.«

»Oh«, sagte sie. »Ist es wegen Ihrer Mutter? Sie hat sich doch das Bein gebrochen, nicht wahr?«

»Nein, nein«, antwortete ich. Warum sollte ich lügen? Ich hatte in den letzten Wochen so viel gelogen, daß mir die Lust daran vergangen war.

Maman war schon seit fünf Tagen wieder zu Hause in Neuilly, humpelte ganz behende auf ihren Krücken durchs Haus und plante *le réveillon*, den Weihnachtsschmaus.

»Mit dem gebrochenen Bein, das geht schon wieder«, sagte ich.

»Aber … was ist es dann?« wollte Mademoiselle Mirabeau wissen.

Ich sah sie an. »Ich habe einen riesengroßen Fehler gemacht«, sagte ich und legte mir die Hand auf die Brust. »Und jetzt … was soll ich sagen … ich glaube, mein

Herz ist gebrochen.« Ich versuchte zu lächeln, aber es klang wohl nicht gerade wie mein bester Witz.

»Oh«, sagte Mademoiselle Mirabeau. Ich spürte ihr Mitleid wie eine warme Welle, die durch das Zimmer wogte. Und dann sagte sie etwas, das mir im Kopf herumging, lange nachdem sie die Tür leise hinter sich zugezogen hatte.

»Wenn man merkt, daß man einen Fehler gemacht hat, sollte man ihn so rasch wie möglich korrigieren.«

Es kam nicht oft vor, daß der Verleger in den Büros seiner Mitarbeiter auftauchte, aber wenn er es tat, konnte man sicher sein, daß es etwas Wichtiges war. Eine Stunde nachdem Florence Mirabeau bei mir gewesen war, riß Jean-Paul Monsignac die Tür zu meinem Zimmer auf und ließ sich krachend in den Stuhl fallen, der vor meinem Schreibtisch stand.

Er sah mich mit seinen blauen Augen durchdringend an. Dann sagte er: »Was soll das heißen, André … ich höre gerade, Sie kommen heute abend nicht zur Weihnachtsfeier?«

Ich rutschte unbehaglich in meinem Sessel herum. »Äh … nein«, sagte ich.

»Darf man wissen, warum?« Die Weihnachtsfeier im *Lipp* war für Monsignac sakrosankt, und er erwartete, alle seine Schäfchen dort zu sehen.

»Nun, ich … ich bin einfach nicht gut drauf, um ehrlich zu sein«, sagte ich.

»Mein lieber André, ich bin ja nicht blöd. Ich meine, jeder, der Augen im Kopf hat, sieht ja, daß es Ihnen nicht besonders gut gehen kann. Sie kommen nicht zur Verlagskonferenz, sagen um elf Uhr, ohne einen Grund zu nennen, ab, am nächsten Tag erscheinen Sie hier mit Leichenbittermiene und kommen fast gar nicht mehr raus aus Ihrer Höhle. Was ist denn nur los? So kenne ich Sie gar nicht.« Monsignac musterte mich nachdenklich.

Ich zuckte die Schultern und schwieg. Was hätte ich auch sagen sollen? Wenn ich Monsignac reinen Wein einschenken würde, hätte ich das nächste Problem.

»Sie können mit mir über alles reden, André, das wissen Sie hoffentlich.«

Ich lächelt verkrampft. »Das ist nett gemeint, Monsieur Monsignac, aber ich fürchte, gerade mit Ihnen kann ich nicht darüber reden.«

Er lehnte sich erstaunt zurück, schlug ein Bein über das andere und hielt mit beiden Händen seinen dunkelblau bestrumpften Fußknöchel fest.

»Jetzt haben Sie mich neugierig gemacht. Warum können Sie mit mir nicht darüber reden? So ein Unsinn!«

Ich blickte zum Fenster hinaus, wo sich die Spitze des Kirchturms von Saint-Germain in einen rosafarbenen Himmel bohrte.

»Weil ich dann wahrscheinlich meinen Job los bin«, sagte ich düster.

Monsignac lachte schallend. »Aber mein lieber André, was haben Sie denn so Schlimmes gemacht? Haben Sie etwa Silberlöffel geklaut? Irgendeiner Mitarbeiterin unter den Rock gefaßt? Geld unterschlagen?« Er wippte auf seinem Stuhl vor und zurück.

Und dann dachte ich an Mademoiselle Mirabeaus Worte und beschloß, reinen Tisch zu machen.

»Es geht um Robert Miller. Ich war in dieser Sache … nun ich war nicht ehrlich zu Ihnen, Monsieur Monsignac.«

Er beugte sich aufmerksam vor. »Ja?« fragte er. »Was ist mit diesem Miller? Gibt's Probleme mit dem Engländer? Nur heraus mit der Sprache!«

Ich schluckte. Es war nicht einfach, die Wahrheit zu sagen.

»Die Lesung war doch grandios. *Mon Dieu*, ich habe Tränen gelacht«, fuhr Monsignac fort. »Was ist los mit dem Kerl? Der wollte doch bald schon seinen nächsten Roman liefern. «

Ich stöhnte leise auf und schlug die Hände vors Gesicht.

»Was ist los?« fragte Monsignac alarmiert. »André, jetzt werden Sie nicht melodramatisch, sondern sagen Sie mir einfach, was passiert ist. Miller schreibt doch weiter für uns – oder gab es Probleme zwischen Ihnen beiden? Haben Sie sich etwa überworfen?«

Ich schüttelte kaum merklich den Kopf.

»Ist er abgeworben worden?«

Ich holte tief Luft und sah Monsignac in die Augen.

»Versprechen Sie mir, daß Sie nicht ausrasten und nicht schreien?«

»Ja, ja … jetzt *reden* Sie endlich!«

»Es wird keinen weiteren Roman von Robert Miller mehr geben«, sagte ich und machte eine kleine Pause. »Aus dem einfachen Grund, weil es in Wirklichkeit keinen Robert Miller gibt.«

Monsignac schaute mich verständnislos an. »Jetzt reden Sie aber wirklich irre, André. Was ist los, haben Sie Fieber? Haben Sie Ihr Gedächtnis verloren? Robert Miller war in Paris, erinnern Sie sich nicht mehr?«

Ich nickte. »Das ist es ja gerade. Dieser Mann auf der Lesung war nicht Robert Miller. Das war ein Zahnarzt, der sich für Miller ausgegeben hat, um uns einen Gefallen zu tun.«

»Uns?«

»Na ja, Adam Goldberg und mir. Der Zahnarzt ist sein Bruder. Er heißt Sam Goldberg und er wohnt auch nicht allein im Cottage mit seinem Hund, sondern mit Frau und Kindern in Devonshire. Er hat mit Büchern so wenig zu tun wie ich mit Gold-Inlays. Es war alles inszeniert, verstehen Sie? Damit die Sache nicht auffliegt.«

»Aber …« Monsignacs blaue Augen flackerten beunruhigt. »Wer hat denn dann eigentlich das Buch geschrieben?«

»Ich«, sagte ich.

Und dann schrie Jean-Paul Monsignac doch.

Das Schlimme an Monsieur Monsignac ist, daß er zur Naturgewalt wird, wenn er sich aufregt. »Das ist ja ungeheuerlich! Sie haben mich betrogen, André. Ich habe

Ihnen vertraut und hätte meine Hand ins Feuer gelegt für Ihre Ehrlichkeit. Sie haben mich hinters Licht geführt – das wird Konsequenzen haben. Sie sind gefeuert!« schrie er und sprang erregt von seinem Stuhl auf.

Das Gute an Monsieur Monsignac ist, daß er sich ebenso schnell beruhigt, wie er sich aufregt, und daß er einen großartigen Humor hat.

»Unglaublich«, sagte er nach zehn Minuten, in denen ich mich schon als arbeitsloser Lektor sah, auf den die Branche mit Fingern zeigte. »Unglaublich, was ihr beide da für einen Coup gelandet habt. Die ganze Presse an der Nase herumführen. Ein starkes Stück, das muß man erst mal bringen.« Er schüttelte den Kopf und fing plötzlich an zu lachen. »Ich hatte mich ehrlich gesagt schon etwas gewundert, als Miller auf der Lesung davon sprach, daß der Held seines neuen Romans ein *Zahnarzt* sei. Warum haben Sie mir nicht einfach von Anfang an gesagt, daß Sie dahinterstecken, André? Meine Güte, ich wußte doch gar nicht, daß Sie so gut schreiben können. Sie schreiben *wirklich* gut«, wiederholte er noch einmal und fuhr sich über seine grauen Haare.

»Es war einfach so eine spontane Idee. Sie wollten einen Stephen Clarke, erinnern Sie sich noch? Und es gab in diesem Moment keinen Engländer, der lustig über Paris schrieb. Wir wollten Sie auch nicht über den Tisch ziehen oder dem Verlag schaden. Sie wissen ja noch, daß die Garantie für diesen Roman eine überaus bescheidene war. Die ist lange schon eingespielt.«

Monsignac nickte.

»Keiner von uns konnte ahnen, daß sich das Buch so gut entwickeln würde, daß irgend jemand an dem *Autor* Interesse haben würde«, fuhr ich fort.

»*Bon*«, sagte Monsignac, der die ganze Zeit in meinem Büro auf- und abgegangen war, und setzte sich wieder hin. »Das wäre also geklärt. Und jetzt reden wir mal von Mann zu Mann.« Er verschränkte die Arme vor der Brust und sah mich streng an. »Ich ziehe meine Kündigung zurück, André. Zur Strafe kommen Sie heute abend mit in die *Brasserie Lipp*, verstanden?!«

Ich nickte erleichtert.

»Und jetzt möchte ich, daß Sie mir erklären, was diese ganze Kabale mit Ihrem gebrochenen Herzen zu tun hat. Mademoiselle Mirabeau macht sich nämlich große Sorgen. Und ich für meinen Teil habe das Gefühl, daß wir jetzt zu des Pudels Kern vorstoßen.«

Er lehnte sich behaglich in seinem Stuhl zurück, zündete sich einen Zigarillo an und wartete.

Es wurde eine lange Geschichte. Draußen gingen die ersten Laternen an, als ich endlich aufhörte, zu reden. »Ich weiß nicht mehr, was ich tun soll, Monsieur Monsignac«, schloß ich unglücklich. »Endlich habe ich die Frau gefunden, nach der ich immer gesucht habe, und jetzt *haßt* sie mich! Und selbst, wenn ich ihr beweisen könnte, daß es wirklich keinen Autor namens Miller gibt, ich glaube, es würde gar nichts nützen. Sie ist so unglaublich wütend auf mich … so verletzt in ihren Gefühlen … sie wird mir das nicht verzeihen … niemals …«

»Papapa!« unterbrach mich Monsieur Monsignac. »Was reden Sie da, André? So, wie die Geschichte bisher gelaufen ist, ist noch nichts verloren. Glauben Sie einem Mann, der ein bißchen mehr Lebenserfahrung hat als Sie.« Er streifte die Asche ab und wippte mit seinem Fuß. »Wissen Sie, André, ich bin mit drei Sätzen immer gut durch schwierige Zeiten gekommen. *Je ne vois pas la raison, Je ne regrette rien* und nicht zuletzt: *Je m'en fous!*« Er lächelte. »Aber ich fürchte, in Ihrem Fall helfen weder Voltaire noch Edith Piaf und die Canaille schon gar nicht. In Ihrem Fall, mein lieber Freund, hilft nur noch eines: die Wahrheit. Und zwar die ganze Wahrheit.« Er stand auf und trat an meinen Schreibtisch. »Folgen Sie meinem Rat und schreiben Sie diese ganze Geschichte so auf, wie sie sich zugetragen hat – vom ersten Moment, als Sie durch die Scheibe dieses Restaurants geschaut haben, bis zu unserem Gespräch hier. Und dann lassen Sie Ihrer Aurélie das Manuskript mit dem Hinweis zukommen, daß ihr Lieblingsautor einen neuen Roman geschrieben hat und daß ihm sehr viel daran liegt, daß sie das Manuskript als erste liest.«

Er klopfte mir auf die Schulter. »Das ist eine unglaubliche Geschichte, André. Sie ist einfach großartig! Schreiben Sie sie auf, fangen Sie morgen damit an, oder besser noch heute nacht! Schreiben Sie um Ihr Leben, mein Freund. Schreiben Sie sich in das Herz dieser Frau, die Sie schon mit Ihrem ersten Roman verführt haben.«

Er ging zur Tür und drehte sich dort noch einmal um. »Und egal, wie die Sache ausgeht« – er zwinkerte mir zu – »da machen wir einen Robert Miller draus!«

17

*Es gibt Schriftsteller, die beschäftigen sich tagelang mit dem
ersten Satz ihres Romans. Der erste Satz muß stimmen,
dann geht alles wie von selbst, sagen sie. Ich glaube, es gibt
mittlerweile sogar Untersuchungen über Romananfänge, denn
der erste Satz, mit dem ein Buch beginnt, ist wie der erste
Blick zwischen zwei Menschen, die sich noch nicht kennen.
Dann wiederum gibt es Schriftsteller, die einen Roman nicht
anfangen können, ohne den letzten Satz zu kennen. John
Irving zum Beispiel wird nachgesagt, daß er sich gedanklich
vom letzten Kapitel vorarbeitet bis an den Anfang seines
Buches. Und dann erst beginnt er mit dem Schreiben.
Ich hingegen schreibe diese Geschichte auf, ohne ihren Ausgang zu kennen, ja ohne auch nur im geringsten Einfluß auf
ihren Ausgang nehmen zu können.
Die Wahrheit ist, daß es das Ende der Geschichte noch nicht
gibt.
Denn den letzten Satz muß eine Frau schreiben, die ich
an einem frühlingshaften Abend vor etwa eineinhalb Jahren
hinter dem Fenster eines kleinen Restaurants mit rot-weiß
gewürfelten Tischdecken sah, das sich in der Rue Princesse in
Paris befindet.
Es ist die Frau, die ich liebe.*

Sie lächelte hinter der Scheibe – und ihr Lächeln bezauberte mich so über die Maßen, daß ich es stahl. Ich lieh es mir aus. Ich trug es mit mir herum. Ich weiß nicht, ob so etwas möglich ist – daß man sich in ein Lächeln verliebt, meine ich. Jedenfalls inspirierte mich dieses Lächeln zu einer Geschichte – einer Geschichte, an der alles erfunden war, sogar der Verfasser derselben.

Und dann ist etwas Unglaubliches passiert. Ein Jahr später, an einem wirklich gräßlichen Novembertag, stand die Frau mit dem schönen Lächeln wie vom Himmel gefallen vor mir. Und das Wunderbare und zugleich Tragische an dieser Begegnung war, daß sie etwas von mir wollte, das ich ihr nicht geben konnte. Sie hatte nur einen Wunsch – sie war besessen davon wie die Prinzessinnen im Märchen von der verbotenen Tür – und gerade dieser Wunsch war unmöglich zu erfüllen. Oder doch?

Es ist viel passiert seither – Schönes und Schreckliches, und ich möchte alles erzählen. Die ganze Wahrheit nach all den Lügen.

Dies ist die Geschichte, wie sie wirklich war, und ich schreibe sie wie ein Soldat, der am nächsten Tag in die Schlacht ziehen muß, wie ein Kranker, der nicht weiß, ob er am Morgen noch die Sonne aufgehen sieht, wie ein Liebender, der sein ganzes Herz in die zarten Hände einer Frau legt in der verwegenen Hoffnung, daß sie ihn erhört.

Seit meinem Gespräch mit Monsignac waren drei Tage vergangen. Drei Tage hatte es gebraucht, bis ich diese ersten Sätze zu Papier gebracht hatte, doch dann ging alles mit einemmal rasend schnell.

In den nächsten Wochen schrieb ich wie von einer höheren Macht gesteuert, ich schrieb um mein Leben, wie es der Verleger so treffend ausgedrückt hatte. Ich erzählte von der Bar, in der eine brillante Idee ausgeheckt worden war, von einer Erscheinung auf einem Verlagsflur, von einem Brief an einen englischen Schriftsteller in meinem Postkorb, den ich ungeduldig aufriß – und von allem anderen, was dann geschah in diesen aufregenden, bemerkenswerten Wochen.

Weihnachten kam und ging. Ich nahm meinen kleinen Computer und meine Notizen mit zu *Maman* nach Neuilly, wo ich die Feiertage verbrachte, und als wir am Heiligabend mit der ganzen Familie um den großen Tisch im Salon versammelt waren und die *Foie gras* mit Zwiebelconfit priesen, die auf unseren Tellern lag, hatte *Maman* zum erstenmal recht, als sie sagte, ich hätte abgenommen und würde nicht genug essen.

Aß ich überhaupt etwas in diesen Wochen? Es muß wohl so gewesen sein, doch ich erinnere mich nicht daran. Der gute Monsignac hatte mich bis Ende Januar freigestellt – mit einer Sonderaufgabe, wie er den anderen sagte –, und ich stand morgens auf, zog mir irgend etwas über und taumelte mit einer Tasse Kaffee und meinen Zigaretten an den Schreibtisch.

Ich ging nicht ans Telefon, ich machte die Tür nicht auf, wenn es schellte, ich sah nicht fern, die Zeitungen stapelten sich ungelesen auf dem Couchtisch, und am späten Nachmittag ging ich an manchen Tagen einmal durchs *Quartier*, um frische Luft zu schnappen und das Nötigste einzukaufen.

Ich war nicht mehr von dieser Welt, wenn es irgendwelche Naturkatastrophen gab, so zogen sie an mir vorüber. Ich wußte nichts in diesen Wochen. Ich wußte nur, daß ich schreiben mußte.

Stand ich vor dem Badezimmerspiegel, nahm ich flüchtig das Bild eines bleichen Mannes mit zerrauftem Haar wahr, der Schatten unter den Augen hatte.

Es interessierte mich nicht.

Manchmal ging ich im Zimmer auf und ab, um meine lahmen Glieder zu strecken, und wenn ich nicht mehr weiterkam und der Erzählfluß stockte, schob ich die CD *French Café* in meine Anlage. Sie begann mit *Fibre de verre* und endete mit *Ma fée clochette*, ich hörte in den ganzen Wochen nur diese eine CD, warum gerade diese, kann ich nicht sagen.

Ich hatte mich darauf eingeschossen wie ein Autist, der alles zählen muß, was ihm unter die Finger gerät. Es war mein Ritual – wenn die ersten Takte erklangen, fühlte ich mich sicher, und nach dem zweiten oder dritten Lied war ich wieder in der Geschichte, und die Musik wurde zu einem Grundrauschen, das meine Gedanken fliegen ließ wie eine weiße Möwe hoch über dem weiten Meer.

Dann und wann segelte sie dichter über dem Wasser, und dann hörte ich Coralie Cléments *La Mer Opale* und sah die grünen Augen von Aurélie Bredin vor mir. Oder ich hörte Brigitte Bardots *Un jour comme un autre* und mußte daran denken, wie Aurélie von Claude verlassen worden war.

Jedesmal, wenn *La fée clochette* erklang, wußte ich, daß wieder eine Stunde vergangen war, und mein Herz wurde schwer und zärtlich zugleich bei der Erinnerung an jenen verzauberten Abend im *Le Temps des Cerises*.

Am Abend löschte ich irgendwann das Licht meiner Schreibtischlampe und ging ins Bett – oft genug stand ich noch einmal auf, weil ich meinte, einen phantastischen Einfall gehabt zu haben, der sich am nächsten Morgen oft genug dann doch als nicht so phantastisch erwies.

Die Stunden wurden zu Tagen, und die Tage begannen übergangslos zu verschwimmen in einem transatlantischen, dunkelblauen Meer, in dem eine Welle der nächsten gleicht, und der Blick auf die zarte Linie am Horizont gerichtet ist, wo der Reisende das Festland zu erkennen meint.

Ich glaube, so schnell wurde noch kein Buch geschrieben. Ich war getrieben von dem Wunsch, Aurélie zurückzugewinnen, und ich sehnte den Tag herbei, an dem ich ihr mein Manuskript zu Füßen legen konnte.

In den letzten Tagen des Januars war ich fertig.

An dem Tag, als ich Aurélie Bredin abends das Manuskript vor die Wohnungstür legte, fing es an zu schneien. Schnee in Paris ist etwas so Seltenes, daß die meisten Menschen sich darüber freuen.

Ich streifte durch die Straßen wie ein Freigänger, ich bestaunte die Auslagen in den erleuchteten Schaufenstern, ich sog den verlockenden Duft der frischgemachten *Crêpes* an dem kleinen Stand hinter der Kirche von Saint-Germain ein und entschied mich dann für eine *Gaufre*, die ich mir dick mit Maronencrème bestreichen ließ.

Die Schneeflocken fielen leise herab, kleine weiße Punkte in der Dunkelheit, und ich dachte an das Manuskript, das in Packpapier eingewickelt war und das Aurélie in dieser Nacht vor ihrer Tür finden würde.

Es waren am Ende zweihundertachtzig Seiten geworden, ich hatte lange überlegt, welchen Titel ich dieser Geschichte geben sollte, diesem Roman, mit dem ich das Mädchen mit den grünen Augen für immer zurückgewinnen wollte.

Ich hatte sehr gefühlvolle, romantische, ja, fast schon kitschige Titel aufgeschrieben, doch ich strich sie alle wieder von meiner Liste. Und dann nannte ich das Buch schlicht und ergreifend *Das Ende der Geschichte*.

Egal, wie eine Geschichte anfängt, egal welche verschlungenen Wendungen und Wege sie nimmt, am Schluß ist nur das Ende wichtig.

Mein Beruf bringt die Lektüre vieler Bücher und Manuskripte mit sich, und ich muß zugeben, daß mich jene Romane immer am meisten fasziniert haben, die ein offenes oder gar tragisches Ende nehmen. Ja, man denkt gerade über diese Bücher noch eine Weile nach, während man die mit einem glücklichen Ausgang schnell vergißt.

Doch irgendeinen Unterschied muß es wohl geben zwischen der Literatur und der Wirklichkeit, denn ich gestehe, als ich das kleine braune Paket vor Aurélies Tür auf den kalten Steinfußboden legte, ließ ich jedweden intellektuellen Anspruch hinter mir. Ich sandte ein Stoßgebet zum Himmel und bat um ein *glückliches* Ende.

Dem Manuskript war ein offener Brief beigelegt, in dem ich folgendes geschrieben hatte:

Liebe Aurélie,
ich weiß, daß Du mich aus Deinem Leben verbannt hast
und keinen Kontakt mehr mit mir willst, und ich respektiere
Deinen Wunsch.
Heute lege ich Dir das neue Buch Deines Lieblingsautors vor
die Tür.
Es ist ganz frisch, ein unlektoriertes Manuskript, und es hat
auch noch keinen richtigen Schluß, aber ich weiß, daß es Dich
interessieren wird, weil es die Antworten auf alle Deine Fragen
enthält, die den ersten Roman von Robert Miller betreffen.
Ich hoffe, daß ich damit zumindest ein bißchen von dem
gutmachen kann, was ich angerichtet habe.
Ich vermisse Dich,
André

In dieser Nacht schlief ich zum erstenmal tief und fest. Ich erwachte mit dem Gefühl, daß ich alles getan hatte, was ich tun konnte. Nun blieb mir nur noch zu warten.

Ich packte eine Kopie des Romans für Monsieur Monsignac ein, und dann machte ich mich nach mehr als fünf Wochen wieder auf den Weg in den Verlag. Es schneite noch immer, Schnee lag auf den Dächern der

Häuser, und die Geräusche der Stadt waren gedämpft. Die Autos auf den Boulevards fuhren nicht so schnell wie sonst, und auch die Menschen in den Straßen verlangsamten ihren Schritt. Die Welt, so kam es mir vor, schien ein bißchen den Atem anzuhalten, und ich selbst war seltsamerweise von einer großen Ruhe erfüllt. Mein Herz war weiß wie am ersten Tag.

Im Verlagshaus wurde ich überschwenglich begrüßt. Madame Petit brachte mir nicht nur die Post (es waren ganze Stapel), sondern auch den Kaffee; Mademoiselle Mirabeau steckte mit geröteten Wangen den Kopf zur Tür herein und wünschte mir ein gutes neues Jahr, an ihrer Hand sah ich einen Ring glitzern; Michelle Auteuil grüßte hoheitsvoll, als wir uns auf dem Flur begegneten, und ließ sich sogar zu einem »*Ça va*, André?« herab; Gabrielle Mercier seufzte erleichtert, es sei gut, daß ich wieder da sei, der Verleger mache sie wahnsinnig; und Jean-Paul Monsignac zog die Tür hinter uns zu, als er in mein Büro kam, und meinte, daß ich aussähe wie ein Autor, der sein Buch gerade beendet hat.

»Wie sieht der denn aus?« fragte ich.

»Völlig fertig, aber mit diesem ganz besonderen Glanz in den Augen«, sagte Monsignac. Dann sah er mich prüfend an. »Und?« fragte er.

Ich überreichte ihm die Kopie des Manuskripts. »Keine Ahnung, ob es gut ist«, sagte ich. »Aber es steckt viel Herzblut drin.«

Monsignac lächelte. »Herzblut ist immer gut. Ich drücke Ihnen die Daumen, mein Freund.«

»Na ja«, sagte ich. »Ich hab's erst gestern abend vorbeigebracht, so schnell wird da nichts passieren … wenn überhaupt.«

»Wenn Sie sich da nicht mal täuschen, André«, sagte Monsignac. »Ich jedenfalls bin auf die Lektüre sehr gespannt.«

Der Nachmittag schlich dahin. Ich sah meine Post durch, ich beantwortete meine Mails, ich sah aus dem Fenster, wo immer noch dicke Flocken vom Himmel fielen. Und dann schloß ich die Augen, dachte an Aurélie und hoffte, daß meine Gedanken auch mit geschlossenen Augen ihr Ziel erreichten.

Es war halb fünf, und draußen wurde es schon dunkel, als das Telefon klingelte und Jean-Paul Monsignac mich bat, in sein Büro zu kommen.

Als ich eintrat, stand er am Fenster und starrte auf die Straße. Auf seinem Schreibtisch lag mein Manuskript.

Monsignac drehte sich um. »Ah, André, kommen Sie, kommen Sie«, sagte er und wippte wieder vor und zurück, wie es seine Art war. Er wies auf das Manuskript. »Was Sie da geschrieben haben …«, er schaute mich streng an, und ich preßte nervös die Lippen aufeinander, »… ist leider sehr gut. Ihr Agent soll ja nicht auf die Idee kommen, damit zu anderen Verlagen zu gehen und eine Auktion zu starten, sonst fliegen Sie hier raus, verstanden?!«

»*C'est bien compris*«, entgegnete ich lächelnd. »Das freut mich wirklich sehr, Monsieur Monsignac.«

Er drehte sich wieder zum Fenster und winkte mich heran. »Ich wette, das hier freut Sie noch mehr«, sagte er und deutete auf die Straße.

Ich sah ihn fragend an. Nur eine Sekunde lang glaubte ich, daß er die Schneeflocken meinen könnte, die immer noch vor dem Fenster wirbelten, dann fing mein Herz an, schneller zu schlagen, und ich hätte den alten Monsignac am liebsten umarmt.

Draußen auf der Straße, auf der gegenüberliegenden Seite von dem Gebäude, in dem sich die Éditions Opale befanden, ging eine Frau auf und ab. Sie trug einen roten Mantel, und sie blickte immer wieder zu dem Eingangstor des Verlages, so als ob sie auf jemanden wartete.

Ich nahm mir nicht mehr die Zeit, etwas überzuziehen. Ich flog die Treppen nur so hinunter, zog die schwere Tür des Portals auf und lief über die Straße.

Und dann stand ich vor ihr, und mein Atem ging so schnell, daß ich einen Moment glaubte, keine Luft zu bekommen.

»Du bist gekommen!« stieß ich leise hervor, und dann sagte ich es noch einmal, und meine Stimme war ganz rauh, so sehr freute ich mich, sie zu sehen.

»Aurélie …«, sagte ich und sah sie fragend an.

Die Schneeflocken fielen auf sie herab und verfingen sich in ihren langen Haaren wie kleine weiße Mandelblüten.

Sie lächelte und ich faßte nach ihrer Hand, die in einem bunten Wollhandschuh steckte, und spürte, wie mir plötzlich ganz leicht ums Herz wurde.

»Weißt du was? Das zweite Buch von Robert Miller gefällt mir eigentlich noch ein bißchen besser als das erste«, sagte sie, und ihre grünen Augen schimmerten.

Ich lachte leise und zog sie in meine Arme.

»Soll das etwa der letzte Satz sein?« fragte ich.

Aurélie schüttelte langsam den Kopf. »Nein, ich glaube nicht«, sagte sie.

Sie sah mich einen Augenblick so ernsthaft an, daß ich voller Unruhe in ihren Augen nach einer Antwort suchte.

»Ich liebe dich, Dummkopf«, sagte sie.

Dann schlang sie die Arme um mich und alles versank in einem weichen Mantel aus karmesinroter Wolle und einem einzigen nicht enden wollenden Kuß.

Natürlich hätte ich diesen Satz in einem Roman etwas konventionell gefunden. Aber hier, im wirklichen Leben, auf dieser kleinen verschneiten Straße einer großen Stadt, die man auch die Stadt der Liebe nennt, machte er mich zum glücklichsten Mann von Paris.

Nachwort

Wenn man einen Roman zu Ende geschrieben hat, ist man sehr erleichtert, daß es vorbei ist. (Danke für's Zuhören, Jean!) Und genau aus ebendiesem Grund ist man auch sehr traurig. Denn die letzten Zeilen eines Romans zu schreiben bedeutet immer auch, Abschied zu nehmen von den Helden, die einen für eine lange Zeit begleitet haben. Und auch wenn sie (mehr oder weniger) erfunden sind, so sind sie doch dem Herzen des Autors sehr nahe.

Und so blicke ich Aurélie und André hinterher, die sich nach tausend Irrungen und Wirrungen endlich doch noch gefunden haben, und ich seufze gerührt, werde ein wenig sentimental und wünsche den beiden viel Glück.

Vieles an meinem Buch ist erfunden, manches ist wahr. Alle Cafés, Bars, Restaurants und Geschäfte gibt es wirklich, das *Menu d'amour* ist immer einen Versuch wert, weswegen ich das Rezept beigefügt habe, ebenso wie das Rezept des *Curry d'Agneau* aus der *Coupole* (im Original und so, wie es Aurélie Bredin kochen würde).

Doch das Restaurant *Le Temps des Cerises* wird der Leser in der Rue Princesse vergeblich suchen.

Auch wenn ich beim Schreiben – ich gestehe es – ein ganz bestimmtes Restaurant mit rot-weiß karierten

Tischdecken vor Augen hatte, soll es doch ein Ort der Phantasie bleiben, ein Ort, an dem Wünsche wahr werden und alles möglich ist.

Das Lächeln der Frauen ist ein Geschenk des Himmels, es ist der Beginn jeder Liebesgeschichte, und wenn ich mir etwas wünschen dürfte, dann dieses: daß meine liebe Freundin U. ihren neuen Wintermantel noch viele Jahre tragen kann und daß dieses Buch für die geneigten Leserinnen und Leser ebenso endet, wie es anfängt – mit einem Lächeln.

Aurélies Menu d'amour

(für zwei Personen)

Feldsalat mit Avocados, Champignons und Makadamianüssen in der Kartoffelvinaigrette

Die Zutaten:

100 Gramm Feldsalat

1 Avocado

100 Gramm kleine Champignons

1 rote Zwiebel

1 große Kartoffel (mehlig kochend)

10 Makadamianüsse

60 Gramm Schinkenspeckwürfel

2 bis 3 Eßlöffel Apfelessig

100 Milliliter Gemüsebrühe

1 Eßlöffel flüssigen Honig

3 Teelöffel Olivenöl

1 Stich Butter

Salz

Pfeffer

Den Feldsalat putzen, waschen und trockenschleudern. Die Champignons waschen, die Haut abziehen und in Scheiben schneiden. Die Avocado schälen und in Scheiben schneiden. Die Makadamianüsse in einer Pfanne in einem Stich Butter goldbraun rösten. Die Zwiebel halbieren und in dünne Scheiben schneiden. Die Kartoffel mit Schale kochen, bis sie weich ist.

Die Schinkenspeckwürfel in einer Pfanne anbraten, bis sie schön knusprig sind. Dann die Gemüsebrühe aufkochen und Essig, Salz, Pfeffer, 1 Eßlöffel Honig und Öl einrühren. Die Kartoffel pellen, in die Brühe geben und mit einer Gabel zerdrücken und alles mit einem Schneebesen glattrühren.

Den Feldsalat mit den Champignons, den Avocadoscheiben, Zwiebeln und Nüssen auf Tellern anrichten. Die Schinkenspeckwürfel darüberstreuen und mit der lauwarmen Sauce beträufeln. Sofort servieren.

Lammragout mit Granatapfelkernen und gratinierten Kartoffeln

Die Zutaten:
400 Gramm Lammfleisch aus der Keule
2 Möhren
2 Stangen Sellerie
1 rote Zwiebel
200 Gramm Tomaten
1 große Aubergine
2 Granatäpfel
2 Knoblauchzehen

3 Eßlöffel Butter

1 Bund frischen Thymian

1 Eßlöffel Mehl

¼ Liter trockenen Weißwein

400 Gramm kleine Kartoffeln (festkochend)

2 Eier

¼ Liter Sahne

Zunächst wird das Lammfleisch vom Fett befreit und dann in Würfel geschnitten. Danach die Möhren schälen, Selleriestangen waschen und putzen. Aubergine waschen, alles in kleine Würfel schneiden. Zwiebel und Knoblauch schälen und fein würfeln. Granatapfel halbieren und die Kerne herausholen und zur Seite stellen.

Die Tomaten kurz ins kochende Wasser tun, dann kalt abspülen und enthäuten. Das Fruchtfleisch entkernen und in Würfel schneiden.

Das Gemüse (außer den Tomaten und den Granatapfelkernen) in einer Pfanne in Butter andünsten. Mit Salz, Pfeffer und den abgezupften Thymianblättchen würzen.

Das Lammfleisch in Olivenöl in einer Kasserolle scharf anbraten, salzen und pfeffern. Dann mit Mehl bestäuben, alles verrühren und anschließend mit dem Weißwein übergießen. Das Gemüse dazugeben, auch die Tomaten, und alles zugedeckt bei schwacher Hitze (150 Grad) im Backofen etwa zwei Stunden schmoren lassen. Bei Bedarf weiteren Wein nachgießen. Die Granatapfelkerne erst am Schluß beigeben.

Während das Lammfleisch schmort, die Kartoffeln waschen, schälen und in hauchdünne Scheiben schneiden (oder hobeln

*mit dem Gurkenhobel). Eine Gratinform mit Butter ausfet-
ten und die Kartoffelscheiben kreisförmig in die Form legen,
mit Salz und Pfeffer bestreuen. Anschließend Sahne und Eier
verquirlen, würzen und über die Kartoffeln gießen und darauf Butterflöcken verteilen. Bei 180 Grad etwa 40 Minuten
garen.*

Gâteau au chocolat mit Blutorangenparfait

Zutaten:
*100 Gramm feine Bitterschokolade, mindestens 70 Prozent
Kakaoanteil*
2 Eier
35 Gramm (gesalzene) Butter
35 Gramm brauner Zucker
25 Gramm Mehl
1 Päckchen Vanillezucker
4 Stück Schokolade extra

*Die Schokolade und die Butter im Wasserbad schmelzen. Eier
schaumig schlagen und den Zucker dazugeben. Vanillezucker
einrühren. Das Mehl und die geschmolzene Schokolade un-
terheben.*
*Zwei Förmchen mit Butter ausfetten und mit Mehl bestäu-
ben. Dann die Förmchen zu einem Drittel füllen und je zwei
Schokoladenstückchen darauflegen und den restlichen Teig ein-
füllen.*

Im vorgeheizten Ofen bei 220 Grad 8 bis 10 Minuten bakken. Die Gâteaux au chocolat sollen nur außen gebacken und innen flüssig sein und werden mit Puderzucker überstäubt und lauwarm serviert.

Dazu reicht man das

Blutorangenparfait

Zutaten:
3 Blutorangen
2 Eigelb
100 Gramm Puderzucker
1 Prise Salz
2 Päckchen Vanillezucker
$^1/_4$ Liter Schlagsahne

Das Eigelb mit Zucker, einer Prise Salz und 3 Eßlöffel heißem Wasser mit dem Mixer aufschlagen, bis die Masse dicklich wird. Dann Saft von 2 Orangen zugießen. Die Sahne mit dem Vanillezucker steif schlagen und unter die Crème ziehen. In eine Form geben und über Nacht gefrieren lassen. Zum Gâteau au chocolat servieren und mit Orangenscheiben verzieren.

Bon Appétit!

Das Curry d'agneau aus dem La Coupole

Rezept von 1927

Zutaten (für 6 Personen)
3,5 Kilo Lammkeule oder -schulter
10 cl Sonnenblumenöl
3 Golden Delicious Äpfel (Aurélie nimmt 5 Äpfel)
1 Banane (Aurélie nimmt 4 Bananen)
3 Teelöffel Currypulver (Aurélie empfiehlt indisches Currypulver und empfiehlt abzuschmecken, ob 3 Teelöffel ausreichen)
1 Teelöffel süßes Paprikapulver
30 Gramm Kokosraspeln (und noch eine weiteres Schälchen voll, das man am Tisch dazureicht)
3 gehackte Knoblauchzehen
250 Gramm gewürfelte Zwiebeln (ruhig die doppelte Menge an Zwiebeln nehmen, empfiehlt Aurélie, dann wird es saftiger)
1/2 Eßlöffel grobes Meersalz
20 Gramm Mehl
50 cl Lammfond
200 Gramm Tomaten
50 Gramm Petersilie (Blattpetersilie, am besten ein Bund)
500 Gramm Basmatireis
50 Gramm Butter

1 Bouquet Garni Mango Chutney, Piment, Frucht- und Gemüserelish

Zubereitung

Das Fleisch etwa 5 Minuten lang leicht anbraten, einen geteilten Apfel und eine geteilte Banane dazugeben. Anschließend die gehackte Zwiebel und den Knoblauch.

Weitere 5 Minuten kochen, dann das Currypulver, das Paprikapulver und die Kokosraspeln dazugeben.

Gut umrühren und das Mehl darüberstreuen. Mit Wasser oder Lammfond bedecken.

Das Bouquet Garni und das Salz hinzugeben und auf kleiner Flamme etwa eine bis anderthalb Stunden simmern lassen, bis das Fleisch fast gar gekocht ist. (Man kann es auch in einer Kasserolle zwei bis drei Stunden bei niedriger Temperatur (ca. 180 Grad) im Backofen garen lassen, dann wird das Fleisch ganz zart und man erspart sich das Pürieren.)

Das Fleisch aus der Flüssigkeit nehmen und die Sauce pürieren. (Das Pürieren muß nicht sein, wenn man es mag, noch kleine Stückchen der Zutaten zu schmecken). Dann das Fleisch wieder hineingeben und weiter 30 Minuten sanft simmern lassen.

Als Begleitung den Reis mit in Butter gedünstetem Apfel, geschnittenen Tomaten und der Petersilie servieren. Dazu reicht man in kleinen Schüsseln Mango Chutney, Piment und Relish.